# PENSAMENTOS
# **PODEROSOS**

# JOYCE MEYER

# PENSAMENTOS PODEROSOS

**12 ESTRATÉGIAS PARA VENCER A BATALHA DA MENTE**

Belo Horizonte

Edição publicada mediante acordo com FaithWords, New York, New York. Todos os direitos reservados.

**Diretor**
Lester Bello

**Autora**
Joyce Meyer

**Título Original**
Power Thoughts

**Tradução**
Maria Lucia Godde / Idiomas & Cia

**Revisão**
Idiomas & Cia / Clarisse Cintra / Mércia Padovani

**Diagramação**
Julio Fado
Ronald Machado (Direção de arte)

**Design capa (adaptação)**
Fernando Rezende
Ronald Machado (Direção de arte)

**Impressão e Acabamento**
Promove Artes Gráficas

**bello**
editora

Rua Major Delfino de Paula, 1212
Bairro São Francisco, CEP 31.255-170
Belo Horizonte/MG - Brasil
contato@belloeditora.com
www.belloeditora.com

© 2010 por Joyce Meyer
Copyright desta edição
FaithWords Hachette
Book Group
New York, NY

Publicado pela
Bello Comércio e Publicações Ltda-ME
com a devida autorização de
Hachette Book Group e todos
os direitos reservados.

Primeira Edição – Abril 2011
Reimpressão – Junho 2011
6ª Reimpressão – Setembro 2016

Todos os direitos reservados. Nenhuma parte desta publicação poderá ser reproduzida, distribuída, ou transmitida por qualquer forma ou meio, ou armazenada em base de dados ou sistema de recuperação, sem a autorização prévia por escrito da editora.

Exceto em caso de indicação em contrário, todas as citações bíblicas foram extraídas da Bíblia Sagrada Nova Versão Internacional (NVI), 2000, Editora Vida. Outras versões utilizadas: KJV (Apenas trechos do Novo Testamento: Versão King James em língua portuguesa, Abba Press), ARA (Almeida Revista e Atualizada, SBB) e NTLH (Nova Tradução na Linguagem de Hoje, SBB). As seguintes versões foram traduzidas livremente do idioma inglês em função da inexistência de tradução no idioma português: AMP (*Amplified Bible*), TM (*The Message*) e KJV (*King James Version*, Trechos do Antigo Testamento). Todos os itálicos e negritos nos versículos são da autora e não constam no original.

---

CIP-BRASIL. CATALOGAÇÃO NA FONTE
SINDICATO NACIONAL DOS EDITORES DE LIVROS, RJ

        Meyer, Joyce
M612    Pensamentos poderosos: 12 estratégias para vencer
    a batalha da mente / Joyce Meyer; tradução de Maria
    Lúcia Godde / Idiomas e Cia. – Belo Horizonte: Bello
    Publicações, 2016.
    295p.
    Título original: Power thoughts: 12 strategies to win
    the battle of the mind.

ISBN: 978-85-61721-68-8

    1. Auto-ajuda – Aspectos religiosos. 2. Comportamento -
Modificação. I. Título.

CDD: 234.2
CDU: 230.112

# Sumário

## Parte I: Está Tudo na Sua Mente

| | |
|---|---|
| Introdução | 9 |
| Capítulo 1: O Poder de Ser Positivo | 19 |
| Capítulo 2: Ensine Sua Mente a Trabalhar Para Você | 31 |
| Capítulo 3: Mais Poder Para Você | 47 |
| Capítulo 4: Pensamentos Deliberados | 61 |

## Parte II: Pensamentos Poderosos

Conheça o Programa Pensamentos Poderosos    83

Pensamento Poderoso N.º 1:    87
*Posso fazer tudo que eu precise fazer na vida por intermédio de Cristo.*

Pensamento Poderoso N.º 2:    105
*Deus me ama incondicionalmente!*

Pensamento Poderoso N.º 3:    119
*Não viverei com medo.*

Pensamento Poderoso N.º 4:    136
*Sou uma pessoa que não se ofende facilmente.*

Pensamento Poderoso N.º 5:    153
*Amo as pessoas e tenho prazer em ajudá-las.*

Pensamento Poderoso N.º 6:    168
*Confio em Deus completamente; não há razão para me preocupar!*

Sumário

PENSAMENTO PODEROSO N.º 7:                                      186
*Sou contente e emocionalmente estável.*

PENSAMENTO PODEROSO N.º 8:                                      204
*Deus supre todas as minhas necessidades em abundância.*

PENSAMENTO PODEROSO N.º 9:                                      222
*Busco a paz com Deus, comigo mesmo e com os outros.*

PENSAMENTO PODEROSO N.º 10:                                     234
*Vivo no presente e desfruto cada momento.*

PENSAMENTO PODEROSO N.º 11:                                     253
*Sou disciplinado e tenho domínio próprio.*

PENSAMENTO PODEROSO N.º 12:                                     272
*Coloco Deus em primeiro lugar em minha vida.*


Armado e Pronto para a Batalha                                 288

Notas                                                          291

# PARTE I

# Está Tudo na Sua Mente

O que quer que você guarde na sua mente tenderá a acontecer em sua vida. Se você continuar a acreditar no que sempre acreditou, continuará a agir como sempre agiu. Se você continuar a agir como sempre agiu, continuará a alcançar o que sempre alcançou. Se você quer ter resultados diferentes em sua vida ou trabalho, tudo que tem a fazer é mudar a sua maneira de pensar.

— *Anónimo*

# Introdução

Um dos meus ditados favoritos é: "Para onde a mente vai, o homem segue". Acredito de todo o coração que os nossos pensamentos nos dirigem, mapeando o curso da nossa vida e nos indicando certas direções que finalmente determinarão o nosso destino. Nossos pensamentos fazem com que tenhamos determinadas atitudes e perspectivas; eles afetam os nossos relacionamentos, determinam o quanto seremos produtivos na vida pessoal e profissional e exercem uma forte influência sobre a nossa qualidade de vida em geral. Definitivamente, precisamos entender o poder dos pensamentos!

Por exemplo, se você começar a pensar em iniciar seu próprio negócio, em obter um diploma universitário, em melhorar sua saúde ou em eliminar suas dívidas, e realmente levar isso a sério (o que significa que você concentra sua mente com firmeza nessa direção) finalmente você conseguirá fazê-lo. Os seus objetivos podem mudar à medida que o tempo passar. Ou talvez, como costuma acontecer, a vida dará voltas e mudará ao longo do caminho, colocando-o em uma posição na qual você nunca esperava estar e criando novas opções que você não havia sequer levado em consideração. Um bom exemplo disso pode ser visto na vida de uma amiga minha. Há vários anos, ela decidiu se mudar para o outro lado do país, embora isso significasse que ela teria de deixar uma carreira de muitos anos e começar tudo de novo. Ela cumpriu o aviso em seu emprego, colocou sua casa à venda em um próspero

Introdução

mercado imobiliário e começou a fazer planos para a sua mudança. Quem poderia esperar que uma enorme queda repentina no mercado imobiliário a deixaria com uma casa que não valia sequer o que restava de saldo em seu financiamento? Com pouquíssimas economias para vender a casa e compensar a diferença, ela acabou ficando nela. Encontrou outro emprego que era muito inferior ao antigo e, através de seu novo empregador, dois anos depois ela conheceu o homem que se tornaria seu marido. Embora seu objetivo inicial não tenha se realizado, minha amiga lhe dirá, sem sombra de dúvida, que decidir se mudar foi a melhor decisão que ela já tomou — embora ela ainda more no mesmo lugar durante todos esses anos. Se não tivesse dado os passos que deu, ela tem certeza de que nunca teria conhecido seu marido.

Acredito firmemente que cada coisa que fazemos na vida nos dá experiência para a próxima, e que nosso planejamento ponderado é aperfeiçoado por Deus à medida que colocamos nossa confiança Nele.

O sucesso em cada aspecto da vida começa com um pensamento; o mesmo acontece com o fracasso. Se você acha que não pode fazer ou alcançar alguma coisa, é bem provável que não consiga. A sua mente tem *esse* poder de influência sobre a sua vida.

Simplesmente pense sobre isso. Separe um instante agora para levar em consideração os sucessos e fracassos de sua vida. Que tipo de pensamento você estava tendo antes e durante as suas maiores realizações? E que tipo de pensamento enchia a sua mente antes e durante os seus fracassos ou equívocos mais significativos? Você consegue perceber como a sua mente trabalhou a seu favor ou contra você durante o curso da sua vida?

Muitas vezes, temos êxito na vida porque outras pessoas nos encorajam e pensamos nos comentários de apoio delas a ponto de acreditar neles. Qualquer pessoa a quem foi dito: "você consegue!" sabe o quanto é fácil transformar essas palavras inspiradoras que geram confiança em um pensamento. Quando "você consegue" se transforma em "eu consigo", então a coisa acontece — seja a marcação de um ponto em uma competição esportiva, tirar uma nota boa em uma prova, conseguir um emprego, perder peso, ou comprar uma casa. Quando acreditamos ou pensamos que podemos fazer alguma coisa, então de algum modo — mesmo que enfrentemos desafios — ainda assim conseguimos realizá-la. O mesmo acontece quando pensamos negativamente e passamos a acreditar que não podemos fazer alguma coisa. As palavras desanimadoras dos outros e os pensamentos do tipo *não sou inteligente o bastante, atraente o bastante, não tenho talento suficiente, não sou diligente o bastante* costumam se transformar em profecias que se cumprem em nós mesmos. Por quê? Porque elas ficam impregnadas no nosso pensamento a ponto de exercerem influência sobre nosso processo de tomada de decisões — e aonde a mente vai, o homem a segue.

James Allen, um filósofo que viveu por volta da virada do século XX, disse: "Tudo que o homem conquista e tudo que ele deixa de conquistar é resultado direto dos seus próprios pensamentos". A maneira como pensamos tem muito mais poder do que costumamos perceber, e os nossos pensamentos afetam cada aspecto da nossa existência, seja positiva ou negativamente. Qualquer coisa na qual pensemos e acreditemos nos *parece* real, mesmo que absolutamente não seja verdade. Se achamos que alguma coisa é verdade, reagimos e agimos como se fosse. Nossos pensamentos afetam nossos relacionamentos, nossa autoimagem, nossas finanças, nossa saúde (física, emocional e espiritual), nossa produtividade no trabalho e em casa, a maneira como administramos nosso tempo, nossas prioridades e a nossa capacidade de desfrutar a vida.

A relação entre os nossos pensamentos e as circunstâncias da nossa vida está clara nas Escrituras. Provérbios 23:7 diz: "Porque, como imagina em sua alma, assim ele é" (ARA). Em outras palavras, nós nos tornamos aquilo que pensamos. Se tivermos pensamentos positivos, seremos pessoas positivas e desfrutaremos uma vida frutífera. Ao contrário, se tivermos pensamentos negativos, seremos pessoas negativas sem alegria ou sucesso na vida.

Quero deixar claro que não estou dizendo que podemos simplesmente pensar e assim trazer à existência tudo que desejamos. Essa concepção sobre o poder dos pensamentos é uma forma de humanismo, e trata-se de uma filosofia ímpia. Porém, simplesmente reconhecer o fato de que os pensamentos são poderosos não é humanismo, de forma alguma. Na verdade, é uma ideia bastante bíblica, e você verá isso ao longo deste livro.

Nossa mente precisa passar por um processo de renovação a fim de experimentarmos o plano de Deus para nós. Os pensamentos Dele estão acima dos nossos pensamentos (ver Isaías 55:8,9), então, para andar com Ele e experimentar Seu bom plano para nossa vida, *precisamos* aprender a pensar como Ele pensa (ver Romanos 12:2). É impossível mudarmos nossa vida até que mudemos os nossos pensamentos. Quando as pessoas dizem que estão infelizes ou frustradas, eu digo que uma vida de baixa qualidade pode ser o resultado de pensamentos de baixa qualidade. Na maior parte do tempo, essas pessoas não entendem que têm a capacidade de fazer escolhas com relação aos seus pensamentos, e que fazer isso fará a diferença em sua vida.

De fato, poucas pessoas compreendem que temos a capacidade de escolher nossos pensamentos e de decidir o que queremos pensar; a maioria de nós medita passivamente em tudo que nos vem à mente sem sequer percebermos que nosso inimigo, Satanás, usa a nossa mente intensamente para nos controlar e nos impedir de cumprir o destino de Deus para nossa vida. Ao receber Jesus Cristo como seu Salvador, cada pessoa regenerada recebe um novo espírito e um novo coração de Deus, mas não recebe uma nova mente — a mente precisa ser renovada. A intenção do coração de uma pessoa pode ser pura, mas ainda assim sua mente continua confusa. A Bíblia declara enfaticamente que precisamos ser transformados pela total renovação da nossa mente e da nossa atitude (ver Romanos 12:2). Isso acontece por meio de um estudo completo, diligente e minucioso da Palavra de Deus.

Entendo perfeitamente que escolher os pensamentos corretos nem sempre é fácil. Uma das maiores reviravoltas que aconteceram em minha vida ocorreu quando finalmente entendi que eu tinha a capacidade de controlar meus pensamentos, e um dos maiores desafios que enfrentei foi o desafio de mudar meu modo de pensar quando percebi que era possível fazer isso. Eu lhe contarei mais sobre a minha jornada em direção aos pensamentos corretos e o encorajarei na sua própria jornada à medida que você avançar na leitura deste livro.

Às vezes, pensar corretamente parece ser uma batalha — e estou aqui para lhe dizer que *é* mesmo uma batalha. Isso porque a mente é um campo de batalha; é nela que vencemos ou perdemos, onde nos tornamos vítimas ou vencedores na vida. Em 1995, escrevi o livro *Campo de Batalha da Mente*, que se fundamenta no fato de que os maiores problemas que enfrentamos na vida geralmente resultam de uma maneira errada de pensar. Desde que esse livro foi lançado, muitas pessoas passaram a entender que proteger a mente é de importância crucial, e aprenderam a desenvolver padrões de pensamento saudáveis. Nos anos posteriores ao lançamento do livro, vivi mais experiências nas quais pude observar como meus pensamentos afetam minha vida, assim como observei que os pensamentos são poderosos na vida das pessoas às quais ministro, e estou mais convencida do que nunca de que a mente é um campo de batalha. Ela é o campo de batalha onde guerreamos não apenas contra o nosso inimigo e o inimigo de Deus, o diabo, pela nossa vida e pelo nosso destino, mas também contra as visões, conceitos ou ideias mundanos que ameaçam nos enganar. Ela é o campo de batalha onde tomamos as decisões que levam à frustração e derrota, ou à força, saúde, alegria, paz e abundância.

A batalha na nossa mente continuará até que nossa vida terrena esteja concluída. Nunca nos tornaremos tão espirituais a ponto de o inimigo decidir parar de nos assediar, mas podemos nos tornar cada vez mais fortes contra ele à medida que crescermos em nosso relacionamento com Deus e no entendimento da Sua Palavra. Podemos aprender a viver em medidas maiores de poder e autoridade sobre o inimigo, o que resultará em maiores habilidades para desfrutar nossa vida, receber as bênçãos de Deus, e cumprir os bons planos que Ele tem para nós.

Em *Pensamentos Poderosos*, quero dar o próximo passo após o *Campo de Batalha da Mente* e lhe dar discernimentos e estratégias específicos para ajudá-lo a construir uma mentalidade poderosa. Essa mentalidade lhe dará poder para viver em uma posição de força, sucesso e vitória todos os dias.

Na Parte I deste livro, compartilharei algumas verdades e discernimentos potencialmente transformadores sobre o poder dos nossos

Introdução

pensamentos e a importância da maneira como pensamos. Você verá como seus pensamentos são importantes para sua saúde física, para seu bem-estar mental e emocional, e para seu crescimento espiritual. Você descobrirá o quanto uma atitude positiva e temente a Deus é vital, além de aprender a desenvolver e manter o tipo de visão otimista que o ajudará a mudar sua vida para melhor.

Na Parte 2 deste livro, apresentarei a você doze "pensamentos poderosos" que podem revolucionar a sua vida se você acreditar neles, permitir que eles criem raízes na sua mente e agir com base neles na sua vida diária. Nestas páginas, lhe darei ferramentas que podem torná-lo forte onde você foi fraco, triunfante onde foi derrotado, positivo onde foi negativo, corajoso onde teve medo, e vitorioso onde você fracassou no passado.

O objetivo deste livro não é simplesmente lhe dar boas informações que você pode ler e guardar na "gaveta de baixo" da sua mente. Meu alvo é ajudá-lo a mudar a sua vida. A única maneira de mudá-la, porém, é mudando a sua maneira de pensar, e quero lhe dar uma vantagem inicial compartilhando com você doze dos pensamentos mais importantes que você pode ter. Esses pensamentos podem não estar de acordo com a maneira como você pensa atualmente; pode ser necessário retreinar o seu cérebro usando esses pensamentos de poder para construir uma nova mentalidade. Você pode precisar de novos hábitos mentais, o que não acontecerá imediatamente, mas isso *pode* acontecer se você se comprometer em renovar a sua mente. Você pode começar com os doze pensamentos apresentados neste livro e depois continuar a desenvolvê-los ao longo de sua vida, aperfeiçoando novos padrões e hábitos de pensamento.

Alguns especialistas dizem que são necessários trinta dias para se formar um novo hábito; outros dizem que são necessárias três semanas. Talvez você possa quebrar velhos hábitos e desenvolver novos mais rápido do que isso, ou pode ser que demore mais tempo. Tudo que peço é que você se aproxime deste livro em espírito de oração e use-o como um padrão em sua vida. Você pode querer se concentrar em um pensamento poderoso por semana durante doze semanas, e iniciar um "programa" de três meses ensinando o seu cérebro a pensar de modo diferente. Você pode optar por se concentrar em um pensamento a cada mês durante doze meses, usando este livro durante o curso de um ano para ajudá-lo a estabelecer uma nova mentalidade e uma nova maneira de pensar que podem mudar a sua vida. Sugiro que você use o programa de três meses e o repita quatro vezes por ano. Este livro foi preparado de forma a permitir que você registre o seu progresso ao fim de cada semana e faça anotações a respeito das mudanças que está começando a ver em sua vida como resultado de seus novos pensamentos. Seja qual for o ritmo que você decida ser bom para você ao seguir este livro, comprometa-se com ele. Mais do que isso, comprometa-se com Deus e consigo mesmo. Comprometa-se a mudar as coisas em sua vida que precisam de mudança — e veja este livro como a ferramenta que pode ajudá-lo a fazer isso.

Apenas ler este livro não será o suficiente para realizar a transformação que sei que pode acontecer em sua vida. Você precisará aplicar os princípios que aprender e disciplinar sua mente para pensar de uma nova maneira. Essa nova maneira de pensar tem a capacidade de aperfeiçoar a sua existência diária e tornar sua vida muito melhor. Se você está cansado da maneira como tem vivido, pode transformá-la aprendendo a pensar de um modo diferente. Você precisa ser determinado e, mesmo que seja necessário repetir o programa de doze semanas muitas e muitas vezes, apenas lembre-se de que a cada vez você está progredindo. A escolha é sua; ninguém pode fazer essa escolha por você. Só você está no comando da sua mente, e ela afeta todas as áreas da sua vida. Acredito que com a ajuda de Deus você pode mudá-la, e ao fazer isso, pode mudar a sua vida. Deus não nos controla. Ele nos guia em direção ao que é certo. Ele nos dá o espírito e o fruto do domínio próprio, e a liberdade de termos a nossa própria maneira de pensar. Satanás, que é o inimigo das nossas almas, tentará controlar sua vida controlando seus pensamentos. Infelizmente, grande parte dos nossos pensamentos é instigada pela maneira como fomos criados, pelo mundo que nos cerca, e pelas forças malignas em operação no mundo de hoje, mas a verdade nos liberta. Você pode aprender maneiras totalmente novas de pensar que transformarão você e sua vida para sempre. Acredito que estudando

Introdução

este livro você está embarcando em uma "jornada para a verdade" que produzirá resultados surpreendentes em sua vida.

A sua mente pode ser um depósito de lixo ou uma arca do tesouro, mas só você tem a capacidade de escolher o que ela será. Você pode fazer dela uma coisa ou outra decidindo se terá pensamentos negativos, de baixa qualidade, comuns e baixos, ou pensamentos positivos, puros, honrados e valiosos aos olhos de Deus. Você pode ter pensamentos que geram força ou pensamentos que a drenam. Deixe-me encorajá-lo a pensar neste livro como um mapa que o conduzirá às ferramentas preciosas que você precisa para transformar sua mente em uma fonte de poder e em uma arca do tesouro.

Creio de todo coração que você, como pessoa, é um tesouro, e que existem tesouros incríveis dentro de você. Alguns desses tesouros nunca foram desenterrados porque a sua maneira de pensar não permitiu que você percebesse que eles existiam. Mas este livro pode mudar isso.

Se você deseja sinceramente ser diferente de como é agora, ou quer que algum aspecto de sua vida seja diferente, precisa começar a pensar diferente. Se o seu modo de pensar atual se qualifica mais como "lixo" do que como "tesouro", você pode mudar isso. Não envenene a sua vida com padrões de pensamento errados. Eu o desafio a investir o tempo que for necessário — quer sejam doze semanas, um ano, ou outra quantidade de tempo — para renovar a sua mente e constatar como você colherá um lucro inacreditavelmente maravilhoso. Use este livro para ajudá-lo a começar, e tenha-o à mão por um ano inteiro ou talvez por toda a vida à medida que você aprende a transformá-la mudando o seu modo de pensar. Se você não tomar uma atitude, as coisas podem continuar as mesmas ou podem até piorar. Se investir agora, você pode aguardar com expectativa uma grande melhoria em todas as áreas.

## Como Usar Este Livro

*Pensamentos Poderosos* é um livro para ser *usado,* e não simplesmente lido. À medida que avançar na leitura, marque as passagens que se aplicam à sua vida, faça anotações nos pontos que o fazem pensar de um modo

diferente, ou dedique tempo para fazer um diário. Leia com atenção —
você pode precisar parar e refletir sobre um pensamento ou uma passagem específica. Faça isso! Este não é um livro para ser lido às pressas.
Pare e ore ao longo do caminho, e peça a Deus para ajudá-lo a mudar
o seu modo de pensar a fim de que você possa transformar a sua vida.
Confie em mim — será um tempo bem gasto.

Ao longo deste livro, você verá a expressão *Pense Nisto*, às vezes
seguidas de uma pergunta ou duas. Reserve tempo para responder às
perguntas, de preferência por escrito, porque elas têm o objetivo de
ajudá-lo a progredir mais do que se você apenas fizer a leitura. Elas
visam facilitar a sua jornada em direção a uma vida poderosa — uma
vida onde as circunstâncias não determinam se você é feliz ou não, e
o estresse não o oprime; uma vida de confiança em Deus e em quem
Ele criou você para ser; uma vida onde você sente que pode fazer e ser
tudo que Ele pretende que você faça e seja.

Quando chegar à Parte 2, dedicada aos doze pensamentos de poder específicos, você continuará a ver perguntas ao longo dos capítulos, e no final de cada capítulo, encontrará um "Pacote de Poder".
Cada "Pacote de Poder" é um grupo de passagens bíblicas que reforça
os princípios contidos em cada pensamento poderoso. Se você lê-los,
memorizá-los, meditar neles, obedecer a eles e permitir que eles criem
raízes na sua mente, verá melhorias notáveis em sua vida.

Sei que a Palavra de Deus pode transformar uma existência fraca ou
medíocre em uma vida poderosa, empolgante e realizadora. Em vários
lugares ao longo deste livro, sugerirei que você encontre Escrituras que
se aplicam a uma mentalidade ou circunstância específica de sua vida.
Você pode fazer isso de várias formas:

- Use a concordância de sua Bíblia. Por exemplo, se você quer
  encontrar um versículo sobre *paz*, simplesmente procure a palavra paz na concordância e você verá listas de Escrituras sobre
  paz. Algumas Bíblias não têm concordância; existem concor-
  dâncias mais completas disponíveis separadamente.

## Introdução

- Use um índice de tópicos, que você usa da mesma maneira que a concordância. Enquanto a concordância relaciona Escrituras com a palavra exata que você está procurando, o índice de tópicos relaciona as Escrituras relacionadas ao tópico.
- Use uma Bíblia online ou um software bíblico que tenha concordância e índice de tópicos.
- Use o meu livro *The Secret Power of Speaking God's Word* (O Poder Secreto de se Declarar a Palavra de Deus), que é dividido em tópicos.
- Use a seção intitulada "A Palavra para Sua Vida Diária" da *Bíblia de Estudo Joyce Meyer*, disponível através do Ministério Joyce Meyer ou nas livrarias do ramo.

Você está prestes a entrar no campo de batalha para remover as minas terrestres da insegurança, do medo e da ansiedade que foram plantadas pelo inimigo. Assim, nas palavras de Paulo, lembro a você para vestir "toda a armadura de Deus... para poder ficar firme contra as ciladas do diabo" (Efésios 6:11). Eu o encorajo a ser determinado desde o princípio da sua jornada e não desistir. São aqueles que completam a carreira que recebem o prêmio.

Oro para que o Espírito Santo o dirija enquanto você lê e contempla os pensamentos de poder encontrados neste livro. Que Ele inspire em você a paciência para refletir sobre as verdades e meditar na Palavra enquanto examina o papel que cada pensamento pode exercer — e exercerá em sua vida.

# Capítulo 1

## O Poder de Ser Positivo

O medalhista de ouro olímpico Scott Hamilton disse: "A única defi-ciência na vida é uma atitude negativa". É verdade. Nada o impedirá ou limitará na vida tão gravemente quanto uma atitude negativa. Quando uso a palavra *atitude*, estou me referindo ao sistema de pensamentos, à postura mental, à mentalidade ou à maneira de pensar com a qual uma pessoa encara a vida. Por exemplo, se alguém tem uma atitude negativa para com o trabalho, pensará coisas do tipo:

- *Tenho o emprego mais monótono da Terra.*
- *Meu patrão é exigente demais.*
- *Esta empresa precisa me pagar mais e me tratar melhor.*
- *Eu deveria tirar mais tempo de férias.*
- *Eu sempre preciso fazer o "trabalho duro".*
- *Ninguém aqui gosta de mim.*
- *Eu posso ter de trabalhar com estas pessoas, mas não preciso ser gentil com elas.*

Todos esses pensamentos se associam para formar uma atitude negativa. Como uma pessoa com pensamentos assim em sua mente o dia inteiro pode gostar do seu trabalho, tornar-se um funcionário positivo, ou contribuir de forma eficaz para a empresa? Não pode, a não ser que mude seus pensamentos e desenvolva uma atitude melhor. Mesmo que seu chefe precise definitivamente mudar e melhorar em diversas áreas,

PARTE I – Está Tudo na Sua Mente

você precisa entender que ser negativo com relação ao seu emprego não irá mudá-lo, mas pode influenciar sua atitude, gerando uma atitude que drena toda sua força.

Você acredita que a pessoa que acabo de descrever seria um bom candidato a um aumento ou promoção? É claro que não. E quanto a um homem cuja atitude se baseia em pensamentos como estes?

- *Sou muito grato por ter um emprego.*
- *Vou dar o melhor de mim todos os dias.*
- *Acredito que Deus me favorece todos os dias junto ao meu chefe.*
- *Estou feliz por fazer parte de uma equipe com meus colegas de trabalho, embora nenhum de nós seja perfeito.*
- *O ambiente de trabalho pode não ser ideal, mas farei a minha parte para torná-lo agradável para mim e para os que me cercam.*
- *Estou comprometido em ser concentrado e diligente enquanto estiver em meu horário de trabalho.*
- *Gostaria de receber um aumento, portanto vou trabalhar duro para merecê-lo.*

Não há dúvidas de que a atitude positiva dessa pessoa a colocará na posição de receber uma promoção na empresa, e se tiver o mesmo tipo de atitude em outras áreas, ela terá uma vida feliz e realizadora. Mesmo que seu chefe nunca reconheça seus atributos, Deus os reconhece, e Ele mudará o coração do chefe ou dará a essa pessoa um emprego melhor. Deus sempre recompensa abertamente aquilo que fazemos em secreto para a Sua honra e glória.

## Cabe a Você

Todos nós temos o privilégio e a responsabilidade de escolher as nossas atitudes, independentemente de quais sejam as circunstâncias ou situações em que nos encontramos. A palavra-chave aqui é *escolher*. As atitudes não acontecem simplesmente; elas são o produto das nossas escolhas. Com o tempo, os padrões de pensamento estabelecidos em nossa mente podem nos colocar no "piloto automático", o que significa que quando certos tipos de situações ocorrem, somos pré-programados para pensar neles de determinadas maneiras. Precisamos interromper essa função de "piloto automático" e aprender a impedir que nossa mente siga na direção que ela seguiu por anos, caso essa direção não esteja produzindo boas coisas em nossa vida. Por exemplo:

- Você pode ter passado anos detestando a ideia de ter de passar as celebrações de festas e feriados com a sua família, mas este ano, você pode escolher pensar: *Estar com a minha família pode não ser a minha atividade favorita, mas vou procurar deliberadamente alguma coisa boa em cada um dos meus parentes.*
- Você pode ter o hábito de reclamar por se sentir oprimido quando as contas chegam à sua casa todo mês, mas você pode começar a pensar: *Vou pagar o máximo possível destas contas, e pouco a pouco vou sair das dívidas.*

É vital que você entenda que pode escolher a sua própria maneira de pensar. Você pode ter o hábito de simplesmente pensar no que lhe vem à mente, mas agora está em um processo de retreinar a sua mente, um pensamento de cada vez. À medida que você aprender a pensar como Deus pensa, isso permitirá que Deus seja seu parceiro na realização de tudo aquilo que você precisa realizar.

## Pense Nisto

Qual é o pensamento ou a atitude mais importante que você precisa mudar em sua vida?

PARTE I – Está Tudo na Sua Mente

# Um Ajuste de Atitude

Winston Churchill mencionou que "a atitude é uma pequena coisa que faz uma grande diferença". Concordo plenamente. Todos nós precisamos de "ajustes de atitude" às vezes, e um ajuste de atitude é o resultado da mudança no nosso modo de pensar.

Se mantivermos a nossa atitude positiva e elevada, continuaremos a subir cada vez mais alto na vida e poderemos voar. Mas se a nossa atitude for negativa e para baixo, cairemos e ficaremos no chão da vida, sem nunca podermos fazer as jornadas que Deus deseja para nós ou atingir os destinos que Ele planejou.

Você deve ter ouvido o ditado: "A sua atitude determina a sua altitude". Em outras palavras, uma atitude positiva fará você "voar alto" na vida, ao passo que uma atitude negativa o manterá no baixo. Assim como os pilotos têm certas regras a seguir para manter os aviões orientados, com as atitudes e altitudes corretas, quero compartilhar algumas regras que você pode seguir na vida para ajudar a manter a sua atitude positiva, a fim de manter a sua "altitude" onde ela deve estar.

## Regra N.° 1: Mantenha a atitude correta quando as coisas estiverem difíceis.

Independentemente do que aconteça com você, decida-se a passar por isso com a atitude correta. Na verdade, decida-se *antecipadamente* a manter uma atitude positiva em meio a toda situação negativa que se apresente. Se você tomar essa decisão e meditar nela durante um bom tempo em sua vida, então quando as dificuldades surgirem você já estará preparado para manter uma boa atitude. Por exemplo, se uma conta inesperada ou um conserto importante aparecer, decida-se a não reclamar porque você precisa apertar o cinto financeiramente por alguns meses para compensar o gasto. Em vez disso, encare o desafio como uma aventura e decida-se a encontrar formas criativas de cortar custos por algum tempo e a procurar maneiras de desfrutar a vida sem gastar dinheiro. Pude testemunhar por várias vezes como Deus ajuda as pessoas que mantêm uma atitude positiva em tempos desafiadores. Recentemente conheci a história de um casal que estava enfrentando dificuldades financeiras, mas estavam determinados a manter um atitude boa e positiva, uma atitude de gratidão. O marido, a quem chamaremos John, trabalhava em um restaurante e, um dia, um cliente teve um ataque cardíaco enquanto almoçava. John tinha algum treinamento médico por ter servido nas forças armadas e pôde fazer o procedimento de ressuscitação cardíaca (RCP) para manter o homem respirando e o seu coração batendo até à chegada dos paramédicos. Como se constatou mais tarde, o homem cuja vida foi salva por acaso era muito rico, e como forma de gratidão deu a John um cheque de cinco mil dólares como uma forma de dizer: "Obrigado por salvar minha vida". A atitude positiva do casal mantida durante os problemas financeiros abriu a porta para Deus operar milagrosamente na vida deles.

Vemos exemplos ao longo da história de pessoas que mantiveram atitudes positivas diante de tempos de dificuldades e através disso transformaram seus problemas em oportunidades. Especificamente, penso em diversas pessoas que foram aprisionadas e compuseram alguns dos escritos mais influentes que o mundo já conheceu, como: "Carta da Cadeia de Birmingham", por Martin Luther King Jr., *O Peregrino*, por John Bunyan, e *A História do Mundo*, por Sir Walter Raleigh. Embora o famoso compositor Ludwigg Van Beethoven não tenha sido preso literalmente, ele era quase que totalmente surdo e sofreu muito durante um período de sua vida — e foi justamente durante esse período que escreveu suas maiores sinfonias. Sem dúvida, essas pessoas poderiam ter tido atitudes terríveis quando enfrentavam problemas, mas tomaram uma decisão e mantiveram a melhor das atitudes em meio aos piores momentos e fizeram contribuições que ainda são lidas e ouvidas no mundo de hoje.

Não creio que elas simplesmente nasceram pessoas positivas; creio que tiveram de fazer uma escolha e decidiram escolher algo que beneficiaria tanto a elas quanto ao mundo. Um dos piores erros que podemos cometer no nosso modo de pensar é acreditarmos que simplesmente não somos como *aquelas pessoas positivas* e não podemos fazer nada a respeito. Se você acha que não pode fazer nada quanto ao seu modo de pensar e à sua atitude, então está derrotado antes mesmo de começar a tentar.

PARTE I – Está Tudo na Sua Mente

Independentemente de que dificuldades você encontre, manter a atitude correta será mais fácil do que recuperar a atitude correta, então, logo que sentir que a sua atitude está perdendo altitude, faça um ajuste. Lembre de resistir ao diabo desde o princípio (ver 1 Pedro 5:8,9). Em outras palavras, assim que o inimigo enviar pensamentos negativos à sua mente, paralise-os. Determine que você não irá concordar com eles e decida-se a não ouvir mais a sua voz. Discipline-se para permanecer firme com a sua atitude positiva em todas as circunstâncias. A infelicidade sempre será uma opção; você sempre poderá escolher ser infeliz e pessimista, mas também poderá escolher ser otimista e feliz.

## Pense Nisto

Como você pode começar a fazer ajustes na sua atitude agora para ajudá-lo a manter uma atitude positiva na próxima vez em que se deparar com um desafio? Pode ser tão fácil quanto dizer: "Entendo que a vida não é perfeita, mas com a ajuda de Deus, vou permanecer estável mesmo durante as tempestades da vida".

---

### Regra N.° 2: Entenda que os tempos de dificuldade não vão durar para sempre.

Ouvi muitas pessoas que vivem em partes do mundo onde existem quatro estações distintas falarem sobre o quanto elas gostam do inverno, da primavera, do verão e do outono. Elas gostam da variedade e da beleza singular, das qualidades e das oportunidades de cada estação. A Bíblia nos diz que o próprio Deus muda os tempos e as estações (ver Daniel 2:21). As estações mudam; isto é verdade no mundo natural e também com relação às estações da vida. Significa que os tempos difíceis não duram para sempre. Podemos ter dias péssimos, semanas difíceis, meses ruins, ou até um ano que parece ter mais do que a sua cota de problemas, mas toda experiência negativa chega ao fim.

Algumas das situações difíceis em que nos encontramos parecem demorar demais. Quando isso acontece, geralmente somos tentados a reclamar ou a ficarmos desanimados. Em vez disso, precisamos imediatamente ajustar a nossa atitude e pedir a Deus para nos ensinar algo de valor enquanto avançamos em meio àquela situação que se apresenta. De acordo com Tiago 1:2-3, Deus usa as provações e a pressão para produzir bons resultados em nossa vida. Ele sempre quer nos abençoar. Às vezes as bênçãos de Deus vêm através de circunstâncias inesperadas que podemos encarar como negativas, mas se mantivermos uma atitude positiva em meio a essas situações, teremos os resultados positivos que Deus deseja nos dar.

Se você está passando por um tempo difícil neste momento, deixe-me lembrá-lo que provavelmente não é o primeiro desafio que você já enfrentou. Você sobreviveu ao último (e provavelmente aprendeu algumas lições valiosas através dele) e sobreviverá a este também. As suas provações são temporárias. Elas não irão durar para sempre. Dias melhores estão a caminho. Apenas mantenha a sua atitude "para cima" e não "para baixo", e lembre-se de que esta é apenas uma estação, e ela *vai passar*.

## Pense Nisto

Olhe para trás, para o curso de sua vida, e lembre de algumas das provações que você já enfrentou. Como Deus as usou para gerar algo de bom em sua vida?

---

---

Agora, lembre a si mesmo que Deus também irá extrair algo bom desta situação atual, e da próxima também!

Quando Davi enfrentou o gigante Golias, ele se lembrou do leão e do urso que já havia derrotado e isso lhe deu coragem na situação que estava enfrentando.

## PARTE I – Está Tudo na Sua Mente

## Regra N.° 3: Não tome decisões importantes durante uma tempestade.

A vida de ninguém é como um grande e longo dia de sol. Em algum ponto, todos nós enfrentamos tempestades — quer elas venham na forma de uma doença inesperada, da perda de um emprego, de uma crise financeira, de dificuldades conjugais, de problemas com os filhos, ou de uma série de outros cenários que são estressantes, intensos e importantes. Enfrentei muitas tempestades em minha vida — algumas como as tempestades rápidas de verão que são comuns na parte da tarde, e outras que pareciam furacões de categoria quatro. Se aprendi alguma coisa sobre superar as tempestades da vida, foi que elas não duram para sempre, como mencionei na Regra N.° 2, e que, se possível, não devo tomar decisões importantes quando estou no meio delas.

Quando as tempestades da vida surgem, é melhor manter sua mente e suas emoções tão calmas quanto possível. Os pensamentos e os sentimentos costumam entrar em polvorosa em meio às crises, mas é exatamente nesses momentos que precisamos tomar cuidado ao tomarmos decisões. Precisamos permanecer calmos e nos disciplinarmos para colocar nosso foco em fazer o que podemos fazer, e confiar em Deus para fazer o que não podemos.

Assim como a decisão errada de um piloto pode fazer o avião se desviar do destino pretendido ou até fazer uma perigosa aterrissagem de emergência, uma decisão errada pode desviar ou retardar você de atingir o seu destino. Na próxima vez que enfrentar uma tempestade ou uma crise na vida, espero que você se lembre destas palavras, que costumo dizer: "Deixe as emoções se acalmarem antes de tomar uma decisão". Faça o seu melhor para deixar as coisas se acalmarem antes de tomar decisões importantes. Talvez você nem sempre tenha essa opção, mas sempre que possível, coloque as decisões importantes em compasso de espera até que a tempestade passe. Assim como o vento sopra violentamente durante uma tempestade, os nossos pensamentos podem se tornar violentos e agitados, e esse não é o melhor momento para tomar decisões importantes.

## Pense Nisto

Qual você considera ser o seu maior desafio mental ou emocional quando as tempestades surgem? O medo, a ansiedade, a impaciência, as reações exageradas, ou qualquer outra coisa?

Decida-se hoje a agir com base na sabedoria e a não reagir emocionalmente ou movido pelo pânico ou pelo medo.

### Regra N.° 4: Permaneça em contato com a "torre de controle".

Os controladores de tráfego aéreo são as únicas pessoas na Terra que podem ver o "quadro maior" do que acontece no céu e têm o conhecimento e a autoridade para dizer aos aviões para acelerarem ou desacelerarem, para voarem mais alto ou mais baixo, para voarem em meio a tempestades ou as evitarem, ou para tomarem rotas alternativas ao seu destino. De acordo com a *Associação dos Controladores de Tráfego Aéreo*, os controladores de tráfego aéreo dos Estados Unidos lidam com cerca de oitenta e sete mil voos todos os dias, e com sessenta e quatro milhões de decolagens e aterrissagens por ano. É interessante notar que os controladores de tráfego aéreo administram não apenas voos comerciais, mas também a aviação particular, militar e o tráfego de cargas aéreas, assim como os táxis aéreos. Se todos os voos com os quais os controladores de tráfego aéreo lidam em um dado momento fossem colocados nos monitores dos aeroportos, seriam necessários mais de 460 monitores. Com tantos voos decolando e aterrissando a cada dia, os pilotos precisam ficar em contato com as torres de controle se quiserem fazer voos seguros e pontuais.

Assim como os pilotos de aviões precisam manter contato com as torres de controle de tráfego aéreo, você e eu precisamos ficar em contato com Deus — Aquele que vê o quadro geral da nossa vida e que orquestra tudo que nos diz respeito. Ele garante que tudo que precisa

PARTE I – Está Tudo na Sua Mente

acontecer na nossa vida aconteça no tempo certo e se mova na velocidade adequada, e faz com que cheguemos com segurança aos "destinos" que planejou para nós.

Se quisermos andar no rumo certo com Deus e fazer isso com uma atitude positiva, precisamos fazer da comunicação com Ele uma prioridade no nosso roteiro diário. Ele o ajudará a navegar entre os altos e baixos da vida, e a encontrar o seu caminho através dos dias "nebulosos" em que você não consegue ver o próximo passo a ser dado. Eu o incentivo a se comunicar com Ele frequentemente através da oração, da leitura da Sua Palavra, da adoração, e do simples reconhecimento da Sua presença e direção em meio a cada dia. Se você quer aprender mais sobre como ficar em contato com Deus a cada momento e desenvolver um relacionamento íntimo de comunicação com Ele, recomendo os meus livros *The Power of Simple Prayer* (O Poder da Oração Simples) e *Knowing God Intimately* (Conhecendo a Deus Intimamente).

## Pense Nisto

Como vai o seu relacionamento pessoal com Deus? Se ele é menos satisfatório do que você gostaria que fosse, que ajustes pode fazer para melhorá-lo?

_____

_____

### Regra N.° 5: Tente manter as coisas na perspectiva correta.

Uma das definições para *perspectiva* no Dicionário Webster's é "a inter-relação onde um tema ou as suas partes são vistos mentalmente". Interessante, não? Essa definição faz uma distinção clara e revela que as nossas habilidades mentais podem fazer com que vejamos as coisas de uma maneira que pode não ser precisa.

Quando nos falta a perspectiva adequada, podemos considerar situações menores como crises maiores, ou podemos fazer o contrário e vermos situações grandiosas como "nada demais". Qualquer destas tendências — exagerar as coisas ou minimizá-las — pode levar a problemas, então precisamos fazer o máximo para ver as coisas como elas realmente são e não permitir que elas fiquem fora de proporção.

Conheço um jovem que passou muitos anos de sua vida tentando sempre provar que estava certo em todos os desentendimentos que tinha. Ele costumava discutir e ficar zangado. Na verdade, isso acontecia com tanta frequência que ele perdeu muitos amigos. Ele simplesmente não era uma companhia agradável. Depois que esse comportamento continuou por alguns anos, finalmente comecei a notar uma grande mudança nele. Ele não discutia mais se alguém tivesse uma opinião diferente da dele nem queria fazer as coisas do seu jeito. Perguntei a ele o que o havia feito mudar, e ele disse: "Descobri que estar certo é algo que valorizamos excessivamente". Quando ele olhou para a sua necessidade de estar certo pela perspectiva correta e comparou isso com o turbilhão em que vivia, finalmente entendeu que simplesmente não valia a pena.

Tente criar o hábito de olhar "o todo" em vez de se concentrar em uma coisa que pode estar chateando você. Pensar excessivamente nos problemas que encontramos só faz com que eles pareçam maiores do que realmente são. Quando você estiver passando por alguma coisa que o esteja irritando, dedique tempo para lembrar deliberadamente das coisas que lhe dão prazer. O Rei Davi fazia isso durante os momentos de depressão, e ajudou-o a manter as coisas na perspectiva correta (ver Salmo 42).

## Pense Nisto

Você tem facilidade em manter as coisas na perspectiva correta ou esta é uma área onde precisa melhorar?

## Ser Positivo é Ser Poderoso

Determinada organização certa vez ofereceu um prêmio de cinco mil dólares por cada lobo que fosse capturado vivo. Seduzidos pela ideia de ganhar esse dinheiro, Sam e Jed se lançaram avidamente pelas florestas e montanhas em busca dos animais que poderiam garantir a fortuna deles.

Eles adormeceram sob as estrelas certa noite, exaustos depois de dias de caçada entusiasmada. Sam acordou no meio da noite e viu cerca de cinquenta lobos cercando-os — lobos famintos, mostrando os dentes, com os olhos brilhando diante do pensamento de uma presa humana fácil.

Percebendo o que estava acontecendo, Sam cutucou seu amigo e disse ansiosamente: "Jed, acorde! Estamos ricos!".

Uma atitude positiva o capacita a tirar o melhor de cada situação, e isso lhe dá poder sobre as circunstâncias em vez de permitir que elas tenham poder sobre você. Esse princípio certamente era verdadeiro para Sam. A maioria das pessoas certamente teria ficado aterrorizada ao ser cercada por um grupo de lobos, mas Sam viu a oportunidade pela qual estava esperando.

Comprometa-se hoje a ser uma pessoa positiva. Quando mais positivo você for, mais poderoso será.

# Capítulo 2

# Ensine Sua Mente a Trabalhar Para Você

Você sabia que a sua mente pode trabalhar a seu favor ou contra você, dependendo de como você a treina? Quando trabalha para você, ela o ajuda a permanecer positivo, a atingir seus objetivos na vida e a ter o tipo de pensamento que o capacita a desfrutar cada dia. Quando trabalha contra você, ela pode deixá-lo negativo e desanimado, impedi-lo de realizar o que você quer ou precisa fazer, e fazer com que você tenha o tipo de pensamento que resulta em uma verdadeira autossabotagem.

Por se tratar de uma estrutura física e um órgão do corpo humano, o cérebro desempenha muitas funções que ocorrem sem o seu conhecimento, sem a sua ajuda, e fora do seu controle. Ele exerce toda espécie de função no seu corpo. Seu ritmo cardíaco, sua respiração, sua pressão arterial, seus movimentos e sua coordenação, seu equilíbrio, sua temperatura corporal, sua fome e sede, seu processo sensorial, sua visão e audição, suas emoções, seu processo de aprendizado e sua memória, todas essas são áreas nas quais o cérebro está envolvido.

Mas ele também é o "lar" dos seus pensamentos. A Dra. Caroline Leaf, uma das principais especialistas em aprendizado neurometacognitivo e uma cristã comprometida, observa em seus ensinamentos sobre o cérebro que "a Palavra e a ciência acreditam que a mente e o cérebro são um". A maneira como você pensa é voluntária, portanto, você pode controlar seus pensamentos. Quero que você dê ao seu cérebro uma nova função e comece a ensinar a sua mente a trabalhar para você em vez de trabalhar contra você. Uma maneira importante de fazer isso é tomar a decisão deliberada de começar a pensar positivamente.

PARTE I – Está Tudo na Sua Mente

Entendo que o seu cérebro não poderá realizar este novo papel completamente da noite para o dia. Você talvez esteja pedindo que ele passe por uma transformação radical, e isso levará tempo. Portanto, tenha um pouco de paciência com ele, mas decida-se que com a sua diligência e com a ajuda de Deus, seu cérebro irá trabalhar *para* você e não contra você, e se tornará uma força poderosa e positiva em sua vida.

Gosto do que a Dra. Leaf diz, que o cérebro humano leva "dezoito anos para crescer e toda uma vida para amadurecer". Não perca este ponto. Enquanto todos os outros órgãos do corpo estão completamente formados quando a pessoa nasce e simplesmente aumentam à medida que o corpo cresce, o cérebro leva dezoito anos para crescer. Quando já está totalmente formado, ele continua a amadurecer até o dia em que a pessoa morre. Isso significa que, independentemente da sua idade, o seu cérebro ainda está amadurecendo. Essa é uma notícia maravilhosa, porque significa que você não precisa ficar estagnado em um padrão de pensamento antigo ou errado. O seu cérebro ainda está amadurecendo, portanto, você ainda pode amadurecer no seu modo de pensar.

## Pense Nisto

O que vem imediatamente à sua mente quando pergunto: De que maneira sua mente está trabalhando contra você?

_____

_____

## Um Benefício para a Sua Saúde

Sua maneira de pensar pode ter um efeito positivo sobre a sua saúde física. As pessoas suspeitaram de que havia uma inter-relação entre a mente e o corpo por gerações, mas nos últimos anos, uma série de cientistas e pesquisadores de todo o mundo estudaram e comprovaram esse fato.

Em um artigo de 2004 da revista *USA Today*, Carol Ryff, da Universidade de Wisconsin-Madison, afirmou: "Há uma ciência que está emergindo e que diz que uma atitude positiva não é apenas um estado mental. Ela também tem conexões com o que se passa no cérebro e no corpo". A pesquisa de Ryff provou que as pessoas com níveis normais de bem-estar têm "menos riscos cardiovasculares, níveis mais baixos de hormônios do estresse e níveis mais baixos de inflamações, o que serve como um sinalizador do sistema imunológico".[1]

Além disso, um estudo realizado nos Países Baixos em 2004 descobriu que as pessoas otimistas têm um coração mais saudável do que aquelas consideradas "ranzinzas". Poucos dos que descreviam a si mesmos como "otimistas" morreram de doenças cardiovasculares e tiveram uma taxa de mortalidade em geral mais baixa que os pessimistas.[2]

A Dra. Becca Levy, da Universidade de Yale, conduziu um estudo no qual concluiu que "uma atitude positiva com relação ao envelhecimento era mais importante que medidas fisiológicas como baixa pressão arterial e colesterol, as quais se acredita que possam acrescentar um máximo de quatro anos de vida". Esse estudo também revelou que as pessoas otimistas vivem mais do que as pessoas que se preocupam constantemente, e que uma atitude positiva pode acrescentar mais anos à vida de uma pessoa que o exercício ou o não tabagismo.[3] Por um lado, considero essa pesquisa incrível, mas por outro não fico muito surpresa nem tenho problemas em aceitar essas descobertas porque aprendi que a mente é extremamente poderosa, e não me surpreendo com a extensão da sua influência sobre nossa vida física.

De acordo com a *Mayo Clinic*, organização de pesquisas sobre saúde mundialmente famosa, pensar positivamente também pode resultar nos seguintes benefícios para a saúde:[4]

- Redução do estresse negativo.
- Maior resistência a resfriados comuns.
- Uma sensação de bem-estar e de melhora na saúde.
- Redução do risco de doenças coronárias e arteriais.
- Maior facilidade respiratória caso você tenha certas doenças pulmonares, como enfisema.

PARTE I – Está Tudo na Sua Mente

- Melhora na resistência nas mulheres com gravidez de alto risco.
- Melhor capacidade de resistência nas situações de fadiga.

Além de confirmar a relação entre mente e corpo de uma forma interessante, fiquei fascinada em ver que em 2005 a *Associated Press* lançou um artigo que relatava: "Nova pesquisa sugere que pelo fato de a doença de Alzheimer roubar do indivíduo a capacidade de esperar que um analgésico comprovado o ajude, esse remédio não funciona nem de longe tão bem quanto funcionaria em outras pessoas".[5] Isso não é impressionante? Enquanto as pessoas são capazes de acreditar que os analgésicos funcionam, esses remédios parecem nos ajudar, mas quando deixamos de achar que eles são eficazes, deixam de ser. A nossa mente é incrível!

Sabemos que o pensamento positivo é bom para as nossas atitudes e emoções, mas a pesquisa que mencionei — somada a uma enorme quantidade de pesquisas disponíveis de várias formas hoje em dia — indica claramente que o pensamento positivo também é extremamente benéfico para nosso bem-estar físico. Se quisermos viver uma vida saudável, precisamos ter mentes saudáveis, e isso começa pensando positivamente e não negativamente.

## Os Resultados do Pensamento Positivo

Você leu sobre alguns estudos e experimentos que provam como o nosso modo de pensar nos influencia. Um caso que acho especialmente interessante relata um experimento conduzido por um professor do MIT (Massachussets Institute of Technology) chamado Dan Ariely e alguns de seus colegas. Eles estabeleceram um local para testes fictício onde pediam às pessoas para se submeterem a uma série de choques elétricos antes e depois de receberem um determinado analgésico. Os participantes primeiro recebiam choques sem nenhum analgésico e depois tomavam pílulas chamadas *Veladona-Rx* antes de receberem os choques novamente. Os examinadores diziam a algumas pessoas que as pílulas de *Veladona-Rx* custavam cerca de três dólares cada, ao passo que diziam a outras que as pílulas custavam apenas dez centavos cada. Quase todas as pessoas que pensavam que as pílulas custavam cerca de três dólares informaram ter sentido alívio na dor quando tomaram a segunda série de choques, mas somente a metade daqueles que achavam que as pílulas custavam dez centavos relatou algum alívio. A verdade sobre a *Veladona-Rx* é que as pílulas eram nada mais nada menos que cápsulas de vitamina C.

Qual era a chave do experimento do Dr. Ariely? As pessoas *pensam* que os produtos caros funcionam melhor que os baratos. As pílulas que supostamente custavam três dólares não exerceram nenhum efeito no alívio da dor naqueles que as tomaram, mas as pessoas *esperavam* que as pílulas fossem eficazes porque elas custam caro. Suas expectativas fizeram com que elas se predispusessem a pensar positivamente acerca das pílulas e a relatar resultados positivos, mesmo quando as pílulas fornecidas não ofereciam nada a não ser um aumento de vitamina C.

Está claro que o pensamento positivo geralmente acarreta resultados positivos. Na próxima parte deste livro, quero compartilhar e desenvolver quatro coisas específicas que o pensamento positivo "faz" para facilitar resultados positivos em nossa vida:

- O pensamento positivo libera o poder do potencial.
- O pensamento positivo encoraja reações positivas.
- O pensamento positivo mantém as coisas na perspectiva correta.
- O pensamento positivo o ajuda a desfrutar a vida.

## Pense Nisto

Em uma escala de 1 a 10, onde 1 é "péssimo" e 10 é "fantástico", como você se classificaria como um pensador positivo?

## O Pensamento Positivo Libera o Poder do Potencial

As pessoas que pensam positivamente podem ver potencial até mesmo nas situações mais desanimadoras, ao passo que aquelas que não pensam positivamente são rápidas em apontar os problemas e as limitações das situações. Essa atitude vai além da famosa ideia de simplesmente ver um copo "meio cheio" ou "meio vazio"; ela se estende para *de fato* tomar decisões e atitudes com base no pensamento positivo ou negativo.

Uma das melhores histórias que conheço sobre como o pensamento positivo libera o poder do potencial ocorreu há séculos, quando muitas partes do mundo antigo ainda estavam em desordem. Deus prometeu ao povo de Israel que eles possuiriam um país rico e fértil, conhecido como Canaã. Ele não prometeu que eles poderiam atravessar os limites desse país sem oposição, mas prometeu que eles habitariam nele — e quando Deus faz uma promessa, Ele fala sério.

Confiando na Palavra de Deus, os israelitas indicaram doze homens para irem a Canaã a fim de "espiarem a terra" e trazer um relatório. Quando eles voltaram, dez espias admitiram que a terra "manava leite e mel", e reconheceram que os frutos em Canaã eram grandes e belos, mas depois observaram que a terra estava cheia de gigantes impossíveis de vencer. Eles permitiram que a presença dos gigantes os fizesse desacreditar das promessas de Deus.

Em contraste a essa atitude, Josué e Calebe levaram relatórios positivos, cheios de fé e confiança em Deus, e Calebe falou com confiança, dizendo: "Subamos e tomemos posse da terra. É certo que venceremos!" (Números 13:30). Os dez espias pensaram que os gigantes na terra eram grandes demais para serem mortos, mas Josué e Calebe pensaram que eles eram grandes demais para que pudessem errar o alvo! Josué e Calebe foram os únicos dois homens com uma atitude positiva diante da oposição dos gigantes. Eles não ignoraram os desafios, mas não os superenfatizaram — e foram os únicos que entraram na Terra Prometida.

Os espias que morreram no deserto só viram o que era, mas deixaram de ver o que poderia ser. O modo de pensar negativo deles produziu uma atitude derrotista e fez com que tentassem persuadir Moisés de que a Palavra de Deus a Israel não era verdadeira, que possuir a Terra Prometida não era realmente possível.

Ser positivo não significa que negamos a existência das dificuldades; significa que acreditamos que Deus é maior do que elas. Acreditar em Deus pode fazer com que vençamos qualquer batalha que enfrentemos. Quando estamos fechados para as "possibilidades positivas", só vemos o que está diante de nós, e não o que poderíamos ver se simplesmente fôssemos positivos e criativos.

Treine o seu cérebro para confiar e acreditar em Deus e para ter pensamentos positivos baseados na Sua Palavra. Decida-se a pensar como Josué e Calebe, e não como os dez espias negativos que nunca puderam desfrutar a Terra Prometida. Opte por ver o poder que está disponível a você através de Deus se você confiar Nele mais do que nas suas circunstâncias. Lembre-se sempre de que nada é impossível com Deus!

## Pense Nisto

Em que situação específica você precisa acreditar que Deus é maior do que as suas dificuldades?

_____

_____

## O Modo de Pensar Positivo Encoraja Reações Positivas

A maneira como pensamos afeta a maneira como falamos, e a maneira como falamos afeta a maneira como os outros reagem a nós. Se você pensa e fala negativamente, provavelmente terá uma reação negativa. O oposto também é verdade. Os pensamentos positivos e o falar positivo encorajam reações positivas.

Por exemplo, digamos que você é convidado para passar a noite na casa de alguém. O seu anfitrião diz a você antes da hora de dormir:

PARTE I – Está Tudo na Sua Mente

"Deve fazer frio esta noite, mas provavelmente há cobertas suficientes na cama. Você não acha que vai precisar de um cobertor extra, acha?". Pense nisso. Você provavelmente responderia algo assim: "Não. Aquelas que estiverem na cama estão boas".

Agora, imagine esta cena. Seu anfitrião lhe diz: "Deve fazer frio esta noite, então você provavelmente vai querer um cobertor extra, não vai?" A maioria das pessoas nessa situação responderia "sim".

Tenho certeza de que você deve se lembrar de muitas situações em sua vida em que a maneira de se comunicar com alguém influenciou a resposta dessa pessoa a você. Recentemente me ouvi perguntando a uma atendente em um balcão de checkout: "Você não tem um lenço de papel do outro lado do balcão, tem?". É claro que ela respondeu imediatamente "não". Talvez, se eu tivesse feito a pergunta de uma maneira positiva, ela tivesse sido mais diligente em procurar por um lenço para mim.

O tipo mais comum de negativismo — aquele que atrai respostas negativas dos outros — é o que chamo de "atitude do mundo plano". Isso acontece quando uma afirmação não é verdadeira, mas as pessoas acreditam nela com base no que já ouviram, na experiência passada, ou no que é considerado "conhecimento comum". Deixe-me explicar.

Cristóvão Colombo acreditava que o mundo era redondo. Portanto, ele raciocinou que se navegasse sempre em linha reta, finalmente encontraria terra — um território não descoberto anteriormente — ou terminaria voltando ao lugar de onde saíra. As pessoas que cercavam Colombo *pensavam* que o mundo era plano, de modo que quando os "estudiosos" e "especialistas" examinaram os planos dele, disseram que a ideia de Colombo era impossível. Por acreditarem que o mundo era plano, eles presumiram que Colombo certamente navegaria para fora da "borda do mundo" e desapareceria. Mas o navegador estava certo. Ele não caiu da borda do mundo, mas provou que este era redondo e terminou descobrindo a América em 1492.

Durante o início dos anos 1900, uma quantidade impressionante de sábios cientistas ridicularizou a ideia de um avião. Eles disseram: "É uma fantasia gerada pelo ópio, uma ideia louca". Será? Orville e Wilbur Wright não pensavam o mesmo, e entraram para a história como os "primeiros a voar". Com um ceticismo semelhante com relação aos aviões, o Marechal Ferdinand Foch disse em 1911: "Os aviões são brinquedos interessantes, mas não têm qualquer valor militar". Mais tarde o Marechal Foch se tornou o supremo comandante das Forças Aliadas durante a Primeira Guerra Mundial. Embora os aviões não tenham sido largamente utilizados nos primeiros dias da guerra, eles se tornaram cada vez mais importante, e Foch e outros descobriram que eles eram bastante valiosos afinal.

Thomas Edison tentou persuadir Henry Ford a abandonar sua ideia de um carro a motor porque estava convencido de que ele nunca funcionaria. Ele disse: "Venha trabalhar para mim e fazer algo que realmente valha a pena". Embora Edison fosse um grande inventor, parece que ele só era positivo quanto ao que podia fazer e muito pessimista quanto às ideias de outras pessoas. Na próxima vez que você entrar em um carro para ir a algum lugar, fique contente por Ford não ter permitido que a visão negativa de Edison sobre os automóveis o influenciasse. Deixe que esse exemplo lembre você que nunca se deve permitir que uma pessoa pessimista nos convença a desistir dos nossos sonhos.

Todas essas pessoas e milhares de outras ao longo da história tinham uma mentalidade de "mundo plano". Elas estavam convencidas de que certas coisas não podiam ser feitas — ainda que ninguém nunca tivesse tentado. Estou certa de que Cristóvão Colombo, os irmãos Wright e Henry Ford tiveram de ser determinados em manter uma atitude positiva e realizadora. Embora estivessem cercados de negatividade, eles permaneceram positivos e finalmente tiveram êxito. Imagino quanto mais eles poderiam ter realizado se simplesmente tivessem sido cercados de encorajamento positivo e não de zombaria! Não há como imaginar!

Não permita que o pensamento limitado de alguém limite você. A negatividade pode ser contagiosa; você precisa prestar atenção se não quiser pegar esse vírus! Ainda que você seja a única pessoa positiva na sua família, no seu círculo social, ou no seu grupo de trabalho, seja aquela que tem uma atitude e uma visão otimista em todas as situações.

Lembre-se de que as atitudes negativas produzem reações negativas, ao passo que as atitudes positivas encorajam reações positivas. Isso certamente foi verdade na história de Josué e Calebe. Depois que os dez espias apresentaram seu relatório negativo, os israelitas choraram a noite inteira e ficaram terrivelmente desanimados (ver Números 14:1). Aqueles dez homens e sua atitude negativa fizeram com que toda uma nação desanimasse e duvidasse das promessas de Deus.

Os israelitas ficaram tão negativos que quiseram apedrejar Josué e Calebe, que eram positivos (ver Números 14:10). Do mesmo modo, o inimigo, que geralmente age através das outras pessoas, gosta de calar as pessoas que têm uma atitude cheia de fé e de confiança. Não permita que ninguém o silencie. Aprenda a ser positivo e a permanecer positivo de todas as maneiras.

Certo soldado foi designado para ficar à frente de uma fila de comida, oferecendo damascos para todos que estivessem nela. Ele decidiu testar a teoria de que a maneira como as pessoas fazem as perguntas afeta as respostas que recebem. Aos primeiros cem homens que passaram por ele, ele disse: "Você não quer um damasco, quer?". Noventa por cento deles disseram não. Aos próximos cem homens, ele disse: "Você aceitaria alguns damascos?". Cinquenta por cento deles disseram sim; cinquenta por cento disseram não. Ele mudou levemente sua estratégia com relação aos próximos cem homens, perguntando a eles: "Você gostaria de uma porção de damascos ou duas?". Quarenta por cento pediu duas porções e cinquenta por cento pediu uma. Simplesmente mudando a maneira de fazer a pergunta aos soldados sobre os damascos, ele viu uma completa reviravolta na porcentagem de homens que os aceitaram!

Aprenda uma lição com o soldado. Esteja ciente da maneira como você pensa e da maneira como você fala com as pessoas. Treine a sua mente para pensar positivamente com relação a cada situação e treine a sua língua para falar positivamente a todos que encontrar.

## Pense Nisto

Você consegue se lembrar de uma ocasião em que a sua atitude negativa provocou uma reação negativa? Como você poderia ter sido mais positivo nessa situação?

## O Modo de Pensar Positivo Mantém as Coisas na Perspectiva Correta

Como mencionei no capítulo 1, pensar positivamente nos ajuda a manter as coisas na perspectiva correta. Quando pensamos positivamente, evitamos "fazer uma tempestade em um copo d'água". O modo de pensar negativo tende a roubar a exata proporção das coisas, fazendo-as parecerem maiores e mais difíceis do que realmente são. As pessoas que pensam negativamente enfatizam os aspectos desagradáveis ou indesejáveis de uma situação enquanto deixam de ver qualquer coisa boa nela. Acredito que nossa vida e até as circunstâncias incluiriam mais o certo que o errado e mais o bem que o mal se simplesmente decidíssemos pensar positivamente sobre ela e procurar o que há de bom nela. Como você pode ver, eu ainda acredito que Deus é maior do que o diabo!

## Pense Nisto

Você fez uma tempestade em um copo d'água ultimamente? Existe alguma coisa na sua vida que está fora de proporção?

## O Modo de Pensar Positivo o Ajuda a Desfrutar a Vida

Anos atrás, um homem chamado Capitão Edward A. Murphy estava trabalhando em um projeto para a força Aérea dos Estados Unidos. Ele ficou zangado e amaldiçoou um técnico que havia cometido um erro, observando que "se alguma coisa tiver de dar errado, esse homem a fará". Com o tempo, esse modo de pensar ficou conhecido como "a Lei de

Murphy", que afirma basicamente: "Nada é tão fácil quanto parece; tudo demora mais do que você espera; e se alguma coisa puder dar errado, dará — no pior momento possível". Quanta negatividade! Quem poderia desfrutar a vida se vivesse de acordo com a Lei de Murphy? Eles esperariam sempre o pior, então provavelmente receberiam o pior!

Acredito que Deus tem leis que discordam completamente da Lei de Murphy. O mundo pode esperar que a Lei de Murphy opere em sua vida, mas precisamos resistir a esse tipo de pensamento negativo e adotar a Lei de Deus, que diz algo do tipo: "Se alguma coisa pode dar certo, dará; nada é tão difícil quanto parece; tudo é mais recompensador do que parece; se alguma coisa boa pode acontecer a alguém, acontecerá comigo".

O modo de pensar negativo sempre gera uma vida negativa. Quanto mais da sua vida você poderia desfrutar se os seus pensamentos estivessem de acordo com a Lei de Deus e não com a Lei de Murphy? Deus tem uma vida maravilhosa para você, uma vida que Ele quer que você desfrute completamente e viva ao máximo. Eu o desafio a viver de acordo com a Lei de Deus e a encher a sua mente consistentemente com pensamentos positivos.

## Pense Nisto

Em que circunstância específica você precisa começar a acreditar na Lei de Deus e não na Lei de Murphy?

---

## Não Permita que o Positivo se Torne Negativo

### Veja o Quadro Maior

Quando nos concentramos excessivamente nos elementos negativos de uma determinada situação excluindo os seus aspectos bons, estamos "filtrando" o positivo e exagerando o negativo. Poucas situações são cem por cento negativas; na maior parte do tempo, podemos encontrar algo de bom em toda circunstância, ainda que tenhamos de ser realmente diligentes para encontrá-lo.

Digamos que você seja uma mãe que não trabalha fora e que tem filhos pequenos, e seu marido sai de casa para trabalhar todos os dias. Seu filho de quatro anos pinta as paredes, corta suas calças novas, bate na irmã e derrama suco de uva em todo o tapete que acaba de ser lavado. Digamos também que ele finalmente aprende a pedir desculpas à sua irmã sem que você lembrasse isso a ele, confessa que cortou suas calças em vez de dizer: "Foi o cachorro que fez isso", tenta limpar seu quarto, e diz que você é a melhor mãe do mundo. Dizer que ele foi absolutamente terrível o dia inteiro e se esquecer dos bons momentos seria filtrar o que é bom, e isso deixaria a sua mente sem nada além de pensamentos negativos. Embora certamente tenham ocorrido alguns fatos negativos naquele dia, ele também teve seus momentos positivos.

Não posso deixar de enfatizar o quanto é importante você resistir à tentação de caracterizar alguma coisa como totalmente negativa ou se concentrar excessivamente nos aspectos negativos de uma situação. Olhe a situação como um todo e encontre algo positivo nela. Essa atitude o ajudará a se tornar uma pessoa positiva.

## Pense Nisto

Qual é a situação mais negativa em sua vida? Agora, enumere três coisas positivas sobre ela. Se você não está acostumado a fazer isso, é possível que lhe dê um pouco de trabalho encontrá-las, mas tente assim mesmo.

### Não Leve as Coisas para o Lado Pessoal

Ficarmos nos culpando quando alguma coisa não funciona ou pensar que tudo que dá errado é planejado contra nós pessoalmente chama-se "levar para o lado pessoal", e dificulta muito o pensamento positivo. Isso costuma acontecer com os jovens nos times esportivos, quando eles perdem o último arremesso, o último gol ou a última jogada do jogo e acham que são os únicos responsáveis pela derrota. Eles precisam entender que tanto ganhar quanto perder é o resultado de um esforço em equipe. É necessário todo um time para vencer; é necessário um time inteiro para perder. Ainda que uma pessoa tenha perdido a última oportunidade de ganhar o jogo, houve muitas outras que foram perdidas ao longo do caminho que contribuíram para o resultado final.

Do mesmo modo, digamos que um grupo de mulheres decida se reunir para almoçar e no último minuto, Julie cancela o encontro. Se Suzie for uma pessoa que leva tudo para o lado pessoal, ela automaticamente presumirá que Julie não quis estar com ela, quando na verdade Julie pode ter tido uma crise na família, um convidado inesperado, ou uma emergência dentária.

## Pense Nisto

Quando foi a última vez que você se culpou por alguma coisa que não era culpa sua? Havia outra maneira de ver a situação que não fizesse de você o vilão?

Seus sentimentos estão sempre sendo feridos? Será que você não está levando algumas situações para o lado pessoal? Como você pode evitar isso no futuro?

### Espere Sempre pelo Melhor

Um dos maiores fabricantes de sapato do mundo enviou dois pesquisadores de mercado, separados um do outro, a uma nação subdesenvolvida para descobrir se aquele país era um mercado viável para eles ou não. O primeiro pesquisador enviou um telegrama ao escritório central dizendo: "Ausência de mercado aqui. Ninguém usa sapatos". O segundo pesquisador enviou um telegrama ao escritório central dizendo: "Potencial ilimitado aqui — ninguém possui sapatos!".[7]

Estou certa de que o segundo pesquisador fez sua viagem esperando enviar boas notícias ao chefe — e ele o fez. Ele poderia ter encarado o fato de todos naquela nação que ele visitou estarem descalços como um desafio ou um obstáculo, como o outro pesquisador, e então a sua atitude teria sido negativa. Mas pelo fato de ter uma expectativa do melhor, ele enxergou a situação com uma luz positiva.

Em qualquer situação, o hábito de pensar sobre o que pode dar errado ou de prever o pior é um mau hábito que precisa ser quebrado. Digamos que você e um amigo estão planejando fazer uma caminhada. A maioria desses passeios tem seus desafios, mas a pessoa que será capaz de superar os desafios é aquela que espera que a viagem dê certo e está determinada a desfrutá-la. Aquela que pensa: *Bem, talvez seja uma trilha bonita, mas está cheia de mosquitos e vai estar quente, e meus pés vão doer depois de algum tempo. E se nos perdermos e não conseguirmos encontrar o caminho de volta?* está condenada a ter uma dia longo e infeliz! Essa pessoa já decidiu não apreciar a jornada antes mesmo de ela começar. Muitas coisas na vida vêm acompanhadas de desafios, mas a maioria delas pode ser vencida com uma visão positiva que espera sempre o melhor.

## Pense Nisto

Pense em um desafio que você está enfrentando agora. Como você pode esperar o melhor? Quais são as duas coisas boas que poderiam surgir deste desafio?

---

---

### Aceite Alguns "Cinzas"

Se quisermos continuar sendo positivos, precisamos entender que nem tudo é preto ou branco. A vida tem algumas áreas cinzentas, al-

PARTE I – Está Tudo na Sua Mente

gumas coisas que estão no "meio-termo". Nem tudo pode ser perfeito o tempo todo e nem tudo é horrível o tempo todo. Decidir faltar a uma reunião ou evento social simplesmente porque você está atrasado cinco minutos ou porque tem uma espinha no seu rosto, cancelar uma viagem inteira porque um voo está atrasado, ou se sentir um ser humano terrível por causa de um erro inocente é uma maneira de pensar conhecida como "polarizar", e ela leva à frustração e à negatividade.[8] Para permanecer otimista com relação à vida, aceite que você não será perfeito o tempo todo, nem as pessoas ou as coisas que o cercam.

Se esperamos a perfeição da vida de modo geral, geralmente tendemos a esperar o mesmo das pessoas. Esse tipo de "expectativa irrealista" não apenas gera uma grande dose de decepção quando nossas expectativas não são atendidas, como também coloca uma pressão insuportável sobre as pessoas com quem nos importamos e pode finalmente destruir relacionamentos. Por que não dar um tempo às pessoas e parar de exigir algo que elas não têm capacidade para nos dar? O apóstolo Tiago disse que, de vez em quando, todos nós tropeçamos, caímos e nos ofendemos com muitas coisas (ver Tiago 3:2). Então, se *todos* nós cometemos erros com *frequência,* por que não entender que isso faz parte da experiência humana e relaxar?

## Pense Nisto

De que maneira específica você precisa aceitar mais as "áreas imperfeitas" de sua vida ou a maneira como as áreas imperfeitas de alguém o afetam?

# Capítulo 3

## Mais Poder Para Você

Uma jovem iria ser apresentada aos pais de seu namorado pela primeira vez. Naturalmente, ela queria ter a melhor aparência possível, mas quando olhou para si mesma no espelho, viu que suas botas de couro estavam um pouco sujas. Ela pegou uma toalha de papel que havia usado para escorrer a gordura do bacon que comera naquela manhã, poliu seus sapatos e saiu. Ao chegar na casa dos pais de seu namorado, eles a cumprimentaram — e o mesmo fez o poodle mimado e temperamental deles. O cão seguiu-a pela casa alegremente a noite toda, por causa do cheiro dos seus sapatos. Quando a visita chegou perto do fim, e ela se preparava para sair, os pais observaram: "Nosso cão é excelente em julgar o caráter, e ele certamente gosta de você! Bem-vinda à família!".

Nessa história, os pais do namorado tomaram uma decisão baseada em algo que eles *pensavam* que era verdade — mas que absolutamente não era! Obviamente, eles não podiam sentir o cheiro da gordura do bacon nos sapatos da namorada do filho, mas o poodle certamente podia, e ele reagiu favoravelmente à garota por causa disso. Eles decidiram que a jovem seria bem-vinda à família porque o cão era um ótimo juiz do caráter das pessoas. As pessoas permitem que aquilo que elas pensam as influencie de muitas formas, tanto grandes quanto pequenas!

### Os Pensamentos São Poderosos

Nos anos recentes, muito tem sido dito sobre o fato de que os pensamentos e as atitudes influenciam as pessoas de muitas maneiras. Muitas

PARTE I – Está Tudo na Sua Mente

escolas de medicina e hospitais receberam financiamento para estudarem a relação corpo-alma e implementarem programas para ajudar os pacientes a se curarem fisicamente através da aquisição de maior saúde mental. É tremendo o fato de que a comunidade médica esteja prestando atenção à relação entre a mente e o corpo, mas a compreensão do poder dos pensamentos não é uma tendência nova. Na verdade, isso é tratado tanto no Antigo quanto no Novo Testamento, escrito há milhares de anos!

Em Romanos 14:14, o apóstolo Paulo indica a sua forte convicção de que os pensamentos são muito poderosos. Respondendo a um debate acalorado sobre a permissão ou não de que os cristãos da Igreja primitiva comessem carne que havia sido oferecida a ídolos, ele escreveu: "Como alguém que está no Senhor Jesus, tenho plena convicção de que nenhum alimento é por si mesmo impuro, a não ser para quem assim o *considere;* para ele é impuro" (ênfase da autora).

Paulo não acreditava que a carne oferecida a ídolos pudesse ser maculada porque ele sabia que os ídolos não eram nada além de madeira ou pedra. Entretanto, muitas pessoas não viam as coisas como Paulo via, e ele entendia isso. Então, o conselho dele a essas pessoas era que não comessem a carne se eles *achassem* que ela era impura. Ele sabia que comer carne que elas consideravam impura afetaria a consciência delas da mesma maneira que as afetaria se a carne realmente fosse impura. Em outras palavras, em certo sentido, a percepção é a realidade.

Quanto mais medito em Romanos 14:14, mais impressionada fico com a profundidade do discernimento de Paulo. O princípio que ele entendia ser verdadeiro quando aplicado à carne oferecida a ídolos nos tempos antigos, ainda é verdadeiro hoje em qualquer área da vida. Por exemplo, uma pessoa que pensa: *Nunca conseguirei um bom emprego*, provavelmente não conseguirá. As pessoas cujos pensamentos as convenceram de que elas nunca podem fazer nada certo tendem a cometer mais erros que o normal e têm uma alta porcentagem de fracassos. As pessoas que se consideram inclinadas a ter acidentes parecem sofrer um acidente atrás do outro. Na sua forma extrema, permitir que os pensamentos se tornem realidade pode resultar em estados como a anorexia, em que pessoas cujo peso e gordura corporal estão extremamente abaixo do normal estão convencidas na sua mente de que estão absurdamente acima do peso. Elas estão tão profundamente convencidas disso que, mesmo quando se olham no espelho, a imagem que veem parece muito maior do que realmente é.

Nunca podemos ir além daquilo que pensamos e acreditamos. Muitas pessoas hoje em dia nem se incomodam em pensar racionalmente sobre o que acreditam, e às vezes terminam construindo toda a sua vida sobre convicções que simplesmente não são verdadeiras. Para elas, qualquer coisa que "eles" digam se torna verdade — e "eles" podem ser a mídia, uma celebridade, um grupo de amigos, ou outras pessoas que gostam de compartilhar sua opinião, mas que na verdade podem não ter qualquer ideia do que é verdadeiro. Quando acreditamos em mentiras, nossa mente pode nos limitar e até nos impedir de fazer o que Deus nos criou para fazermos. Porém, se lutarmos pela verdade, a abraçarmos e construirmos nossa vida sobre ela, teremos êxito em todos os empreendimentos.

## Pense Nisto

Que pensamento você acha que o limita mais do que qualquer outra coisa? Você acredita que pode transformá-lo?

---

---

## A Batalha pela Verdade

Nos dias de Paulo, muitas pessoas acreditavam na mentira de que a carne oferecida aos ídolos era impura. Essa situação ainda pode ser relevante em algumas culturas atuais, mas não universalmente. Entretanto, o mundo onde você e eu vivemos também está esmagado pelas mentiras. Muitas pessoas não acreditam que existe algo como a "verdade absoluta" e pensam que qualquer verdade que exista se aplica apenas a certas pessoas ou a ambientes e situações específicos. Satanás construiu toda essa mentalidade a fim de colocar de lado as verdades eternas de Deus. Isso permite que as pessoas acreditem no que é conveniente e fácil para elas, em vez de acreditarem e viverem segundo os princípios de Deus, que foram projetados para gerar vida, paz e vitória para nós e para dar glória a Ele.

Um dos problemas do mundo hoje é que as pessoas querem "fazer as coisas do seu jeito" mesmo que isso as torne miseráveis. Elas não querem receber orientação de ninguém nem desejam que lhes digam o que fazer. Tampouco querem ler as palavras da verdade em um livro chamado *Bíblia*. Esse tipo de independência e rebelião arrogante é responsável por muitos resultados desagradáveis e até tragédias. Estou certa de que, se você parar e pensar, lembrará de situações em que as pessoas se decidiram a seguir seu próprio caminho e terminaram com problemas terríveis. Isso não precisa acontecer! Deus nos deu instruções para a vida. Elas são verdadeiras — e funcionam.

Para sermos capazes de desfrutar a vida e evitar problemas desnecessários, precisamos viver de acordo com a verdade que se encontra na Palavra de Deus e não de acordo com as mentiras que ouvimos das outras pessoas, do mundo, ou do inimigo. O inimigo está sempre pretendendo nos enganar nos tentando a acreditar em coisas que não são realmente verdade, mas que podem se tornar realidades para nós se nos convencermos das mentiras que as cercam. Quando somos enganados, não conhecemos a verdade, não a desfrutamos nem vivemos de acordo com ela. Se não conhecemos a verdade porque estamos enganados, não há maneira de desfrutar os seus benefícios. Precisamos saber separar o que é verdadeiro do que não é. Podemos fazer isso, mas a batalha pela verdade ocorre na nossa mente, e não a vencemos sem lutar. Precisamos examinar *o que* acreditamos e *por que* acreditamos nessas coisas. É sábio estarmos firmemente convencidos, para que, quando o diabo nos desafiar com relação à Palavra de Deus, estejamos preparados para resistir.

É comum vermos os filhos de pais cristãos atingirem uma idade em que começam a se perguntar se realmente acreditam no que seus pais lhes ensinaram ou não. Às vezes eles passam por um período de "crise" com relação à sua fé em Deus. Eles precisam encontrar a sua própria fé porque não podem mais viver com base na fé de seus pais, como fizeram no passado. Esse processo pode ser muito saudável. A maioria deles geralmente descobre que acredita que Jesus é o seu Salvador, mas é uma decisão que eles precisaram tomar por si mesmos. Não podemos nos manter de pé em meio às tempestades da vida com base na fé de outra pessoa. Precisamos estar plenamente seguros no nosso coração e na nossa mente.

A partir do momento em que tomamos a decisão de mudar nosso pensamento para alinhá-lo com a verdade de Deus, entramos em uma guerra geral contra o inimigo, e a nossa mente é o campo de batalha onde essa guerra é travada. Satanás sabe que se puder dominar nosso modo de pensar, poderá dominar nossa vida. Mas Deus nos deu a capacidade de vencermos Satanás, e podemos começar entendendo a sua natureza e as suas estratégias contra nós.

## Entendendo o Inimigo e Suas Estratégias

Pense novamente em Romanos 14:14 e no fato de que aquilo em que acreditamos passa a ser "verdade" na nossa mente. É por isso que precisamos ser diligentes em conhecer e entender a "verdadeira verdade", a verdade de Deus, e saber como reconhecer e recusar as mentiras. Se não tomarmos cuidado, acreditaremos em mentiras e elas nos influenciarão de formas negativas. É *exatamente* isso o que o inimigo quer.

João 8:44 identifica claramente o inimigo como "mentiroso e pai da mentira e de tudo que é falso" (AMP). Tudo sobre ele e tudo que ele tenta fazer com que acreditemos é mentira. Ele é o grande enganador e consegue entrar na vida de várias pessoas enganando-as.

No mundo natural, há uma criatura que também pratica o engano, e, assim como o inimigo, não conhece outro modo de vida. Você provavelmente nunca ouviu falar na aranha *Portia*, mas esse pequeno inseto ilustra claramente como o inimigo trabalha.

A aranha da espécie *Portia* é um predador hábil cuja principal arma é o engano. Robert R. Jackson, da *National Geographic*, diz que, para início de conversa, essa aranha parece um pedaço de folha seca ou de folhagem que foi soprado e ficou preso na teia. Quando ela ataca outras espécies de aranhas, utiliza uma série de métodos para seduzir a aranha anfitriã e atraí-la ao seu ponto de ataque.

Às vezes ela sobe na teia e bate nos fios sedosos de uma maneira que imita as vibrações de um mosquito preso nela. A aranha anfitriã avança para jantar, mas em vez disso, ela mesma se torna o jantar.

Na verdade, a aranha *Portia* pode adaptar suas estratégias de engano a cada presa. Com um tipo de aranha que mantém sua casa dentro de uma folha enrolada, ela dança do lado de fora da folha, imitando um ritual de acasalamento.

Jackson escreve: "A Portia pode encontrar um sinal para quase todo tipo de aranha por meio da tentativa e do erro. Ela faz sinais diferentes até que a aranha vítima finalmente reaja da forma adequada — e depois continua fazendo o sinal que funciona".[2]

## Não Seja Ignorante

A Bíblia diz que não devemos ignorar os ardis do inimigo (ver 2 Coríntios 2:11). É interessante notar que a palavra ardil é definida como "um esquema para enganar". Claramente, uma maneira pela qual ele usa os seus ardis contra nós é plantando em nossa mente pensamentos com um propósito maligno. A Dra. Caroline Leaf ensina que no instante em que os nossos pensamentos se tornam tóxicos (em outras palavras, cheios de ansiedade, sobrecarregados pela depressão, influenciados por mentiras, ou prejudiciais de qualquer outra maneira — venenosos!), nosso cérebro não pode funcionar como Deus planejou. Ela acredita, e eu também, que o inimigo sabe disso e tira vantagem dessa informação guerreando no campo de batalha da mente.

Descobri que a preocupação e a racionalização são dois dos maiores ardis de Satanás contra nossa vida. É importante conhecer os seus "pontos fracos" e orar para que quando for tentado nessas áreas você possa reconhecer e resistir à tentação. A preocupação e a racionalização são tentações assim como roubar, mentir, ou qualquer outro pecado. Normalmente não vemos coisas como a preocupação como um pecado, mas tudo o que não procede da fé é pecado, segundo Romanos 14:23. Certamente não nos preocupamos pela fé, e assim precisamos encarar o fato de que a preocupação é pecado e desonra extremamente a Deus.

Eu costumava me preocupar e tentar solucionar muitas coisas. Não conseguia relaxar e ficar em paz a não ser que achasse que tinha tudo resolvido. Agora entendo que aquilo era a minha tentativa desesperada (e tola) de tentar me sentir no controle da vida e, assim, sentir-me segura. Quando eu me permitia me preocupar e racionalizar, dava lugar a Satanás no meu pensamento (ver Efésios 4:27). Ao longo dos anos, essa e outras áreas de fraqueza permitiram que ele desenvolvesse uma série de fortalezas em minha mente. Deixe-me explicar como isso acontece.

O inimigo não tenta simplesmente plantar mentiras individuais na nossa mente; ele tem uma estratégia maior e mais sutil que esta. A passagem de 2 Coríntios 10:4-6 é muito importante e vamos lembrá-la agora.

> As armas com as quais lutamos não são humanas; pelo contrário, são poderosas em Deus para destruir *fortalezas*. Destruímos argumentos e toda pretensão que se levanta contra o conhecimento de Deus, e levamos cativo todo pensamento, para torná-lo obediente a Cristo. E estaremos prontos para punir todo ato de desobediência, uma vez completa a obediência de vocês (ênfase da autora).

Escondida nessa passagem está uma palavra-chave: *fortalezas*. O que o inimigo quer fazer na nossa mente é construir fortalezas. O dicionário *American Heritage* define uma fortaleza como "uma cidadela; uma área dominada ou ocupada por um grupo especial". Assim, fortalezas são mentalidades erradas e padrões de pensamentos que se baseiam em mentiras e que permitem que o inimigo domine certas áreas da nossa vida.

Quando criança, eu sempre sentia a necessidade de cuidar de mim mesma porque ninguém fazia isso. Através do medo, que se manifestava por meio da preocupação e da racionalização, Satanás obteve acesso a essas áreas e construiu uma fortaleza mental. Também me sentia envergonhada porque meu pai havia abusado de mim sexualmente quando eu era criança e Satanás usou essa circunstância para construir uma fortaleza de insegurança e baixa autoestima em minha mente. Esse modo de pensar errado afetou todas as áreas da minha vida por muitos anos.

O inimigo sabe que as fortalezas são eficazes. Se ele conseguir nos aprisionar nessa armadilha, poderá realizar todo tipo de destruição. Deus não quer que fiquemos aprisionados nas fortalezas das mentiras do inimigo, por isso Ele nos ensina através da Sua Palavra a destruí-las. Esse processo se chama "renovação da mente", que é simplesmente aprender a pensar adequadamente. Precisamos examinar aquilo em que acreditamos e começar a perguntar por que pensamos dessa maneira. Milhões de pessoas estão aprisionadas na armadilha de vidas infelizes porque acreditam em mentiras. Elas podem acreditar que não têm valor, como eu um dia acreditei, e se perguntar por que nasceram. Elas podem ter uma raiz de rejeição em suas vidas, que é uma profunda sensação de que ninguém as quer ou de que ninguém acha que elas têm qualquer valor. Quando uma pessoa tem essa raiz de rejeição, imagina todo tipo de coisas que não são reais. Elas têm tamanha expectativa de serem rejeitadas que terminam se comportando de uma maneira que faz com que as pessoas se sintam desconfortáveis e incapazes de gostar delas. Frequentemente são ignoradas pelos demais, mas foi a sua própria maneira de pensar que gerou esse problema.

## Pense Nisto

A preocupação, a ansiedade e a insegurança foram alguns dos ardis mais eficazes do inimigo contra mim. Quais são os maiores ardis que ele usa contra você?

_____

_____

## Destruindo Fortalezas

A maneira de se livrar das trevas é acender a luz, e a única maneira de destruir uma fortaleza de mentiras é dissipá-la na luz da verdade. A maior arma que você e eu temos é a verdade da Palavra de Deus. O texto de 2 Coríntios 10:5 diz que devemos levar "cativo todo pensamento para torná-lo obediente a Cristo". Posso lhe garantir que, se não levarmos cativos os pensamentos errados, serão os pensamentos errados que *nos* levarão cativos.

Durante os dias em que Jesus viveu na terra, Pilatos fez a Ele uma pergunta que tem sido feita ao longo dos séculos e ainda está sendo feita hoje: "O que é a Verdade?" (João 18:38). Jesus já havia respondido essa pergunta de maneira clara e simples: "Eu sou o Caminho, a Verdade e a Vida" (João 14:6). Quando orava a Deus em João 17:17, Jesus também disse: "A Tua Palavra é a Verdade". Ele não apenas conhecia a verdade, mas quando a Sua própria mente estava sendo atacada por Satanás, Ele declarou a verdade da Palavra de Deus em voz alta (ver Lucas 4:1-13). Essa é uma das formas mais eficazes de se "destruir" pensamentos errados, argumentos, teoria e imaginações. Vejo isso como interromper o diabo no meio da tentação que ele está preparando.

Foi isso que Deus me ensinou a fazer quando os pensamentos de preocupação e racionalização se levantavam. E é isso que Ele quer que você faça com os pensamentos errados que o inimigo usa contra você. Quando a sua mente estiver sendo bombardeada por pensamentos errados, simplesmente fale em voz alta a passagem da Palavra de Deus que se opõe à mentira que está na sua mente. Por exemplo: se você estiver pensando que é inútil e que fracassa sempre em tudo o que faz, deve dizer em voz alta: "Deus tem um propósito para a minha vida e Ele faz com que eu triunfe e tenha êxito".

Somos parceiros de Deus. A parte que nos cabe é confiar nele, conhecer a Sua Palavra e crer nela, e a parte Dele é fazer o que for preciso ser feito em toda situação. Não podemos conhecer a Palavra de Deus se não nos dedicarmos a lê-la e estudá-la com diligência. Ninguém esperaria ser um médico bem-sucedido sem estudar, e não sei por que as pessoas esperam ser fortes na sua fé sem fazer o mesmo.

Jesus declarou claramente em Mateus 6:25-34 que não devemos nos preocupar com nada porque Deus é fiel para suprir tudo que precisamos, no momento em que precisamos. Provérbios 3:5,6 diz: "Con-

PARTE I – Está Tudo na Sua Mente

fie no Senhor de todo o seu coração e não se apóie em seu próprio entendimento; reconheça o Senhor em todos os seus caminhos, e ele endireitará as suas veredas".

Quando Deus abriu os meus olhos para a verdade da Sua Palavra, comecei a confiar no que a Bíblia dizia e não no que o inimigo dizia. Quanto mais eu meditava nas Escrituras, como essas que acabo de mencionar e outras, mais o meu modo de pensar mudava e a minha liberdade e alegria aumentavam. Pouco a pouco, à medida que a verdade da Palavra de Deus se enraizava em minha mente, o inimigo perdeu terreno no meu pensamento.

Ter a minha mente renovada não foi algo que aconteceu da noite para o dia. Satanás havia construído padrões errados de pensamento em minha mente com muita paciência e diligência. Ele havia trabalhado desde o dia em que eu nasci, e pretendia continuar até eu morrer. Precisamos ter a mesma tenacidade que ele tem e estar dispostos a passar o resto de nossa vida trabalhando com Deus para desfazer os danos que o diabo causou. Deus quer restituir tudo que o diabo roubou de nós, e cultivar o caráter de Cristo em nós (ver Isaías 61:7 e 1 Tessalonicenses 5:23,24). Tome a decisão agora de nunca desistir até ter vitória em todas as áreas de sua vida. Também o encorajo a ser paciente e determinado mesmo que não veja resultados instantâneos. Deus está trabalhando em você e na sua vida, e você verá os resultados no devido tempo.

A Palavra de Deus, a Bíblia, é a verdade. Ela ensina a verdade e nos mostra um modo de viver que produz vida. A Palavra de Deus passou no teste do tempo e foi comprovada na vida de milhões de pessoas em milhares de anos. Ela funciona, se for seguida; sei disso por causa dos anos de experiência pessoal e devido a inúmeras vezes em que vi a vida de outras pessoas mudar de forma surpreendente simplesmente porque elas acreditaram e obedeceram à verdade de Deus.

## Liberte-se e Permaneça Livre

Quando tivermos aprendido a nos libertar da influência do inimigo em nossa mente acreditando e aplicando a verdade de Deus à nossa vida, precisaremos então aprender a permanecer livres. Não basta apenas levarmos os pensamentos errados cativos; também precisamos escolher ter os pensamentos corretos no futuro. Descobri que isso era verdade na minha batalha contra a preocupação e a racionalização. Assim que aprendi que Deus não queria que eu me preocupasse ou tentasse solucionar tudo, passei a me esforçar ao máximo para não fazer isso. Quando os pensamentos errados vinham à minha mente, eu fazia o máximo para levá-los cativos. Eu dizia: "Não, não vou pensar nisto!". Por um instante, minha mente tinha liberdade. Mas não demorava muito, e os velhos pensamentos voltavam. Mais uma vez, eu dizia: "Não, não vou pensar nisto!". Mais cedo ou mais tarde, porém, o mesmo pensamento ou outro semelhante voltava. Esse ciclo se repetiu várias vezes, e às vezes, quando chegava o fim do dia, eu estava completamente exausta.

Um dia, lembro-me de ter orado: "Deus, não posso continuar assim dia após dia. Assim que levo cativos estes pensamentos errados, eles voltam. O que devo fazer?". Quando você estiver travando um combate em sua mente, pode ser que se veja fazendo essa mesma oração, então quero compartilhar com você a resposta simples que Deus me deu. Ele disse que tudo que eu precisava fazer era pensar em outra coisa! Quando você pensa em algo bom, não há lugar para os pensamentos errados em sua mente. Concentrar-se em não tentar ter pensamentos errados na verdade pode aumentá-los, mas simplesmente encher a sua mente com coisas boas não deixa lugar para as coisas ruins entrarem. A Bíblia diz que se andarmos no Espírito não satisfaremos os desejos da carne (ver Gálatas 5:16), e isso significa simplesmente que se nos concentrarmos naquilo que Deus deseja, então não teremos espaço em nossa vida para o que o diabo deseja.

Essa foi uma revelação transformadora para mim. Percebi que eu não podia esperar que algo de bom simplesmente caísse sobre a minha mente. Precisava *escolher* meus pensamentos *deliberadamente*. Eu precisava fixar minha mente em "tudo o que é verdadeiro, tudo o que é nobre, tudo o que é correto, tudo o que é puro, tudo o que é amável, tudo o que é de boa fama, em tudo que é excelente ou digno de louvor" (Filipenses 4:8). A Bíblia diz em Deuteronômio 30:19 que Deus

PARTE I – Está Tudo na Sua Mente

coloca diante de nós a vida e a morte, a bênção e a maldição. Se você e eu não escolhermos os pensamentos que levam à vida, o inimigo fará a escolha por nós — e ele escolherá os pensamentos que nos levam à morte. Mas quando escolhemos os pensamentos que levam à vida, nossa vida é abençoada. Mais uma vez quero lembrar-lhe que "você pode escolher seus próprios pensamentos" e deve fazer isso com muito cuidado. Eu o encorajo a ter o que chamo de "Sessões de Pensamento". Reserve tempo para deixar que bons pensamentos permeiem sua mente incessantemente, pois isso o ajudará a criar o hábito de pensar em coisas boas. Você precisa acreditar que pode fazer uma coisa, do contrário, nem sequer irá tentar. Então, repito: "Você pode escolher seus próprios pensamentos! Você pode vencer (dominar) o mal com o bem" (Romanos 12:21).

## Anote

Anotar as coisas parece realmente me ajudar a aprender. Por exemplo, descobri que escrever uma lista de todos os pontos positivos sobre uma situação ou uma pessoa, anotando as passagens bíblicas relacionadas, ajuda-me a permanecer alegre e a evitar ver as coisas fora de proporção. Depois que faço essa lista, às vezes levo-a comigo para poder consultá-la ou a releio todas as manhãs. Fazer isso me ajuda quando sou tentada a dar lugar a pensamentos errados. Chamo isso de "combater o bom combate da fé". Deus usou esse método para renovar a minha mente em muitas áreas. Aprendi que quanto mais engrandeço e medito no que é bom, menores meus problemas se tornam. O mesmo pode acontecer com você. Simplesmente tente. Fazer esse exercício o ajudará a formar novos hábitos de pensamento que finalmente se tornarão muito naturais para você, em vez de ser alguma coisa que você precisa se esforçar para realizar.

## Pense Nisto

Pense em uma pessoa ou situação que seja difícil para você e faça uma lista de elementos positivos a respeito dela. Mantenha essa lista com você e leia-a (em voz alta, se possível) quando for tentado a ceder aos pensamentos errados.

## Concorde com Deus

Precisamos renovar *constantemente* a nossa mente com a verdade da Palavra de Deus. Não estou apenas escrevendo um livro sobre pensamentos neste instante, mas também estou lendo um livro para o meu próprio estudo e edificação. Precisamos ser "aprendizes por toda a vida".

Eu era uma pessoa muito negativa, então foi necessária uma determinação diária para reprogramar a minha maneira de pensar. Levou tempo, mas gradualmente, à medida que aplicava novos conhecimentos a este desafio, desenvolvi uma nova maneira de pensar. Embora encarar as coisas a partir de uma perspectiva positiva tenha se tornado hoje a minha reação normal, ainda me certifico de estar lendo e estudando periodicamente sobre essa área para fazer algumas "revisões" sobre o assunto. Sei que essa foi uma área de grande fraqueza em minha vida e jamais quero presumir que aprendi tudo que existe para ser aprendido e que sei tudo que há para se saber. A pessoa mais tola do mundo é aquela que pensa que sabe tudo e que não precisa aprender mais.

Se nós pudermos aprender a concordar com Deus no nosso pensamento — pensar como Ele quer que pensemos — então podemos ter o que Ele quer que tenhamos, ser quem Ele quer que sejamos, e fazer o que Ele quer que façamos.

Eu disse muitas vezes: "Precisamos pensar no que estamos pensando", e acredito nisso mais do que nunca. Se você está de mau humor, pergunte a si mesmo em que coisas anda pensando, e você provavelmente descobrirá a raiz do seu mau humor. Se está sentindo pena de si mesmo, simplesmente pense no que você está pensando; a sua atitude pode precisar de uma correção. Lembre: "Para onde a mente vai, o homem segue". Nosso humor está diretamente ligado aos nossos pensamentos, portanto, bons pensamentos gerarão bom humor.

## Pense com Responsabilidade!

Precisamos assumir a responsabilidade pelos nossos pensamentos. Precisamos parar de agir como se não houvesse nada que possamos fazer com relação a eles. Deus nos deu o poder para resistirmos ao diabo escolhendo pensar em coisas que são divinas e boas. Uma grande esperança me invade quando entendo que posso ter a certeza de uma vida melhor tendo bons pensamentos. Isso é empolgante!

Deus nos mostrará o que fazer para "limpar" os nossos pensamentos, mas Ele não fará isso por nós. Ele nos dá a Sua Palavra para nos ensinar e o Seu Espírito para nos ajudar, mas somente nós podemos tomar a decisão de fazer o que devemos fazer.

Você pode aprender a pensar adequadamente e poderosamente se quiser; levará tempo, mas é um investimento que gera grandes lucros.

A Bíblia é o relato dos pensamentos, dos caminhos e dos feitos de Deus. Quando concordamos com ela, estamos concordando com Deus!

## Pense Nisto

Você já assumiu a responsabilidade por seus pensamentos e suas atitudes? Se não fez isso, escreva que hoje é o dia em que você começa a assumir a responsabilidade pelo seu modo de pensar. Anote a data, e assine como se estivesse fazendo um contrato com Deus.

# Capítulo 4

## Pensamentos Deliberados

É impressionante o quão rapidamente e completamente os nossos pensamentos podem alterar o nosso humor. Pensamentos negativos de qualquer espécie rapidamente roubam a minha alegria e geram todo tipo de mau humor. Quando nos sentimos negativos e deprimidos, as outras pessoas não gostam de estar conosco, e quando os nossos pensamentos estão para baixo, tudo vai para baixo com eles. Nosso humor, nossa fisionomia, nossa conversa, e até nosso corpo podem começar a ficar em uma posição de declínio. As mãos pendem para baixo, os ombros caem, e temos a tendência de olhar para baixo em vez de para cima. As pessoas com tendência a serem negativas nos seus pensamentos e conversas geralmente são infelizes e raramente estão contentes com alguma coisa por muito tempo. Mesmo que alguma coisa empolgante aconteça, elas logo encontram algo errado nela. Assim que veem uma coisa errada, tendem a fixar a mente naquilo; qualquer prazer que possam ter tido é bloqueado por se concentrarem no que é negativo. Elas podem ocasionalmente sentir um entusiasmo momentâneo, mas ele rapidamente evapora e a obscuridade enche mais uma vez todo o seu comportamento. Elas provavelmente não percebem que poderiam ser felizes se simplesmente mudassem o seu modo de pensar. Precisamos parar de meramente *esperar* que algo de bom aconteça e tomarmos uma atitude para *garantir* que algo de bom realmente aconteça.

Fico realmente impressionada quando penso no fato de que temos a capacidade de ser felizes ou tristes pelo que escolhemos pensar. A Bíblia diz que precisamos estar satisfeitos com as consequências das nossas palavras, quer elas sejam boas ou más (ver Provérbios 18:20). Ela também nos diz que "A morte e a vida estão no poder da língua; e aquele que a ama comerá do seu fruto" (Provérbios 18:21). As nossas palavras começam com os nossos pensamentos, então o mesmo princípio que se aplica à nossa língua também se aplica à nossa mente. Precisamos estar satisfeitos com as consequências dos nossos pensamentos porque eles detêm o poder da vida e da morte. Eu acrescentaria que eles detêm o poder do contentamento e do descontentamento, da alegria e da tristeza.

Quanto mais vivo, mais ficou maravilhada com o fato de que minha mente afeta tão profundamente o meu humor. Ainda preciso travar o combate na minha mente e duvido que alguém chegue ao ponto de estar inteiramente livre das batalhas nessa área. É claro que aprendi a disciplinar minha mente mais rapidamente do que fazia antes, mas ainda há momentos em que minha mente fica debaixo de ataque.

Deus nos deu o fruto do domínio próprio (ver Gálatas 5:22,23), que significa que não temos de permitir que nossos pensamentos fiquem fora de controle, mas podemos ser deliberados no nosso modo de pensar. Podemos controlar o que pensamos, e podemos escolher os nossos pensamentos. Deus nos deu a capacidade de fazermos escolhas quanto a muitas coisas na vida, inclusive os nossos pensamentos, e precisamos ser responsáveis por fazer essas escolhas cuidadosamente. Na esfera da mente, exercitar o domínio próprio e fazer escolhas sábias chama-se "pensamento deliberado".

## Pense Nisto

Quais são as maneiras mais óbvias pelas quais os seus pensamentos afetam o seu humor? Você pode pensar em uma pessoa ou situação com relação à qual você tende a ser negativo?

## Pensamentos Excelentes, Vida Excelente

Uma das revelações mais transformadoras que podemos ter é descobrir que podemos fazer alguma coisa quanto aos nossos pensamentos. Podemos praticar os "pensamentos deliberados". Não temos de meditar em tudo que surge na nossa mente; podemos escolher em que queremos pensar. Podemos escolher pensamentos que aumentem o poder — e não pensamentos que esgotem o poder. Podemos deliberar sobre o que se passa na nossa mente. Podemos romper com os maus hábitos e formar bons hábitos. Na verdade, aprender a ter pensamentos excelentes deliberadamente é a chave para uma vida excelente.

Costumamos nos permitir sermos convencidos da ideia do mundo sobre o que é uma "vida excelente". Podemos pensar em excelência como fama, fortuna, sucesso atlético, status como celebridade, realizações empresariais ou científicas notáveis, ou atração física. Mas nenhuma dessas coisas constitui uma vida realmente excelente. Na verdade, algumas das pessoas mais famosas e ricas do mundo são as mais infelizes. Para ter realmente uma vida excelente, creio que uma pessoa precisa ter amor, paz, alegria, uma posição reta diante de Deus, bons relacionamentos e outras qualidades que o mundo não considera necessariamente "excelentes". Sem essas coisas, como a vida de alguém pode ser excelente? Apenas pense nisto: o que realmente temos sem paz e alegria? A vida é cheia de lutas e infelicidade; e ninguém considera essa uma maneira excelente de se viver.

### Pense Nisto

Qual é a sua definição pessoal de uma vida excelente?

_____

_____

## Três chaves para os Pensamentos Deliberados

Deus deixa claro na Sua Palavra que pensar está diretamente ligado à qualidade de vida. Devido a muitos anos de estudo, ensino e de tanto

PARTE I – Está Tudo na Sua Mente

escrever sobre a mente, posso dizer sinceramente que a sua maneira de pensar *será* transformada e a sua vida *será* mudada *se* você seguir as instruções de Deus com relação aos seus pensamentos. Nesta parte, quero compartilhar com você três chaves para uma maneira de pensar excelente. Todas elas funcionam, mas nenhuma delas acontece por acidente ou sem esforço. Se você quer que elas sejam eficazes na sua vida, terá de incorporá-las ao seu modo de pensar deliberadamente.

## 1. Ajuste a sua mente e mantenha-a ajustada.

O apóstolo Paulo nos dá uma instrução valiosa sobre o nosso modo de pensar em Colossenses 3:2: "Mantenham o pensamento nas coisas do alto, e não nas coisas terrenas". Ele nos diz claramente para pensarmos nas coisas que são importantes para Deus ("as coisas do alto") e fazer isso sempre encherá nossa mente com bons pensamentos.

"Ajustar" a sua mente é provavelmente uma das melhores e mais benéficas ações que você pode aprender. "Ajustar" a sua mente significa decidir-se firmemente. O concreto molhado pode ser removido com facilidade e é muito flexível antes de secar ou de se "ajustar". Mas depois que se fixa e seca, ficará ali para sempre. Não poderá ser facilmente moldado ou transformado. O mesmo princípio se aplica a ajustar a sua mente. Ajustar a sua mente é determinar com decisão em que você vai pensar, em que você acredita, e o que você fará ou não fará — e ajustá-la de tal maneira que você não pode ser facilmente demovido ou persuadido do contrário. Uma vez que você tenha ajustado a sua mente de acordo com a verdade dos princípios de Deus para uma boa vida, você precisa mantê-la ajustada e não permitir que forças externas venham remodelar o seu pensamento. Ajustar a sua mente não significa ter uma mente estreita ou ser teimoso. Devemos sempre estar abertos ao aprendizado, ao crescimento, e às mudanças, mas precisamos resistir constantemente à tentação de conformar nossos pensamentos ao mundo e às suas ideias. Manter o pensamento nas coisas do alto significa ser firme na sua decisão de concordar com o modo de vida de Deus, independentemente de quem possa tentar convencê-lo de que você está errado.

Quando comecei a conformar o meu modo de pensar e de viver com a Palavra de Deus, deparei-me com muita oposição e tive de ser firme na minha decisão. Por exemplo, descobri que quando eu tentava ser positiva isso não era bem recebido pelas pessoas que tinham o hábito de ser negativas. Elas me diziam que eu estava tentando viver um conto de fadas e que a vida real não era tão positiva assim. Elas me diziam que eu não podia abrir caminho para o sucesso através dos meus pensamentos. Na verdade, fui acusada de tentar usar o "controle da mente" como se isso fosse algo maligno e até demoníaco. Mas a verdade é que Deus nos diz para controlarmos a nossa mente, e não fazer isso é convidar toda espécie de infelicidade para entrar em nossa vida.

Embora seja triste, precisei entender que Satanás usaria até mesmo a minha família e os meus amigos mais íntimos para tentar me impedir de progredir. Eles me amavam, mas simplesmente não entendiam e, infelizmente, geralmente criticamos aquilo que não entendemos. Precisei ter certeza de que Deus estava me direcionando, e tive de ser firme na minha decisão de ter pensamentos corretos para ver resultados corretos em minha vida. Meus amigos estavam acostumados a fazer o mesmo que eu sempre havia feito — pensar de acordo com o que víamos ou sentíamos. Parecia estranho para eles que pudéssemos acreditar e pensar de acordo com o que alguma coisa *poderia ser*, em vez de pensamos em como aquilo realmente era.

O motivo pelo qual ajustar sua mente e mantê-la ajustada é tão importante é porque realmente não há muita esperança de sermos capazes de resistir à tentação se não nos decidirmos antecipadamente quanto ao que faremos quando formos tentados. A Bíblia afirma que porque Abraão estava "plenamente convencido" com relação à promessa de Deus, ele não duvidou nem foi incrédulo (ver Romanos 4:20,21). Em outras palavras, ele havia ajustado a sua mente e foi capaz de mantê-la ajustada durante a tentação. Você será tentado; esse é simplesmente um fato da vida. Portanto, precisa pensar antecipadamente sobre as situações que podem gerar problemas para você. Se esperar até estar no meio de uma situação para decidir se vai resistir ou não, então com certeza você irá desistir.

PARTE I – Está Tudo na Sua Mente

Quando fazemos um regime, precisamos aplicar este princípio de "ajustar a nossa mente e mantê-la ajustada", para termos sucesso. Você pode facilmente se comprometer com uma dieta depois do jantar do domingo à noite, mas o verdadeiro teste vem na segunda-feira de manhã, quando você começa realmente a sentir fome. As pessoas que ajustaram a mente se manterão firmes, entendendo que precisam ter êxito nos momentos de fome a fim de finalmente terem o resultado que desejam. Esse mesmo princípio deve se aplicar a todas as áreas onde precisamos mudar. Ele pode ser aplicado ao exercício, a sair das dívidas, a limpar a garagem, ou a uma série de outras coisas.

Decida-se antecipadamente que você vai seguir até o fim com Deus. Algumas pessoas passam a vida inteira começando e desistindo. Elas nunca vão até o fim. Elas podem ajustar a mente delas, mas quando a tentação vem, quando as coisas ficam difíceis, não a mantém ajustada. Eu o encorajo firmemente a ser uma das pessoas que terminam o que começam mantendo a sua mente ajustada na direção correta o tempo todo até à vitória.

> Queremos que cada um de vocês mostre essa mesma prontidão até o fim, para que tenham a plena certeza da esperança.
> — Hebreus 6:11

Não importa qual seja o seu maior desafio, *decida-se agora* que você vai fixar sua mente na vitória total. Falar consigo mesmo antecipadamente é uma das maneiras de ajustar sua mente. Alguns exemplos do que você pode dizer para si mesmo enquanto ajusta sua mente nas áreas que geralmente geram tentação são:

- "Não vou ter maus pensamentos sobre outras pessoas e não vou fazer fofocas. Não farei fofocas. Quando alguém ao meu redor começar a falar comigo sobre outra pessoa de forma crítica, não vou me permitir me envolver nisso. Não vou participar da ruína da reputação de alguém. Não vou ofender o Espírito Santo".
- "Não vou comer demais quando me sentar para fazer as refeições hoje. Vou parar quando começar a me sentir satisfeito. Farei boas escolhas alimentares e não vou comer de forma emocional".

- "Não vou ser exagerado em nenhuma área da vida. Sou uma pessoa equilibrada. Não vou reclamar de nada. Tenho muito para ser grato e vou pensar nessas coisas".
- "Vou viver para agradar a Deus, e não às pessoas. Quero ser aceito, mas não vou fazer concessões com a minha fé e a minha integridade moral".
- "Vou eliminar o estresse desnecessário da minha vida. Vou desacelerar, não vou assumir compromissos em excesso, e vou tentar manter a vida tão simples quanto possível".
- "Vou ter pensamentos positivos e falar palavras positivas".

Se você tiver pensamentos assim, quando for tentado a fofocar, a comer demais, ou enfrentar qualquer outra tentação, terá um fundamento estabelecido. A mensagem que você gravou dentro de si mesmo começará a ecoar de volta, e tomar a decisão certa não será nem de longe tão difícil quanto seria se você não tivesse se decidido sobre o que faria quando essa situação se apresentasse.

Se você preparar a sua mente com antecedência, quando a tentação vier, você estará em boa forma para dizer "não" a ela. Não espere para ver como você se sente quando a tentação surgir. Jesus disse aos Seus discípulos para orarem a fim de não caírem em tentação (ver Lucas 22:46). Essa é outra maneira de ajustar a sua mente e o seu coração na direção certa. Reconhecer as suas áreas de fraqueza e saber que tipo de situações o estão desafiando é sábio. Ajustar a sua mente com firmeza para superá-las é o caminho para a vitória.

## Pense Nisto

Em que situações específicas você pode aplicar esses princípios de preparação?

## 2. Renove a sua mente.

Nenhum ensinamento sobre a mente está completo sem Romanos 12:2: "Não se amoldem ao padrão deste mundo, mas *transformem-se pela renovação da sua mente*, para que sejam capazes de experimentar e comprovar a boa, agradável e perfeita vontade de Deus" (ênfase da autora).

Uma mente não renovada é uma mente que nunca foi transformada depois de ter recebido Jesus Cristo como Salvador. O espírito é regenerado, mas a mente continua a mesma. Essa condição oferece um terreno fértil para o diabo operar. É por este motivo que os cristãos geralmente têm a reputação de serem hipócritas. Eles dizem que acreditam em uma coisa, mas o seu comportamento não corresponde às suas "ditas" convicções. Elas podem ir à igreja toda semana, mas em casa ou no trabalho não diferem do resto do mundo. Eles não apenas são infelizes, bem como o exemplo que dão para os outros é terrível.

Muitas pessoas que precisam de Cristo em suas vidas são impedidas de aceitá-lo devido ao mau testemunho de outros que conhecem e que se dizem cristãos.

# Uma Mente Inadequada

Se um filho de Deus abriga o pecado em seu coração, ele está emprestando a mente para os espíritos malignos. Por exemplo, a Bíblia afirma claramente que se um homem sente luxúria por uma mulher no seu coração, ele já cometeu adultério com ela no que diz respeito ao seu coração. Ele pode ser um cristão, mas é carnal. Ele tem uma mente inadequada. Ele não controla os seus pensamentos. Ele não renovou a sua mente nem aprendeu o poder que os seus pensamentos têm.

Uma mulher pode ter pensamentos inadequados com relação a outro homem se, quando o vê, ela o admira excessivamente e tende a compará-lo com seu marido. Talvez ela desejasse que o seu marido tivesse algumas das qualidades que vê neste outro homem e seus pensamentos passam a ser impróprios enquanto ela se imagina casada com ele e não com o marido que tem.

A mulher pode se sentir culpada por ter esses pensamentos, mas não entende que ela pode recusá-los, que eles são "hóspedes não convidados", em vez de lhes oferecer um lar confortável.

Quanto mais uma pessoa permitir os pensamentos inadequados, mais difícil será livrar-se deles. Satanás construiu uma fortaleza na mente do homem que só pode ser destruída pela forte determinação e por *mega doses* da Palavra de Deus.

Satanás introduz muitos pensamentos inadequados na mente do crente. Ele sabe que pode impedir a frutificação ao fazer isso. Ele pode manter o crente fraco e sem poder controlando os seus pensamentos. Satanás pode encher a mente de uma pessoa com crítica ou preconceitos. Ele pode usar pensamentos de ciúmes para mantê-lo cativo. Os pensamentos de orgulho estão entre os seus favoritos. Se ele conseguir fazer com que pensemos de forma mais elevada a respeito de nós mesmos do que deveríamos e menos elevada a respeito dos outros, ele pode ter êxito em nos impedir de amar as outras pessoas, que é o novo mandamento que Jesus nos deu (ver João 13:34).

Renovar sua mente não é como renovar sua carteira de motorista ou seu cartão na biblioteca — algo que pode ser feito rapidamente e não precisa ser repetido por meses ou anos. Renovar sua mente é mais semelhante ao trabalho de renovar e reformar uma casa velha. É algo que não acontece rapidamente; requer tempo, energia e esforço, e há sempre alguma coisa que precisa de atenção.

Não caia na armadilha de acreditar que você pode renovar sua mente tendo pensamentos corretos uma vez. Para ter a mente renovada, você precisará ter pensamentos corretos sucessivamente, até que eles fiquem enraizados no seu modo de pensar — até que os pensamentos corretos venham até você mais facilmente e mais naturalmente que os pensamentos errados. Você terá de se disciplinar para pensar adequadamente, e terá de se proteger contra a tentação de cair nos antigos padrões — e isso pode acontecer com muita facilidade. Quando acontecer, não se sinta mal, apenas comece a pensar corretamente outra vez. Você finalmente chegará a um ponto em que os pensamentos errados o deixarão desconfortável e não se encaixarão mais nos seus processos mentais.

PARTE I – Está Tudo na Sua Mente

O processo contínuo de renovação da mente se estende a todos os aspectos do seu pensamento. Se você é como a maioria das pessoas, muitas áreas da sua mente precisam ser renovadas. Elas podem incluir a maneira como você pensa a respeito de si mesmo, de suas finanças, de sua saúde, de sua família; pode envolver a administração do seu tempo, suas férias e sua recreação, seu trabalho, seu futuro, ou uma variedade de outros temas. Não suponha que você renovou sua mente só porque se sente confiante de que seu modo de pensar mudou em uma área. Você deve comemorar a eliminação de parte desse lixo mental, mas não seja complacente nem deixe de continuar progredindo no processo.

Muitas vezes, as áreas do pensamento que você acha mais desafiadoras em termos de renovação são aquelas que o machucam mais e que o impedem de receber o melhor que Deus tem para você. Eu era uma "viciada em trabalho", e embora tenha progredido na luta contra esse comportamento pouco a pouco, foi uma verdadeira batalha para mim. Eu era insegura e me sentia desvalorizada devido ao fato de ter sofrido abuso na minha infância, e caí na armadilha de basear todo o meu senso de valor naquilo que eu realizava. Não era capaz de realmente desfrutar a nova vida que Deus havia me dado através de Jesus Cristo porque eu trabalhava constantemente para merecer o que Ele já havia me dado por Sua graça e misericórdia como um dom gratuito. Perseverando na renovação da minha mente, eu pude equilibrar melhor a minha vida de uma maneira que me deixa maravilhada! Mas quero enfatizar que você terá de estar disposto a investir tempo e esforço se quiser mudar o seu modo de pensar.

Deixe-me ser rápida em dizer que você não deve se sentir condenado se estiver enfrentando lutas na área dos seus pensamentos neste instante, ou se você enfrentar dificuldades nos dias que virão. A condenação só enfraquece; ela nunca o ajuda a progredir. Toda vez que reconhecemos que estamos permitindo que pensamentos errados entrem em nossa mente, devemos pedir perdão a Deus, e continuar avançando em direção ao nosso objetivo. Comemore cada vitória porque isso o ajuda a não se sentir sobrecarregado pelo que ainda falta ser conquistado, e lembre-se de que Deus é muito paciente e longânimo. Ele é compreensivo e nunca desistirá de você.

## Pense Nisto

Em que áreas da sua vida a sua mente precisa ser renovada?

_____

_____

### 3. "Cinja" a sua mente.

1 Pedro 1:13 nos instrui: "Por isso, cingindo o vosso entendimento, sede sóbrios e esperai inteiramente na graça que vos está sendo trazida na revelação de Jesus Cristo" (ARA).

Você e eu não estamos acostumados a ouvir a expressão "cingir" hoje em dia. Mas nos tempos bíblicos, tanto os homens quanto as mulheres usavam trajes de saias longas. Se tentassem correr com aquelas roupas, havia uma boa chance de eles se atrapalharem com os tecidos longos e tropeçarem. Quando precisavam se mover rapidamente, eles recolhiam o tecido de suas vestes e o puxavam para cima para poderem andar ou correr livremente. Eles *cingiam* as suas vestes.

Quando a Bíblia nos diz para "cingirmos o nosso entendimento", creio que isso significa tirar a nossa mente de tudo que poderia nos fazer tropeçar enquanto corremos a corrida que Deus colocou diante de nós. Creio que também pode se referir a nos concentrarmos naquilo que está diante de nós, em vez de permitir que nossos pensamentos vagueiem por toda parte. Deus tem um bom plano para cada um de nós, mas precisamos percorrer o caminho que nos leva a ele. Foco e concentração são desafios reais no nosso mundo de hoje. Temos muita informação chegando até nós o tempo todo e para manter a nossa mente naquilo que é o nosso propósito é necessário uma grande determinação e até treinamento.

Você pode se levantar na segunda-feira e pretender realmente começar o seu dia passando tempo com Deus em oração e estudando a Bíblia. Você pretende terminar três projetos específicos naquele dia. Você precisa ir à mercearia, mandar fazer alguns serviços de manutenção no seu carro, e terminar de limpar um armário no qual você começou a trabalhar na semana passada. A sua intenção é boa, mas se você não colocar o foco nesses projetos, certamente será desviado por outras coisas ou pessoas. Cingir a sua mente é outra maneira de dizer "permaneça focado no que você precisa fazer".

## Hóspedes Não Convidados

Você tem pensamentos que passam pela sua mente como um flash e que parecem vir do nada? Na verdade, eles vêm de *algum* lugar e geralmente foram projetados para impedir que você atinja os seus objetivos. Esses pensamentos são hóspedes não convidados procurando um lar, e é função nossa dizer a eles que não temos lugar para eles.

Como você reagiria se pessoas que você mal conhece aparecessem na sua porta da frente com malas nas mãos, dizendo que elas querem se mudar para a sua casa? Bem, naturalmente, você diria a elas que não eram bem-vindas e por mais insistentes que fossem, você se manteria firme na sua decisão de não poder dar um lar para elas. Devemos tomar essa mesma atitude com os pensamentos que aparecem em nossa mente; eles são hóspedes problemáticos não convidados que vêm bater à porta.

Por exemplo, se você decidir fazer alguns cursos universitários para aperfeiçoar a sua educação e quando você fosse se inscrever pensamentos começassem a surgir na sua mente, do tipo: *Você é velho demais para fazer uma faculdade. Vai ser muito difícil para você e vai lhe tomar tempo demais. Você não foi tão bem assim no ensino fundamental e uma faculdade é muito mais difícil,* pare imediatamente e pergunte a si mesmo se esses pensamentos são seus ou se eles estão vindo de outra parte fora de você. Você os está escolhendo, ou eles são hóspedes não convidados que o diabo enviou até você? Em vez de oferecer um lar a eles, "cinja" a sua mente e pense como você quer pensar. Permaneça focado no seu objetivo, e não no medo que o diabo está tentando colocar em você. Pense assim: *Haverá muitas pessoas mais jovens do que eu nas minhas turmas, mas tenho uma boa mente e um destino para cumprir, portanto vou me inscrever e vou fazer o meu melhor. Mesmo que eu seja a pessoa mais velha de toda a universidade, não sou velho demais para me aperfeiçoar.*

Talvez você queira sair das dívidas, viver um estilo de vida mais saudável, melhorar o seu casamento, ou uma série de outras coisas. Seja qual for a sua situação específica, seja diligente em cingir os lombos do seu entendimento e em se livrar de qualquer pensamento que esteja no caminho enquanto você procura avançar.

## Pense Nisto

Você desenvolveu a capacidade de se concentrar e de focar a sua mente, ou permite que hóspedes não convidados o tirem do rumo?

---

---

## Faça Algumas "Sessões de Pensamentos"

Creio que devemos fazer uma "sessão de pensamentos" todos os dias. Se nos sentássemos regularmente e disséssemos a nós mesmos: "Vou pensar em algumas coisas por alguns minutos", e então pensássemos deliberadamente em algumas coisas que a Bíblia nos diz que devemos pensar, nossa vida melhoraria drasticamente. Disciplinar a nós mesmos para pensarmos adequadamente tendo "sessões de pensamentos deliberadas" nos treinará para começarmos a pensar adequadamente na nossa vida diária.

Há pensamentos que você precisar ter todos os dias a fim de ajustar sua mente e mantê-la ajustada, renová-la e cingir seu entendimento. Na próxima sessão deste livro, vou compartilhar alguns desses pensamentos com você e ajudá-lo a entender o quanto eles são incri-

PARTE I – Está Tudo na Sua Mente

velmente poderosos. Por exemplo, uma das coisas em que todos os crentes precisam pensar todos os dias é esta verdade bíblica: *Estou em posição reta diante de Deus.* Deixe-me perguntar-lhe: você consegue ver alguma coisa errada em ter esse pensamento várias vezes por dia? Eu não, com certeza! Por que não pensar algo deliberadamente que irá beneficiá-lo em vez de simplesmente meditar em qualquer coisa que surja na sua mente por acaso?

Usamos nossas habilidades de pensamento todos os dias, mas a maioria de nós precisa mudar o conteúdo deles. Em vez de pensar: *Não sirvo para nada; estrago tudo; nunca faço nada certo*, podemos usar nossa energia mental para pensar no quanto Deus nos ama e como temos um relacionamento correto com Ele através de Jesus Cristo.

Ou, pense no quanto você poderia vencer o medo na sua vida de forma mais eficaz se reservasse tempo para pensar: *Não vou ter medo; não vou deixar o medo me controlar; sei que ele virá de tempos em tempos, mas mesmo que eu tenha de fazer alguma coisa que me dê medo, eu farei.* Essa seria uma maneira de ajustar a sua mente e de mantê-la ajustada contra o medo. Depois, quando enfrentar a tentação de ter medo, você poderia resistir melhor a ela.

À medida que você passar mais tempo pensando corretamente, uma grande transformação ocorrerá em sua vida. Talvez você precise colocar bilhetes pela casa dizendo: "Em que você tem pensado hoje?" Talvez tenha de colocar um bilhete no seu carro para lembrá-lo de ter os pensamentos corretos — ou até escrever quais são esses pensamentos e prendê-los em um espelho ou na tela do seu computador. Esse tipo de exercício não seria incomum para um aluno de faculdade em fase de provas finais. Eles fazem tudo que podem para ter as respostas certas diante deles antes da prova para garantir que se formem. Se você se disciplinar para lembrar de passar tempo tendo os pensamentos corretos deliberadamente por vários minutos todos os dias, descobrirá que as coisas estão melhorando tão radicalmente que você ficará absolutamente fascinado. Antes que se dê conta, você estará desfrutando a vida abundante que Deus predestinou para você.

Pois somos feitura dele, criados em Cristo Jesus para boas obras, as quais Deus de antemão preparou para que andássemos nelas.
— Efésios 2:10

## Pense Nisto

Como você pode acrescentar uma "sessão de pensamentos" de dez minutos à sua rotina diária?

## Quebrando os Maus Hábitos

Deus oferece a cada um de nós uma vida maravilhosa, mas precisamos renovar a nossa mente e aprender a pensar deliberadamente se quisermos experimentar tudo que Ele planejou para nós. Talvez uma das áreas com relação à qual precisamos ser mais deliberados e decididos é a área dos hábitos. Os hábitos são atos que fazemos repetidamente, às vezes sem sequer pensarmos neles, ou coisas que fazemos com tanta frequência que se tornam a nossa reação natural a certas situações.

Por exemplo, tenho o hábito de passar batom depois que como quando estou em público. Meus amigos mexem comigo porque faço isso com muita frequência. Tiro o espelho de bolso e o batom da bolsa e aplico-o. Quando estou em casa, uso um hidratante para lábios. Não acho que eu pense nisso conscientemente; simplesmente faço isso há tanto tempo que se tornou um hábito. No instante em que sinto que meus lábios estão ficando secos, passo algo para umedecê-los. Também costumo mexer muito os dedos dos pés. Nem sei por que faço isso; é apenas um hábito. Pelo menos mantém o sangue circulando em meus pés, o que é bom.

Algumas pessoas têm o hábito de colocar as chaves do carro no mesmo lugar toda vez que entram em casa ou no escritório. Alguns se certificam de que absolutamente nada seja deixado na sua caixa de en-

PARTE I – Está Tudo na Sua Mente

trada de e-mails ou de correspondência no fim de cada dia de trabalho. Alguns têm o hábito de se exercitar diariamente ou de se alimentar de forma saudável. Alguns enchem o tanque de gasolina quando eles estão pela metade em vez de quando estão quase vazios. Estes são bons hábitos. É claro que as pessoas têm maus hábitos também — roer as unhas, interromper os outros quando eles estão falando, não apagar as luzes quando saem de um cômodo, deixar sujeira para os outros limparem ou estar sempre atrasado.

Todos nós temos hábitos como esses que mencionei; muitos deles são exclusivos e talvez não conheçamos ninguém mais que faça o que fazemos exatamente da mesma maneira. Alguns hábitos são inofensivos, e não é necessariamente com eles que devemos nos preocupar. São os nossos hábitos nocivos que precisam ser quebrados e substituídos por bons hábitos. Os maus hábitos não são quebrados simplesmente porque queremos quebrá-los; precisamos quebrá-los deliberadamente e isso exigirá determinação e diligência.

Encontrei trinta e quatro referências na *Amplified Bible* para a palavra *habitualmente*. Isso me diz que Deus espera que formemos bons hábitos. O salmista Davi disse que o homem que deseja prosperar e ter êxito precisa refletir e meditar *habitualmente* na Palavra de Deus de dia e de noite (ver Salmo 1:2,3). Isso me diz que estabelecer os hábitos necessários para o sucesso requer disciplina e perseverança, principalmente no que se refere aos nossos pensamentos. Com disciplina e perseverança suficientes, podemos quebrar os maus hábitos e novos podem ser formados.

Pense em quebrar um mau hábito como você romperia o namoro com um namorado mau. Por incrível que pareça, poderíamos sentir saudades do namorado embora soubéssemos ter feito a coisa certa ao rompermos o namoro com ele. Poderíamos nos sentir solitárias por algum tempo e ser tentadas a voltar para ele, mas se permanecermos firmes na nossa decisão finalmente não sentiremos mais falta dele e encontraremos outra pessoa que nos ofereça um relacionamento saudável. Do mesmo modo, podemos quebrar um mau hábito e ainda assim sentir falta dele por algum tempo, e até sermos tentados a voltar ao velho hábito. Este é o momento de ajustar a sua mente e mantê-la ajustada na nova direção, porque você não quer permanecer cativo do que é velho e perder as coisas boas e novas que Deus tem para você.

No Novo Testamento, Paulo escreve que precisamos mortificar habitualmente as obras do corpo se quisermos realmente e genuinamente viver (ver Romanos 8:13). Ele está simplesmente dizendo que precisamos aprender a discernir o que não é a vontade de Deus e, portanto, não é bom para nós, e que precisamos habitualmente dizer não a essas coisas. Fazer a coisa certa uma vez ou até mesmo algumas vezes não representa sucesso, mas fazer *habitualmente* o que é certo produzirá uma vida que vale a pena viver. Talvez não seja fácil, mas valerá o esforço.

Não desanime se a princípio você sentir que está fazendo pouco ou nenhum progresso em criar novos hábitos. Lembre-se de que formar hábitos leva tempo. Como mencionei na Introdução da Parte 1, alguns especialistas dizem que um hábito pode ser desenvolvido em vinte e um dias, enquanto outros dizem que leva um mês. Não sei se esses cálculos são precisos ou não, mas sei por experiência própria que qualquer coisa à qual eu me apegue por trinta dias realmente começa a ficar impregnada no meu pensamento, no meu caráter e na minha rotina. Trinta dias me dão um bom começo e prefiro gastar o meu tempo avançando a voltar atrás. Então, se você precisa formar um novo hábito, experimente por trinta dias. No final desse período, faça uma avaliação. Se ele parece ter sido estabelecido, parabéns; você tem um novo hábito. Se não, continue sendo diligente, disciplinado e focado, e você finalmente terá êxito. A pessoa que nunca desiste sempre alcança a vitória.

## Pense Nisto

Que bons hábitos você precisa desenvolver em sua vida? Como você irá começar e quando fará isso?

PARTE I – Está Tudo na Sua Mente

## A Importância de Meditar na Palavra de Deus

Todas as pessoas de sucesso sobre as quais lemos na Bíblia tinham o hábito de meditar na Palavra de Deus. Elas sabiam que essa era a maneira de manter suas mentes renovadas nos caminhos de Deus. Meditar significa simplesmente trazer algo sucessivamente à mente, murmurar suavemente ou falar em voz alta. Todos nós sabemos como meditar, mas geralmente aplicamos esse princípio em áreas perigosas. Posso meditar facilmente o dia inteiro em meus problemas ou em alguma coisa que alguém fez que me magoou. Na verdade, posso fazer isso sem sequer tentar, mas também posso escolher meditar em outra coisa que me beneficiará e será agradável a Deus.

Na verdade, a meditação é muito poderosa. Gosto de pensar em meditar na Palavra de Deus como se estivesse mastigando meus alimentos. Se engolir minha comida inteira, não obterei a nutrição que ela pode me oferecer e ela não me fará verdadeiramente nenhum bem, exceto o fato de que eu poderia ter uma dor de estômago. Se eu apenas folheasse a Palavra de Deus ou ouvisse somente um sermão semanal na igreja, seria como engolir a Palavra inteira, sem extrair dela as boas coisas que Deus quer que eu tenha. A Palavra de Deus tem um poder inerente em si e creio que esse poder é melhor liberado quando pensamos nela sem parar.

Um amigo meu, a quem chamarei de Peter, compartilhou uma experiência da sua própria vida que acredito que prova esse ponto de vista muito claramente. Ele compartilhou que durante toda sua vida lidou com o problema de sentir desejo sexual por outras mulheres em seus pensamentos. Isso era doloroso para ele principalmente porque ele é um pastor e sabia que os princípios que ele ensinava e acreditava deveriam estar funcionando em sua própria vida. Ele contou sobre o problema à sua esposa para prestar contas a ela, e embora eles orassem a respeito, ele não tinha alívio. Isso naturalmente o entristecia porque ele não queria ter esses pensamentos errados, mas por mais que tentasse, não conseguia parar. Se visse uma mulher bonita, sua mente imaginava todo tipo de coisas impuras e impróprias. Depois de muitos anos de absoluta agonia por causa desse problema, sua saúde começou a ter problemas, e em meio às circunstâncias difíceis com as quais se deparou, Peter buscou a Deus de uma forma mais profunda do que nunca. Deus mostrou a ele várias coisas que foram úteis, mas a que foi mais importante dizia respeito a formar o hábito de meditar na Palavra de Deus. Meu amigo não fazia ideia de que essa atitude resolveria o problema com o qual ele havia lutado por toda a vida com seus pensamentos de luxúria, mas em obediência a Deus ele começou com uma passagem bíblica sobre amar as pessoas: fomos chamados para a liberdade; a nossa liberdade não deve ser uma desculpa para o egoísmo, mas devemos servir uns aos outros por amor (ver Gálatas 5:13).

Ele meditou nesse trecho das Escrituras diligentemente, pensando nele frequentemente ao longo do dia. Continuou fazendo isso por vários dias, e então teve uma oportunidade de ir à piscina do hotel onde estava hospedado. Ele queria ir à piscina com sua família, mas na verdade estava temendo ir porque sabia que provavelmente veria mulheres em trajes de banho e temia que sua mente fosse se encher com os mesmos pensamentos de desejo sexual que ele havia combatido por anos. Ele realmente viu uma mulher muito bonita e que estava vestindo um biquíni muito pequeno e extremamente revelador, mas, para sua surpresa, Peter descobriu que os seus primeiros pensamentos foram: "Imagino se esta mulher se veste assim porque nunca teve ninguém que a amasse de verdade, e imagino se algum dia ela conheceu o amor incondicional de Deus". Ele começou a orar por ela, para sua surpresa, e ficou encantado ao perceber que não estava nem mesmo sendo tentado a ter pensamentos de luxúria. Eu poderia acrescentar que essa vitória impressionante continuou desde aquele dia até o presente. Peter continuou sua jornada de meditar diariamente nas Escrituras e descobriu que isso foi algo totalmente libertador para ele. Embora ele seja pastor e tenha sido educado na Palavra de Deus, ele não estava extraindo dela o poder que estava disponível porque não havia desenvolvido o hábito de meditar nela.

Oro para que a história de Peter seja o combustível para a jornada que você tem à frente.

PARTE I – Está Tudo na Sua Mente

Na próxima parte deste livro, explicarei doze pensamentos poderosos específicos, que servirão como munição em sua guerra contra o inimigo no campo de batalha da sua mente. Como mencionei anteriormente, este livro não deve simplesmente ser lido, mas *estudado*, e você deve meditar sobre os doze pensamentos de poder até que se tornem hábitos. Estes pensamentos simples, mas poderosos, são chaves para a vitória na batalha mental que combatemos, e eles lhe trarão uma tremenda dimensão de poder. Eles transformaram radicalmente a minha vida, e creio que farão o mesmo por você. Mas lembre, você precisa meditar neles, o que significa pensar neles deliberadamente!

# PARTE I I

# Pensamentos Poderosos

Cuidado com seus pensamentos, porque eles se
transformam em palavras.
Cuidado com suas palavras, porque elas se
transformam em ações.
Cuidado com suas ações, porque elas se
transformam em hábitos.
Cuidado com seus hábitos, porque eles se
transformam no seu caráter.
Cuidado com seu caráter, porque ele se
transformará no seu destino.
— *Anónimo*

# Conheça o Programa
## *Pensamentos Poderosos*

Os doze pensamentos de poder que você estudará podem transformar a sua vida completamente. Cada um está solidamente baseado na Palavra de Deus, e embora eu tenha experimentado pessoalmente o poder destes pensamentos, eles não são meramente as minhas ideias ou opiniões, nem são algum tipo de "ciência mental humanista". Todos eles são bíblicos, e o propósito deles é encorajá-lo a levar o seu pensamento a concordar com Deus para que você possa desfrutá-lo, assim como o Seu bom plano para você.

À medida que estudar os pensamentos poderosos, você verá que eu frequentemente sugiro que você medite neles ou em uma passagem da Escritura que os confirma. A Dra. Caroline Leaf ensina que a coisa mais importante que podemos fazer é meditar, porque a meditação, que ela também chama de "interativa com a informação", é um processo que faz com que o cérebro funcione como ele foi projetado para funcionar, usando tanto o hemisfério esquerdo quando o direito da maneira adequada. Em outras palavras, a meditação é boa para a sua mente! Além de repassar esses pensamentos poderosos na sua mente sucessivamente, também gostaria de sugerir que você os repita em voz alta e verbalize as Escrituras relacionadas a eles. Descobri que anotar as coisas e dizê-las em voz alta faz parte do meu processo de meditação e realmente me ajuda a forma uma nova mentalidade.

Embora a meditação seja uma maneira excelente de usar o seu cérebro, descobri que algumas pessoas hoje em dia se sentem desconfortáveis com a palavra *meditação* ou têm medo dela, porque ela é frequentemente usada nas práticas religiosas orientais falsas e nas práticas da Nova Era, que deixam Deus de fora de tudo ou o apresentam da forma que as pessoas desejam que Ele seja. Na verdade, a meditação era um princípio bíblico antes que alguém decidisse usá-la para outros propósitos. Aqueles que a adotaram para usá-la de forma ímpia simplesmente descobriram um princípio ordenado por Deus que funcionava, e começaram a usá-la de uma forma humanista. Não tenha medo da meditação e do princípio do pensamento positivo e da confissão; apenas certifique-se de que aquilo que você diz e medita está de acordo com a Palavra de Deus.

## O Plano de Doze Semanas

1. Em primeiro lugar, leia o livro até o fim para ter uma ideia do que são os doze pensamentos de poder. Você provavelmente sentirá de imediato que alguns deles são o que você precisa neste instante, mais que outros, mas todos eles são importantes e necessários para manter a vida abundante que Deus deseja para nós.

2. Depois de ler o livro, volte ao primeiro pensamento e medite nele por uma semana. Faça desse pensamento parte da sua vida diária. Declare-o em voz alta diversas vezes ao dia. Mais é melhor que menos!

3. Anote o pensamento poderoso que você está estudando em letras grandes e coloque-o em vários lugares onde você possa vê-lo todos os dias — quanto mais lugares, melhor!

4. Use um diário para anotar os seus próprios pensamentos sobre o pensamento daquela semana. Use esse tempo para procurar conhecer "você" de uma maneira mais profunda e mais sincera. Falar com um amigo ou com um membro da família sobre o que você está aprendendo é outra boa maneira de fazer com que ele fique enraizado no seu coração. Simplesmente certifique-se de escolher alguém que o encoraje.

   À medida que os dias se passarem, você descobrirá que o pensamento poderoso da semana se tornará uma parte de você que afetará todos os seus atos. Quando passar para o próximo pensamento, o anterior ainda fará parte da sua meditação, mas você não precisará trabalhar tanto nele. Você descobrirá que cada um deles se tornará parte de quem você é.

5. Repita os passos 2, 3 e 4 para cada um dos doze pensamentos poderosos.

Ao fim das doze semanas de concentração em cada um dos doze pensamentos de poder, recomendo que você comece tudo novamente e repita o processo, principalmente com aqueles que você sente que mais necessita. Acredito que repetir esse processo por um ano inteiro seria o plano mais benéfico, e que na conclusão do programa você ficará impressionado com os resultados que alcançará.

Norman Vincent Peale, pastor que escreveu o best-seller *O Poder do Pensamento Positivo*, disse: "Transforme os seus pensamentos e você transformará o mundo". Certamente experimentei a verdade dessas palavras durante o curso da minha vida e quero que você a experimente também. Você está pronto para dar início ao processo de transformar a sua vida e o seu mundo? O restante deste livro é dedicado a ajudar você a realizar esse propósito, então vamos começar.

## PENSAMENTO PODEROSO N.º 1

# Posso fazer tudo que eu precise fazer na vida por intermédio de Cristo.

*"Tudo posso naquele que me fortalece."*

FILIPENSES 4:13

O primeiro pensamento no qual quero me concentrar e que tem o poder para transformar a sua vida é simples: *Posso fazer tudo que eu precise fazer na vida através de Cristo.* Em outras palavras, posso lidar com tudo o que a vida me trouxer. Eu me pergunto se você acredita que pode fazer tudo o que precise fazer na vida. Ou existem certas coisas que desencadeiam o pavor, o medo, ou fazem com que você diga: "Eu jamais poderia fazer *isto!*" quando você pensa nelas? Quer seja perder repentinamente um ente querido, enfrentar uma doença grave e inesperada, receber seu filho adulto com dois bebês de mudança para a sua casa meticulosamente limpa e calma depois de você ter tido um "ninho vazio" por anos, seguir uma dieta rigorosa porque a sua vida depende dela, precisar seguir um orçamento apertado para não perder sua casa, ou de repente ter de cuidar de um pai ou mãe idoso incapacitado — a maioria das pessoas tem algum tipo de circunstância com a qual não tem certeza se conseguirá lidar.

A verdade é que embora algumas situações possam ser intensamente indesejáveis ou difíceis, você *pode* fazer tudo que for preciso fazer na vida. Sei disso porque Deus nos diz na Sua Palavra que temos a força para fazer todas as coisas porque Cristo nos dá poder para isso (ver Filipenses 4:13). Ele não diz que tudo será fácil para nós; Ele não promete que apreciaremos cada pequena coisa que fizermos, mas poderemos desfrutar a vida enquanto as fazemos. Ele nos garante a força para tudo que precisarmos fazer porque Ele próprio nos dá poder e somos suficientes (que é outra forma de dizer que temos tudo o que precisamos) na suficiência Dele.

## Pense Nisto

Que coisas você precisa começar a acreditar que pode fazer em sua vida?

_____

_____

## Você Não Está Só

Precisamos entender que Filipenses 4:13 não diz que podemos fazer qualquer coisa que quisermos fazer porque somos fortes o bastante, inteligentes o bastante, ou porque trabalhamos o bastante. Não, na verdade, essa passagem não deixa espaço algum para o esforço humano ou para qualquer tipo de empenho. O segredo para sermos capazes de fazer o que precisamos fazer é entendermos que não podemos fazer nada sozinhos; só podemos realizá-las em Cristo. Por alguma razão, costumamos deixar de usar a nossa fé para crer e agir com base nessa verdade. Em vez disso, achamos que *nós* temos de fazer tudo, e, esquecendo que o poder de Cristo opera através de nós, somos derrotados antes mesmo de começar. Como mencionei anteriormente, somos parceiros com Deus. Não podemos fazer a parte Dele e Ele não fará a nossa parte. Ele quer que acreditemos e que entremos em ação sob a Sua direção e liderança, mas insiste em que devemos confiar nele (depender Dele e nos apoiar nele) em cada passo do caminho.

Ouço muitas pessoas fazendo comentários do tipo: "Isto é difícil demais. Não consigo fazer isto. Isto é demais para mim". Mas preciso lhe dizer que, como crente em Jesus Cristo, você é cheio do Espírito de Deus, e nada é difícil demais para você se Deus está dirigindo você a fazer isso. Deus não vai chamá-lo a fazer nada que Ele não o capacite a fazer e não lhe dê o poder para fazê-lo. Ele não permitirá que você passe por nada que é impossível para você. A nossa atitude para com as coisas desagradáveis exerce um papel vital na nossa necessidade de passar por elas sucessivamente. Embora Deus nunca seja o autor de coisas más, Ele as usa para o nosso crescimento espiritual. Por exemplo, Ele pode usar uma pessoa rabugenta para nos ajudar a ser mais pacientes. Deus não fez com que a pessoa fosse rabugenta, mas Ele também não a retira da nossa vida quando pedimos. Em vez disso, Ele a usa para nos transformar!

A maioria das nossas provações na vida é resultado do fracasso, do descuido, da ignorância ou do pecado de alguém, e é compreensível que oremos para que Deus o transforme. Descobri que só porque estou pedindo a Deus para transformar alguém isso não significa que ele quer que Deus o transforme, e embora as minhas orações abram uma porta para Deus trabalhar, Ele não agirá contra o livre arbítrio dessa pessoa para atender à minha oração. Embora Deus continue trabalhando na vida dela, ela pode ser a ferramenta que Ele usa para me moldar e me transformar no vaso que deseja que eu seja. Posso orar para que ela seja agradável, mas preciso aceitar alegremente cada dia como ele se apresenta, confiando totalmente em Deus para me capacitar a fazer o que quer que eu precise fazer naquele dia.

Deus deu a você os dons, os talentos, as habilidades e a graça que você necessita para fazer a vontade Dele nessa vida. A graça de Deus é o Seu poder, e Ele não apenas lhe dará graça, como também promete graça sobre graça (ver Tiago 4:6). Ele nunca esgota o Seu poder — e o Seu poder está disponível a você! Agora, se você não mantiver a mentalidade correta, o inimigo pode derrotá-lo com pensamentos de inadequação, mas se você se decidir que pode fazer o que for preciso, descobrirá que é capaz de fazer isso — não na sua própria força, mas na força que Deus lhe dá.

Não fale com base nas suas emoções porque a maneira como nos sentimos nem sempre está de acordo com a Palavra de Deus. É por isso que é importante entender que muito embora você se sinta sobrecarregado, ainda assim deve dizer: "Posso fazer tudo o que preciso na vida através de Cristo".

Você se considera uma pessoa que tem fé em Deus? Se a sua resposta é sim, a sua fé atingiu os seus pensamentos e as suas palavras? Podemos facilmente nos enganar e pensar que temos uma grande fé, mas se somos facilmente derrotados pelos desafios, então talvez a nossa fé não seja tão grande quanto achamos que fosse.

A Bíblia diz que a boca fala daquilo que está cheio o coração. Podemos aprender muito sobre nós mesmos nos ouvindo. Os seus pensamentos e palavras refletem a sua total dependência em Deus, entendendo que as habilidades Dele (e não as suas) lhe conferem poder para fazer qualquer coisa que você precise fazer na vida? Tive de examinar meus próprios pensamentos e palavras e perguntar a mim mesma se eu retratava uma pessoa que tinha uma grande fé em Deus, e encorajo você a fazer o mesmo. Não gostei de todas as minhas respostas, mas o exercício do autoexame abriu meus olhos para entender que eu precisava fazer algumas mudanças. Entender que você está errado em uma área nunca é um problema. O problema é quando nos recusamos a encarar a verdade e continuamos dando desculpas.

Esteja disposto a enfrentar qualquer coisa que Deus queira lhe mostrar e peça a Ele para mudar você. Se você está confiando na sua própria força, comece a confiar em Deus em vez disso. Se está tentando fazer coisas baseado na sua própria capacidade humana e está ficando frustrado, diga a Deus que você quer que Ele trabalhe através de você e deixe que a suficiência Dele seja a sua suficiência.

Quando os desafios surgirem, eu o encorajo a desenvolver o hábito de dizer imediatamente: "Posso fazer tudo que eu precise fazer através de Cristo, que é a minha força". Lembre-se de que as palavras são recipientes de poder, e quando você diz a coisa certa, isso o ajudará a fazer a coisa certa. Não encha o seu recipiente (palavras) com coisas que o incapacitam, porque realmente você é capaz de fazer todas as coisas através de Cristo.

Quando você começar a meditar sucessivamente no pensamento de poder "Posso fazer tudo que eu precise na vida através de Cristo", descobrirá que não é tão facilmente sobrecarregado pelas situações que surgem. Toda vez que você repassa esse pensamento poderoso na sua mente ou o declara, você está desenvolvendo uma mentalidade saudável que o capacita a ser vitorioso.

## Pense Nisto

Com que frequência você diz: "Isto é difícil demais para mim?" ou "Eu não consigo fazer isto"?
Frequentemente _____
Ocasionalmente _____
Quase nunca _____

O que você vai começar a dizer agora para refletir a sua confiança na capacidade de Deus de ajudá-lo a fazer tudo que você precisa?

_____

_____

## Milagres Enlatados

Talvez você tenha ouvido as palavras "você não pode" repetidamente ao longo da vida. Muitas pessoas são boas em dizer aos outros o que eles não podem fazer. Até as pessoas que você não consideraria necessariamente que estivessem "contra" você podem ter tentado desanimá-lo de fazer alguma coisa que você queria fazer lhe dizendo que você não conseguiria. Pais, professores, treinadores, amigos, membros da família e líderes de grupos da igreja ou de atividades social muitas vezes não percebem o poder de suas palavras sobre a vida dos jovens. Muitas crianças e adolescentes crescem pensando "Eu não posso", quando isso absolutamente não é verdade! Não importa quantas vezes você ouviu "você não pode", quero lhe dizer: "Ah, sim, você pode!" Acredito que os milagres vêm em latas — a nossa convicção de que podemos fazer tudo que precisemos fazer através de Cristo que é a nossa força.

PARTE II – Pensamentos Poderosos

Eu acredito em você; Deus acredita em você; e é hora de você acreditar em si mesmo. Hoje é um novo dia! Coloque o passado e todos os seus comentários negativos e desanimadores para trás de você. As palavras negativas e as palavras que falam de fracasso vêm do inimigo, e não de Deus, portanto, decida-se agora mesmo a não permitir que o poder do "você não pode" o influencie mais. Em contraste a isso, o Espírito de Deus encoraja você e fará tudo para impulsioná-lo para diante em direção ao sucesso em todas as áreas da sua vida. Deus lhe diz para ter coragem, portanto lembre-se sempre de que se você se sentir desanimado, isso vem do inimigo, e se você se sentir encorajado, isso vem de Deus. Opte por concordar com Deus e diga para si mesmo: "Eu posso!" E deixe que o poder dos seus pensamentos e palavras positivos supere o poder das palavras negativas que qualquer pessoa possa ter falado a você.

## Pense Nisto

Complete esta frase: Sim, eu posso

---

## Balance a Sua Caixa

Há muito tempo, antes que alguns dos avanços da medicina estivessem disponíveis a nós hoje, um garotinho ficou inválido, e os médicos disseram que não havia nada que eles pudessem fazer por ele. Então a mãe do menino pegou uma caixa de laranjas e fez uma caixa para ele. Ela colocou-o na caixa, amarrou uma corda nela, amarrou a corda ao redor da sua cintura, e o puxava com ela para toda parte para poder vigiá-lo de perto. Aonde quer que fosse, ela o puxava atrás de si.

Depois de algum tempo, o menino desenvolveu um hábito do qual a mãe não gostou. Ele começou a balançar a sua caixa. Isso dificultava a mulher para levá-lo aos lugares, porque ela não apenas tinha de arrastá-lo, como ele estava balançando a sua caixa. Ela pediu a ele que parasse, mas continuava balançando. Às vezes, ele balançava a caixa a ponto dela virar e ele cair. Independentemente de quantas vezes ela o colocasse de volta na caixa, ele continuava balançando. Finalmente, ele balançou sua caixa até finalmente poder sair dela. Então, para espanto de todos, ele aprendeu a andar e acabou tendo uma vida maravilhosa.

Aquele garotinho fez algo que nem os médicos e nem mesmo sua amorosa mãe acreditavam que podia acontecer. Ele se recusou a se contentar com a vida dentro de uma caixa onde alguém o havia colocado. Alguém ou alguma coisa colocou você dentro de uma caixa de onde você quer sair? Continue balançando a sua caixa até se ver livre. O mundo e as pessoas que estão nele são especialistas em nos dizer o que podemos e o que não podemos fazer. Eles não comemoram sempre alguma coisa que está "fora da caixa", que é alguma coisa fora do comum. Uma vez após a outra, vi pessoas comuns fazerem coisas extraordinárias quando elas acreditavam que podiam e se recusaram a desistir.

Todos enfrentam desafios na vida. Algumas pessoas estão completamente sobrecarregadas pelos seus desafios, ao passo que outras, como o garotinho na caixa, recusam-se a desistir. A minha pergunta para você é: "Você quer ser capaz de enfrentar todos os desafios de frente e vencê-los?" Então, prepare-se mentalmente para o que vier. Lembre-se de que, de acordo com Colossenses 3:2, a maneira de estar preparado é "ajustar a sua mente e mantê-la ajustada". Não seja pego de surpresa e despreparado. Pensar e dizer repetidamente "Posso fazer tudo que precise na vida através de Cristo" o ajudará a ajustar a sua mente e a mantê-la ajustada nessa direção, e isso o preparará para vencer na vida. Lembre-se de que, para onde a mente vai, o homem segue!

Não se permita ter pensamentos do tipo: *Eu não suporto mais problemas!* Ou: *Se acontecer mais alguma coisa vou explodir!* Ou: *Se as coisas não mudarem logo — vou desistir!* Há muitas variantes desse tipo de pensamento — e você pode ter um pensamento favorito ou um ditado desse tipo que você usa quando se sente sobrecarregado. Mas você percebe que esses padrões de pensamento na verdade o preparam para ser derrotado antes mesmo de você se deparar com um problema? Não há nada de forte, poderoso, facilitador ou vitorioso em pensar que você vai "explodir" ou em decidir desistir. Estas são atitudes de perdedores, e

PARTE II – Pensamentos Poderosos

não de vencedores. Não diga coisas do tipo: "Sinto que estou perdendo a cabeça", ou "Isso vai me matar". Em vez disso, você pode dizer: "Tenho a mente de Cristo" e "Esta prova vai cooperar para o meu bem".

Seja uma pessoa mentalmente preparada para qualquer desafio que atravesse seu caminho, e não se permita ser facilmente desanimado e derrotado. Lembre-se sempre de que sem Jesus você não pode fazer nada (ver João 15:5), mas nele você pode fazer tudo o que for preciso fazer na vida (ver Filipenses 4:13). Decida-se a "balançar a sua caixa" até ela se desintegrar.

## Pense Nisto

Que caixa você precisa balançar?

_____

_____

## Troque as Coisas que Não Estão Funcionando

Tenho certeza de que você já entrou em uma loja antes com alguma coisa para trocar. Talvez fosse uma peça de roupa que você decidiu que não lhe agradava, um par de sapatos que eram desconfortáveis, ou uma máquina que não fazia o que você esperava dela. Você entrou na loja com alguma coisa que não funcionava, trocou-a, e saiu com algo que funcionava — algo que era mais bonito, que caía melhor, ou que era mais funcional. Você teve de trocar o que não era eficaz por algo que era.

O mesmo princípio se aplica aos seus pensamentos. Se você parar de pensar "eu não posso" e começar a pensar "eu posso", e começar a dizer "posso fazer tudo que for preciso fazer na vida porque Deus me fortalece. Sou forte no Senhor e na força do Seu poder, e tudo que Ele me pedir para fazer, posso fazer", você verá mudanças notáveis começarem a acontecer. Se incorporar ao seu caráter o pensamento de que, com a ajuda de Deus, você é capaz de fazer tudo que precisar fazer na vida, terá mais zelo e entusiasmo para enfrentar todos os dias. Descobri que tenho até mais energia física quando penso "eu posso". Isso me ajuda a não temer nada que rouba a minha energia.

Nunca é tarde demais para começar a dizer "eu posso". Não pense ou diga coisas como: "meu casamento está confuso demais. Ele nunca vai dar certo", "não faz sentido tentar limpar esta casa. Ela está em tão mau estado que simplesmente fico arrasada quando entro e olho para ela", ou "não consigo sair das dívidas porque elas são altas demais", "nunca vou ter uma casa própria ou um carro novo", ou "não consigo desfrutar minha vida porque tenho problemas demais". Alguns dos desafios que você enfrenta podem ser muito difíceis, porém Deus nunca permite que nos sobrevenha mais do que podemos suportar, mas com cada tentação Ele sempre providenciará um escape! (ver 1 Coríntios 10:13). Esse versículo não apenas diz que Ele providencia um escape, mas também diz que nos dá forças para suportar o nosso desafio pacientemente. Isso significa que podemos passar por ele com uma atitude positiva!

A sua atitude na verdade é mais importante que os seus desafios nessa vida. Se você mudar a sua atitude para uma atitude mais positiva e cheia de fé, descobrirá que as provações não são tão ruins quanto você pensava que fossem. Eu o desafio e o encorajo neste instante a crer regularmente que você é capaz de fazer qualquer coisa que surja no seu caminho, com a ajuda de Deus. Você também precisa acreditar que Ele quer ajudá-lo e irá ajudá-lo se você pedir a Ele que faça isso. O diabo pode vir com um daqueles "pensamentos relâmpagos" que mencionei e que diz: "Você não merece a ajuda de Deus, portanto nem se preocupe em pedir". Você pode lembrar a ele que Deus não o ajuda porque você merece, mas porque Ele é bom, e enquanto está fazendo isso, por que não lembrar ao diabo que você sabe que ele é um mentiroso?

## Pense Nisto

Que pensamento do tipo "eu não posso" na sua vida você precisa trocar por outro do tipo "eu posso"?

PARTE II – Pensamentos Poderosos

# Vencedores por Toda Parte

Em 2 de julho de 1932, em Atlantic City, Nova Jersey, um menino nasceu. Seis semanas depois, um casal adotou a criança, mas quando ele tinha cinco anos, sua mãe morreu. Seu pai mudou-se de uma cidade para outra, procurando trabalho e levando seu filho com ele. Aos doze anos, o menino aceitou o seu primeiro emprego no balcão de um restaurante — e adorou. Quando ele tinha quinze anos, seu pai quis se mudar novamente, mas a essa altura o jovem estava trabalhando no Restaurante Hobby House em Fort Waynem, Indiana, e não quis deixar o emprego. Então ele largou a escola, mudou-se para a Associação Cristã de Moços, e foi trabalhar em tempo integral.

Vários anos depois, seu chefe no Hobby House ofereceu-lhe uma oportunidade. O homem era proprietário de quatro franquias da Kentucky Fried Chicken (KFC) que estavam falindo. Dentro de quatro anos, com trabalho árduo e determinação, o jovem fez os restaurantes darem a volta por cima financeiramente, vendeu-os de volta para a KFC, e recebeu uma parte dos lucros da venda — ele um dia foi alguém que havia abandonado os estudos, mas agora era um milionário aos trinta e cinco anos.

Quem foi este homem? Dave Thomas, que abriu a cadeia Wendy's de hambúrgueres e se tornou um líder inovador e respeitado no ramo de fast-food. E, por falar nisso, ele também conseguiu seu diploma do ensino médio quarenta e cinco anos depois de ter abandonado os estudos.

O mundo está cheio de pessoas como Dave Thomas, pessoas que venceram probabilidades aparentemente insuperáveis. Elas enfrentaram tragédias, doenças e enfermidades, pobreza e privação em todas as áreas e ainda assim seguiram em frente e se tornaram algumas das pessoas mais respeitadas e admiradas do mundo. Posso lhe garantir que elas não fizeram isso pensando *Eu não posso*. Elas tiveram de tomar uma decisão quanto ao que queriam da vida e pensar de acordo com isso. Então, tiveram de trabalhar duro para atingir os seus objetivos. Não creio que nenhuma delas poderia ter despendido o esforço que foi preciso ou feito os sacrifícios que fizeram se não tivessem acreditado de todo o coração que podiam fazer o que queriam fazer.

Muitas pessoas começam na direção certa, com uma grande força de vontade, mas sem nenhuma capacidade de avançar quando os desafios surgem. Ouvimos e lemos sobre as pessoas que começam e seguem em frente para atingir resultados surpreendentes, principalmente diante de probabilidades tremendas. Mas até mesmo nos aspectos diários e comuns da vida, todos nós temos obstáculos a vencer. É fácil ver o quanto fazer exercícios na academia melhorou a energia e as formas do seu amigo e então decidir "Vou fazer isto". Mas quando é hora de ir, você vai mesmo? Quando você fica tão dolorido que precisa cair em uma cadeira para se sentar e orar para poder se levantar, você vai continuar indo? Quando surgir algo que parece mais divertido, você vai continuar indo? Haverá muitas oportunidades para pensar *Eu simplesmente não consigo fazer isto. É difícil demais*, mas se o pensamento *Eu posso fazer o que for preciso fazer na vida* estiver impregnado em você, então ele lhe dará a determinação para avançar em meio às dificuldades.

Deus não quer que tenhamos medo ou fiquemos desanimados diante das dificuldades. Em 2 Timóteo 1:7, Paulo escreveu ao seu jovem parceiro Timóteo que Deus não havia nos dado espírito de temor, mas que havia nos dado poder, amor, e uma mente equilibrada. Timóteo enfrentou muitos desafios nas enormes tarefas que estavam diante dele e, sem dúvida, teve dias como você e eu temos — dias em que se sentiu sobrecarregado, dias em que achou que não conseguiria suportar mais pressão. Ele tinha pensamentos de medo, ele se preocupava e, em minha opinião, o problema de estômago de Timóteo que Paulo mencionou pode ter sido uma úlcera devido ao estresse. O jovem estava sobrecarregado! Em meio a tanta pressão, Paulo encorajou-o, escrevendo-lhe para manter a sua mente cheia de paz, equilíbrio, disciplina e domínio próprio (ver 2 Timóteo 1:7). Paulo sabia que Timóteo precisava pensar adequadamente se quisesse fazer a vontade de Deus.

É impossível ter pensamentos que drenam a energia e depois ser poderoso quando surgirem situações que exigem força extra. Quero encorajá-lo a pensar e dizer no início de cada dia "posso fazer tudo que for preciso na vida através de Cristo". Não tenha medo do dia que está à sua frente, em vez disso, aguarde-o com paixão, zelo e entusiasmo.

## Pense Nisto

Como você pode superar um obstáculo específico em sua vida?

___

___

## Jogue Fora a Sua Maleta de Desculpas

Um dos motivos pelos quais muitas pessoas não desfrutam a vida, perdem algumas das bênçãos que Deus quer lhes dar ou se sentem mal consigo mesmas é porque elas não terminam o que começam. Nunca saboreiam a alegria de um objetivo alcançado ou de um desejo realizado porque não avançam diante dos desafios que surgem. A maioria de nós não gostaria de dizer "sou alguém que desiste de tudo", então damos desculpas ou culpamos alguém ou alguma coisa pelo fracasso.

Cada um de nós tem uma "maleta de desculpas". É um pequeno acessório invisível que levamos conosco o tempo todo. Então, quando alguma coisa que parece difícil surge, nos desafiando ou nos dando mais do que queremos enfrentar, tiramos para fora uma desculpa, do tipo:

- "Isto é difícil demais".
- "Não tenho tempo suficiente".
- "Eu não havia planejado isto hoje".
- "Não consigo ver como isto poderia funcionar".
- "Eu não estou com vontade".
- "Estou com muitos problemas e tenho muitas coisas acontecendo na minha vida agora".
- "Não sei fazer isto".
- "Nunca fiz isto. Nem conheço ninguém que tenha feito isto".
- "Não tenho ninguém para me ajudar".
- "Estou com medo".

Eu o incentivo hoje a jogar fora a sua maleta de desculpas! Vá pegar uma maleta de "eu posso" e encha-a de motivos bíblicos e cheios de fé pelos quais você *pode* fazer o que precisa fazer. Pare de dar desculpas e comece a fazer o que Deus está lhe dizendo para fazer. Pare de olhar para todas as suas fraquezas, porque a força Dele se aperfeiçoa na sua fraqueza. É através da nossa fraqueza e incapacidade que Deus nos mostra a Sua força. Na verdade, Deus escolhe propositalmente pessoas que absolutamente não podem fazer o que Ele está lhes pedindo para fazer, a não ser que elas permitam que Ele o faça através delas. Você não precisa de capacidade, precisa de disponibilidade e de uma atitude de "eu posso".

## Pense Nisto

Que desculpa você usa mais? Você decidirá hoje que irá parar de dar desculpas e começar a crer que Deus lhe dá forças para fazer o que você precisa fazer?

## Eu Fiz!

Até fazer sessenta e quatro anos, eu nunca havia me exercitado seriamente. Havia caminhado e feito algumas coisas para me manter em condições decentes, mas não me dedicava aos exercícios. Eu havia aberto a minha mala de desculpas muitas vezes ao longo dos anos, e havia tirado dela todo tipo de "motivos" pelos quais não podia me exercitar. Mas o Senhor falou comigo e me encorajou a começar um sério programa de exercícios para que eu pudesse estar forte para a última terça parte da minha jornada pela vida. Eu já tinha bons hábitos alimentares, mas no que dizia respeito a ir à academia várias vezes por semana, eu dava a desculpa de que simplesmente não podia fazer isso por causa das minhas obrigações com viagens. Realmente não conseguia imaginar como eu conseguiria separar um tempo regular de exercícios no meu

PARTE II – Pensamentos Poderosos

horário já ocupado. Finalmente decidi fazer o que eu pudesse fazer em vez de me concentrar no que eu não podia fazer.

O pensamento de começar uma rotina séria de exercícios era avassalador para a minha mente, então tive de colocar Filipenses 4:13 em ação de uma forma muito prática, e me disciplinar para dizer: "Posso fazer isto. Posso fazer tudo que for preciso fazer na vida, e Deus diz que eu preciso iniciar um programa sério de exercícios". Tive de aceitar o desafio um dia de cada vez, porque se eu olhasse para a programação de todo o ano, parecia que estava tentando algo realmente impossível. Eu o incentivo firmemente a enfrentar os seus desafios um dia de cada vez. Olhar para muito longe na estrada só tende a sobrecarregar os nossos pensamentos. Confiar em Deus requer que acreditemos que Ele nos dá o "pão nosso de cada dia". Em outras palavras, recebemos o que precisamos à medida que precisamos, e geralmente não antes disso.

À medida que comecei a ver os benefícios dos exercícios regulares, senti que eles eram importantes para mim e que eu precisava eliminar algumas outras coisas que "entulhavam" a minha agenda para dar lugar para o exercício. Descobri rapidamente que se realmente quisermos fazer algo, então encontraremos uma forma de fazê-lo.

Ainda hoje tenho momentos desafiadores em meu programa de exercícios. Ainda fico dolorida e alguns dias preciso ir à academia por pura determinação, mas recuso-me a desistir. Em dado momento, depois que eu estava me exercitando por três ou quatro meses, meu treinador colocou-me no treinamento em circuito. Eu nem sabia o que era treinamento em circuito, mas descobri rapidamente que treinamento em circuito é fazer cinco exercícios seguidos em série, o mais rápido possível. Levei trinta e cinco minutos para fazer cento e setenta e cinco exercícios para as pernas, setenta e cinco exercícios de levantamento de halteres, setenta e cinco abdominais e setenta e cinco exercícios para o tríceps. Depois disso, eu estava tão dolorida que achei que não sobreviveria.

Quando meu treinador havia me dito o que queria que eu fizesse naquela semana, eu disse: "Isso vai ser demais para mim". Lembrei a ele a minha idade e que os exercícios eram totalmente novos para mim. Ele disse: "Não deixe a sua mente se interpor no seu caminho; você pode fazer tudo o que decidir fazer. Nosso lema aqui é 'desculpas não, resultados sim'". Com esse incentivo, pensei: *Tudo bem, vou adotar uma boa mentalidade com relação a isto. Posso fazer isto.* Tive de dizer a mim mesma muitas vezes "posso fazer isto". Comecei e fui bem, mas por volta da quarta série, comecei a ficar enjoada. Disse ao meu treinador: "Estou ficando enjoada" e ele respondeu "Então você não precisa fazer as cinco séries. Pode parar na quarta". Alguma coisa se levantou dentro de mim quando ele disse aquilo, e eu disse "Não vou desistir na quarta série. Vou fazer a quinta". E quando fiz, fiquei muito orgulhosa de mim mesma!

O mesmo princípio que se aplicou a mim quando comecei a fazer exercícios se aplica a muitas outras áreas da vida — sair das dívidas, limpar e organizar sua casa, resolver problemas conjugais, disciplinar seus filhos, chegar pontualmente no trabalho ou concluir um projeto. Tudo que você precisa fazer na vida, você pode fazer. Lembre-se de que Filipenses 4:13 diz que você está pronto para qualquer coisa e é capaz de qualquer coisa porque Deus lhe dá força. Nada é demais para você quando Ele está do seu lado.

## Pense Nisto

O que você está querendo fazer ou precisando fazer que não fez ainda porque até pensar nisso o deixa sobrecarregado?

---

## Você Pode Lidar com Isso

Como crentes, costumamos ouvir as pessoas citarem Romanos 8:37, que diz: "Mas, em todas estas coisas somos mais que vencedores, por meio daquele que nos amou".

Durante anos, refleti sobre o que significa "mais que vencedor". Estou certa de que as pessoas têm outros pontos de vista, mas cheguei à conclusão de que ser mais que vencedor significa que você tem tanta confiança que, independentemente do que aconteça na sua vida, você sabe que através de Cristo pode lidar com aquilo. Você sabe, antes mesmo de se deparar com um problema, que terá vitória sobre ele. Você acredita que pode fazer tudo que for preciso. Assim, você não tem pavor das coisas, não teme o desconhecido, não vive ansioso com o que vai acontecer nas situações. Na verdade, não importa quais são os detalhes da situação, você sabe que pode lidar com ela através de Cristo. Para você, a derrota não é uma opção!

Se você começar a pensar todos os dias: *Posso lidar com tudo que a vida me der. Posso fazer tudo que for preciso fazer na vida. Sou mais que vencedor. Sou capaz de tudo por meio de Deus, que me dá força interior*, antes mesmo de sair da cama pela manhã, e apenas deixar isso percorrer a sua mente sucessivamente, a sua confiança irá disparar e você descobrirá que realmente pode fazer tudo que for preciso fazer na vida.

Um modo de pensar correto é o primeiro passo para uma vida melhor. Apenas desejar não vai funcionar. Sentir inveja de alguém que tem o que você deseja não resolve nada. Sentir pena de si mesmo é perda de tempo e energia. Descobrir a vontade de Deus através do conhecimento preciso da Sua Palavra e começar a pensar como Ele pensa é o começo de uma nova vida para qualquer pessoa que desejar.

## Pense Nisto

Em que situação específica você precisa acreditar que é mais que vencedor?

## Faça Dar Certo Para Você

No Antigo Testamento, um profeta chamado Habacuque estava reclamando com Deus sobre as condições do mundo em sua época. Deus disse a ele para escrever sua visão, ou o que ele queria, claramente, para que todos que passassem pudessem lê-la facilmente e rapidamente (ver Habacuque 2:1,2). Habacuque e os israelitas precisavam ter as suas mentes renovadas. Eles haviam olhado por muito tempo para a maneira como as coisas estavam e precisavam ser lembrados da maneira como as coisas poderiam ser se confiassem em Deus e obedecessem. Eles precisavam ter palavras de visão e esperança para lhes lembrar de que não deveriam ficar excessivamente impressionados com as circunstâncias.

À medida que você renovar a sua mente e se firmar no fato de que pode fazer tudo o que for preciso fazer na vida, também vai precisar decidir deliberadamente imprimir essa verdade em sua mente. Eu o encorajo a escrever Filipenses 4:13 ou outro dos versículos contidos na seção "Palavras de Poder" no fim deste capítulo em um cartão ou folha de papel grande o bastante para ser visto mesmo que você esteja apenas de passagem. Toda vez que o vir, diga: "Posso fazer tudo que for preciso fazer na vida através de Cristo que me fortalece". Creio que alguns de vocês que se sentem cansados fisicamente na maior parte do tempo descobrirão que essa forma mais positiva de encarar a vida realmente nos dá energia. Lembre, o humor e as funções corporais estão ligados, pelo menos em parte, aos nossos pensamentos e palavras.

Se pensarmos por muito tempo nas circunstâncias negativas, elas podem facilmente nos sobrecarregar. Não é de admirar que a Bíblia diga que devemos tirar os olhos das coisas que nos distraem e olhar para Jesus, que é o Autor e Consumador da nossa fé (ver Hebreus 12:2). Jesus disse: "Venham a mim, todos os que estão cansados e sobrecarregados, e eu lhes darei descanso" (Mateus 11:28). Precisamos lembrar que Ele é Aquele que nos dá poder para fazer todas as coisas, e esperar nele regularmente ao longo de cada dia. Com a ajuda Dele, não há nada que você não possa fazer!

PARTE II – Pensamentos Poderosos

## Palavras de Poder

"Tudo posso naquele que me fortalece".
*Filipenses 4:13*

"Mas, em todas estas coisas somos mais que vencedores, por meio daquele que nos amou".
*Romanos 8:37*

"Tendo os olhos fitos em Jesus, autor e consumador da nossa fé. Ele, pela alegria que lhe fora proposta, suportou a cruz, desprezando a vergonha, e assentou-se à direita do trono de Deus".
*Hebreus 12:2*

# PENSAMENTO PODEROSO N.º 2

# Deus me ama incondicionalmente!

*"Porque Deus nos escolheu nele antes da criação do mundo,
para sermos santos e irrepreensíveis em sua presença".*

EFÉSIOS 1:4

"O que há de errado comigo?" Se você é como a maioria das pessoas, já se fez essa pergunta muitas vezes ao longo da vida. Sei que eu já me perguntei durante muitos anos, e essa é uma pergunta que o inimigo costuma plantar na mente das pessoas. Ela se destina a fazer com que você sinta que não é o que precisa ser e a impedi-lo de ter prazer em si mesmo. Ela encoraja a insegurança e todo tipo de medo. Costumamos nos comparar com outras pessoas, e se não somos o que elas são, presumimos que há alguma coisa errada conosco. No entanto, há um antídoto para esse tipo de pensamento que envenena a nossa vida. É pensar com frequência: *Deus me ama incondicionalmente!* Deus não apenas nos ama, como também opta por nos ver como retos diante Dele — somos aceitos e inculpáveis. Tudo isso vem por meio da fé em Jesus Cristo como nosso Salvador e Senhor. Então, podemos dizer precisamente: "Sou a justiça de Deus em Cristo. Sou escolhido em Cristo, e nele sou inculpável diante de Deus". Essa é a posição que herdamos com Deus através da nossa fé em Jesus e ela não se baseia nas nossas próprias obras certas ou erradas, mas totalmente na fé. Deus quer que aprendamos a ter o comportamento correto, mas Ele nos aceita e nos ama primeiro e uma vez que estamos arraigados e firmados no conhecimento do Seu amor incondicional, então Ele pode começar a obra de transformar nosso caráter à imagem do Seu Filho. A verdade é que se você quer que o seu comportamento seja aperfeiçoado, então o seu conhecimento do amor incondicional de Deus precisa ser o fundamento para o "novo você". Quanto mais experimentamos o amor de Deus, mais desejamos fazer o que agrada a Ele.

Saber que Deus nos ama incondicionalmente é uma absoluta necessidade para progredirmos na nossa caminhada com Ele. Jesus não morreu para que fôssemos religiosos; Ele morreu para que pudéssemos ter um relacionamento profundo, íntimo e pessoal com Deus através Dele. A religião nos oferece regras e regulamentos a serem seguidos para estarmos perto de Deus. Mas o relacionamento nos faz saber que podemos estar próximos Dele porque Ele nos escolheu. Não nos aproximaremos de Deus se tivermos medo de que Ele esteja insatisfeito conosco. É crucial que você aprenda a separar o quanto "você" é importante para Deus do que você faz de certo ou errado. Como podemos esperar ter um relacionamento íntimo com Deus, com o Seu Filho Jesus e com o Espírito Santo, se não confiamos que somos amados incondicionalmente?

Bons relacionamentos devem se basear no amor e na aceitação, e não no medo. Com muita frequência somos enganados e levados a pensar que a nossa aceitação se baseia no nosso desempenho, mas isso é totalmente antibíblico. Somos amados e aceitos por Deus e justificados nele, porque colocamos a nossa fé em Jesus Cristo e na obra que Ele realizou por nós na cruz. Ele pagou pelos nossos pecados e delitos. Ele nos absolveu da culpa e nos reconciliou com Deus. Agora, quando comparecemos diante de Deus, temos justiça e não injustiça. E a temos porque Ele a deu a nós como um presente, e não porque nós a merecemos. Bem-aventurado é o homem que sabe que está justificado diante de Deus independentemente das obras que pratica.

## Pense Nisto

Nas suas próprias palavras, como você acha que Deus se sente a seu respeito?

Agora diga: "Deus me ama incondicionalmente!".

## O Mundo Está Errado

Alguma coisa na cultura em que vivemos costuma fazer com que sintamos que somos sempre aqueles que estão "errados". As sociedades modernas estão cheias de mensagens que nos dizem: "Há algo errado com você porque você não é como eu. Há algo errado com você porque você gosta disto e eu não. Há algo errado com você porque você não consegue fazer isto tão bem quanto eu". Então ouvimos sucessivamente a mensagem: *"O que há de errado comigo?" "O que há de errado comigo?" "O que há de errado comigo?"*. Depois de ouvir isso por tempo suficiente, nos convencemos de que algo está desesperadamente errado conosco e ficamos incapacitados emocionalmente. Esse pensamento equivocado afeta negativamente todos os nossos relacionamentos e tudo que tentamos fazer.

As pessoas podem encontrar todo tipo de motivos para dizer: "Há algo errado com você". O mundo nos diz como deve ser a nossa aparência, como precisamos nos comportar e o que devemos achar divertido. As pessoas parecem ter uma opinião sobre tudo que pensamos, dizemos e fazemos. Quando não concordamos com o mundo ou aceitamos os seus padrões e valores, começamos a nos perguntar o que há de errado conosco. Perguntas começam a percorrer a nossa mente com relação às nossas habilidades. Esses pensamentos nos importunam e nos assombram, e embora possamos não verbalizá-los, eles costumam ecoar repetidamente como discos quebrados na nossa mente. É a mesma música, com versos diferentes.

- *Meu cônjuge mal fala comigo. O que há de errado comigo?*
- *Não gosto das mesmas coisas que meus amigos gostam. O que há de errado comigo?*

PARTE II – Pensamentos Poderosos

- *Meus pais não me queriam. O que há de errado comigo?*
- *Meus pais cometeram abuso contra mim. O que há de errado comigo?*
- *As pessoas da minha turma não gostam de mim. O que há de errado comigo?*
- *Não tenho um encontro há cinco anos. O que há de errado comigo?*
- *Meus filhos adolescentes me tratam de uma forma terrível. O que há de errado comigo?*
- *Nunca recebi uma promoção no trabalho. O que há de errado comigo?*
- *Meu negócio faliu. O que há de errado comigo?*
- *As minhas notas na escola não são boas como as do meu irmão. O que há de errado comigo?*

O inimigo deseja nos tornar egocêntricos fazendo com que tentemos imaginar o que há de errado conosco. Quando nos fazemos perguntas como essas, estamos cooperando com o plano do diabo. Deus, por outro lado, não quer que sejamos atormentados por tais perguntas e pelos sentimentos que as acompanham. Ele quer que saibamos o quanto nos ama e que entendamos no fundo do nosso coração que estamos justificados perante Ele através da fé em Jesus Cristo. Quando realmente acreditarmos que somos justificados diante de Deus e aceitos por Ele, o inimigo não terá mais êxito em suas tentativas de fazer com que nos sintamos mal a respeito de nós mesmos.

## Pense Nisto

Relacione cinco características que são corretas ou boas a seu respeito. Se você nunca fez isso, talvez ache difícil, mas seja ousado.

## Você é Caro!

Obviamente, Satanás trabalha arduamente para nos dar o que chamo de "sentimento de inadequação". Ele quer que continuemos sentindo e acreditando que simplesmente não estamos à altura do que deveríamos estar e que algo está inerentemente errado conosco. Deus nos dá justiça por meio de Jesus Cristo, ou, como a Bíblia diz, "fomos justificados pelo sangue de Cristo" (Romanos 5:9).

O fato de que Deus enviou o Seu único Filho amado para morrer uma morte dolorosa no nosso lugar nos confere valor, e faz com que saibamos que Deus nos ama imensamente. A Bíblia diz que fomos comprados por preço, um preço precioso — o sangue de Jesus (ver 1 Pedro 1:19). Ele pagou pelos nossos delitos, garantiu a nossa justificação, fez com que a nossa conta com Deus fosse paga e nos absolveu de toda culpa (ver Romanos 4:25). Jesus é o nosso substituto. Ele tomou o nosso lugar recebendo o que nós merecíamos (a punição como pecadores), e nos dando gratuitamente o que Ele merece (todo tipo de bênçãos).

Isso é tremendo! Somos imediatamente transferidos de um estado *inadequado* para um estado de ser visto por Deus como *justificados* pela fé em Jesus e pela obra que Ele fez na cruz. Somos transportados do reino das trevas para o Reino da luz (ver 1 Pedro 2:9 e Colossenses 1:1). Também poderíamos dizer que passamos da morte para a vida no que se refere à nossa *qualidade* de vida. A graça de Deus comprou a nossa liberdade, e a fé é a mão que se estende para recebê-la.

Embora nada do que já foi feito na Terra possa se comparar ou até mesmo chegar perto do tremendo presente que Jesus nos deu na cruz, certa vez ouvi uma história que nos dá uma boa ilustração para nos ajudar a começar a entender o que Ele fez por nós.

Em uma noite de inverno de 1935, conta-se que Fiorello LaGuardia, o irrepreensível prefeito da cidade de Nova Iorque, apareceu em uma sessão noturna da procuradoria mais pobre da cidade. Ele dispensou o juiz por aquela noite e assumiu a tribuna. Naquela noite, uma velha mulher em farrapos, acusada de roubar um pão, foi levada perante ele. Ela se defendeu dizendo: "O marido da

PARTE II – Pensamentos Poderosos

minha filha a abandonou. Ela está doente, e os seus filhos estão morrendo de fome".

O dono da loja recusou-se a retirar a acusação, dizendo: "Este é um bairro terrível, meritíssimo, e ela tem de ser punida para servir de exemplo para os outros".

LaGuardia suspirou. Ele se virou para a velha mulher e disse: "Tenho de puni-la; a lei não faz exceções. Dez dólares ou dez dias na cadeia". Entretanto, enquanto pronunciava a sentença, LaGuardia colocou a mão no bolso, tirou uma nota de dez dólares, e jogou-a dentro do seu chapéu com estas palavras famosas: "Eis a multa de dez dólares, que agora perdoo, e, além disso, vou imputar a todos neste tribunal a multa de cinquenta centavos por viverem em uma cidade onde uma pessoa precisa roubar pão para que seus netos possam comer. Sr. Meirinho, recolha as multas e entregue-as à ré".

No dia seguinte, um jornal de Nova Iorque relatou: "Quarenta e sete dólares e cinquenta centavos foram entregues a uma velha avó perplexa que havia roubado um pão para alimentar seus netos que morriam de fome. Fazendo as doações compulsórias estavam um lojista ruborizado, setenta praticantes de pequenos delitos, e alguns policiais de Nova Iorque".[1]

O Prefeito LaGuardia provou um ponto importante quando disse que a mulher precisava ser punida e depois pagou a sua multa. O seu exemplo nos lembra que a justiça de Deus exigia que os nossos pecados fossem pagos, e Jesus pagou por eles.

Quando o prefeito recolheu dinheiro de todos na sala de audiências para ajudar a avó a comprar comida, o seu ponto era: Algo está errado com um mundo onde uma avó precisa roubar! Algo está errado com um lugar onde crianças não têm nada para comer. Ele se recusou a permitir que o erro do mundo afetasse aquela avó. Acho que a sua mensagem foi que todos precisamos ajudar aqueles que são menos afortunados que nós. Ele interveio e corrigiu a situação — ele não perguntou se ela merecia; ele simplesmente a ajudou.

## Pense Nisto

Você recebe regularmente a graça de Deus e a dá liberalmente a outros?

_____

_____

## Desempenho Cancelado

Precisamos nos sentir confortáveis com o pensamento de que somos amados incondicionalmente e que estamos justificados diante de Deus — não por causa do que fizemos ou deixamos de fazer, mas por causa do que Jesus fez por nós. As nossas experiências no mundo e nossas interações com as pessoas nos ensinaram que não podemos ser aceitos se não tivermos um bom "desempenho" e que nosso desempenho determina o quanto seremos aceitos. Fomos enganados e levados a acreditar que o que _fazemos_ é mais importante do que quem _somos_. Isso faz com que trabalhemos constantemente para provar a nós mesmos e aos outros que temos valor pelo que fazemos.

Enquanto pensarmos que o amor de Deus é condicional, continuaremos tentando conquistá-lo na tentativa de provar que somos dignos de ser amados. Quando cometemos erros, então sentimos que não temos mais valor e, portanto, não merecemos ser amados. Sofremos a culpa, a vergonha e a condenação de crer que não somos dignos de amor e que devemos ser rejeitados. Continuamos tentando, cada vez com mais empenho, até ficarmos mental, emocional, espiritual e até fisicamente exaustos. Tentamos manter uma boa aparência, mas por dentro estamos esgotados e geralmente com muito medo.

A partir do momento em que acreditamos que o amor de Deus se baseia em quem Ele é e no que Jesus fez, e não no que nós fazemos, a luta cessa. Então podemos _cancelar_ nosso "desempenho" e servir a Deus porque sabemos que Ele realmente nos ama e não precisamos "fazer" com que Ele nos ame. Já sabemos que temos o Seu amor e que sob nenhuma hipótese Ele deixará de nos amar. Já não precisamos mais viver com

PARTE II – Pensamentos Poderosos

medo de sermos rejeitados por Ele por causa dos nossos erros. Quando fazemos algo errado, tudo que precisamos fazer é nos arrepender e receber o perdão de Deus e rejeitar a culpa que vem com o pecado, mas que não é mais aplicável quando o pecado é perdoado e removido.

Eu costumava pensar quase que constantemente: *O que há de errado comigo?* Não penso mais assim agora. Ainda faço coisas erradas, mas aprendi a diferença entre o meu "ser" e o meu "fazer". Eu o incentivo hoje a entender que você não é o seu desempenho; o seu "ser" e o seu "fazer" são coisas diferentes. Deus o ama por causa do seu "ser"! Ele o ama porque você é filho Dele.

Deus fica insatisfeito conosco? Sim, Ele fica insatisfeito quando pecamos (esse é o nosso "fazer", e não o nosso "ser"), mas nos ama o suficiente para nos corrigir e continuar trabalhando em nós para nos levar a um comportamento melhor e mais temente a Ele (ver Hebreus 12:10). Fomos destinados por Deus para sermos moldados à imagem de Jesus Cristo (ver Romanos 8:29), e sou grata por Ele ter enviado o Seu Espírito Santo para nos convencer do pecado e para operar a santidade de Deus em nós e através de nós. Essa é uma obra da graça de Deus e ela ocorre pouco a pouco, à medida que estudamos a Sua Palavra (ver 2 Coríntios 3:18).

Há certos momentos em que Deus fica insatisfeito com o nosso comportamento, mas Ele sempre nos ama. Não permita que nada o separe do amor de Deus porque o conhecimento de que Ele ama você o capacita a ser mais que vencedor na vida.

Um versículo importante para entendermos à medida que aprendemos a acreditar que somos amados e que estamos justificados perante Deus é 2 Coríntios 5:21: "Deus tornou pecado por nós aquele que não tinha pecado, para que nele nos tornássemos justiça de Deus".

Saber que somos amados e aceitos mesmo com as nossas imperfeições é um grande alívio! Servir a Deus por desejo e não por obrigação é incrivelmente libertador e gera uma grande paz e alegria em nossa vida. A Bíblia diz que nós o amamos porque Ele nos amou primeiro (ver 1 João 4:19). Ter a certeza do amor incondicional de Deus nos dá confiança e ousadia.

A nossa confiança não deve estar em nada ou em ninguém além de Jesus — não deve estar na educação, no privilégio exterior, nas posições que ocupamos, nas pessoas que conhecemos, na nossa aparência, ou nos nossos dons e talentos. Tudo neste mundo é instável na melhor das hipóteses, e não devemos colocar a nossa confiança nele. Jesus é o mesmo ontem, hoje e eternamente (ver Hebreus 13:8). Podemos contar com Ele para ser sempre fiel e fazer o que Ele diz que fará — e Ele diz que *sempre* irá nos amar. Jesus diz que somos justos aos Seus olhos e precisamos tomar a decisão de simplesmente crer nisso.

Nós nos tornamos aquilo que acreditamos que somos; portanto, à medida que nos convencemos de que somos justificados diante de Deus, o nosso comportamento irá melhorar.

Faremos mais coisas corretamente e com menos esforço. À medida que colocamos o foco no nosso relacionamento com Deus e não no nosso desempenho, relaxamos, e o que Deus fez no nosso espírito quando nascemos de novo é gradualmente desenvolvido nas nossas almas e finalmente visto através da nossa vida diária.

Independentemente do que as outras pessoas possam ter dito que você não é, Deus tem prazer em lhe dizer na Sua Palavra quem você é nele — amado, valioso, precioso, talentoso, dotado, capaz, poderoso, sábio e redimido. Eu o encorajo a separar um instante e repetir essas nove características em voz alta. Diga: "Sou amado, valioso, precioso, talentoso, dotado, capaz, poderoso, sábio e redimido". Ele tem um bom plano para você! Anime-se com a sua vida. Você foi criado à imagem de Deus e você é magnífico! Você pode ainda estar trabalhando no seu "fazer" (isso faz parte do ser humano), mas o seu "ser" é tremendo!

## Pense Nisto

Você acredita que Deus o ama incondicionalmente?

PARTE II – Pensamentos Poderosos

Pegue um pedaço de papel e desenhe uma linha no centro dela. De um lado da linha, escreva "Ser" e do outro lado escreva "Fazer". Comece a relacionar diferentes aspectos de quem você é segundo a Palavra de Deus sob a coluna "Ser", e sob a coluna "Fazer" você pode relacionar as coisas que você faz certo e as coisas que você faz errado. Isso o ajudará a separar o seu "ser" do seu "fazer". Agora, cancele a coluna do "fazer", porque ela não tem nada a ver com o amor de Deus por você. Independentemente de quantas coisas certas tenha relacionado, você jamais poderá fazer o suficiente para merecer o amor de Deus, e não importa quantas coisas erradas você tenha relacionado na sua folha de papel, elas não podem impedir que Deus o ame para sempre.

## Deus Não Está Zangado Com Você

Talvez você não sinta que é maravilhoso ou fantástico, mas Deus diz que você é. O Salmo 139 diz que nós fomos feitos de um modo assombrosamente maravilhoso. Estudar como o corpo humano funciona revela que somos realmente uma criação impressionante. Quando você recebe Jesus Cristo como seu Senhor e Salvador, alguma coisa acontece dentro de você. Paulo escreve sobre isso deste modo: "Portanto, se alguém está em Cristo, é nova criação. As coisas antigas já passaram; eis que surgiram coisas novas!" (2 Coríntios 5:17). Talvez você não perceba nenhuma diferença quando se olha no espelho; o seu comportamento pode não mudar da noite para o dia, e as suas lutas podem não desaparecer de repente, mas quando você está "em Cristo", uma obra de transformação gradual e paciente está em andamento na sua vida. Deus vê o fim das coisas desde o começo, e Ele vê você completo nele. Através de Jesus Cristo, Ele o vê como novo e completamente justo.

Do mesmo modo, quando você recebe Jesus Cristo como seu Senhor e Salvador, passa a fazer parte da família de Deus. Você é um filho de Deus.

Penso novamente nos meus filhos. Eles sempre ocupam uma posição de direito diante de mim, embora nem sempre façam tudo certo.

Ainda passo por vários momentos em que fico insatisfeita com o comportamento deles em diversas áreas, assim como fico insatisfeita com o meu. Mas meus filhos estão sempre na família; eles nunca deixam de ser meus filhos. Não gosto de todas as escolhas deles; não gosto de tudo que eles fazem, mas os amo e não retenho o meu amor porque eles cometem erros. E ainda os ajudo quando eles precisam.

Deus nos ama ainda mais do que amamos nossos filhos. Ele não nos rejeita quando cometemos erros. Ele conhece o nosso coração. Sabe que estamos em uma jornada e que precisamos de tempo para renovar a nossa mente. Temos um Sumo Sacerdote (Jesus) que entende as nossas fraquezas e enfermidades porque Ele foi tentado assim como nós somos e ainda assim nunca pecou (ver Hebreus 4:15). Amo o fato de que Jesus me entende! Ele também entende você, então por que não relaxar e ser você mesmo, saber que você é amado incondicionalmente, e fazer o seu melhor a cada dia? Sentir-se culpado por cada erro que você comete e se comparar com os outros só impede o seu progresso; isso não o ajuda a progredir. Admita os seus erros, falhas e pecados; peça a Deus para perdoá-lo e ajudá-lo a mudar. Não se compare com ninguém. Deus criou você como um ser único e quer que você seja tudo o que pode ser. Deus nunca o ajudará a ser outra pessoa, portanto dê um grande abraço em si mesmo agora e alegre-se por ser quem você é!

## Pense Nisto

Você tem um bom relacionamento consigo mesmo?

Pare agora mesmo e medite no Pensamento Poderoso N°2: "Deus me ama incondicionalmente!" Deixe esse pensamento percorrer a sua mente sucessivamente e declare-o, colocando ênfase na palavra *incondicionalmente!*

## O Seu Débito Foi Quitado

A passagem de 2 Coríntios 5:18 nos dá uma percepção importante da maneira como Deus nos vê: "Tudo isso provém de Deus, que nos reconciliou consigo mesmo por meio de Cristo e nos deu o ministério da *reconciliação*" (ênfase da autora). O que significa ser reconciliado com Deus? Significa que "o seu débito foi quitado". Você não deve nada! Certa vez vi um adesivo em um carro que dizia: "Devo, devo muito, por isso trabalho". Imediatamente percebi que aquela era a mentalidade com a qual eu vivi durante anos. Sentia que devia algo a Deus por todo o mal que eu havia feito e tentava todos os dias praticar boas obras para compensar os meus erros. Eu queria ser abençoada por Ele, mas sentia que precisava merecer as Suas bênçãos. Finalmente aprendi que não podemos pagar pelos presentes de Deus, do contrário não seriam presentes. Deus nos recebeu com o Seu favor, o que significa que Ele faz boas coisas por nós mesmo quando não as merecemos. Ele é misericordioso e bondoso para com os justos e os injustos. Ele nos ama, olha para nós favoravelmente e quer nos abençoar. Ele não está zangado e frustrado conosco, nem procura nos punir por cada erro que cometemos.

Deus vê o coração do homem e o Seu tratamento conosco se baseia no tipo de coração que temos. Não faço tudo certo, mas amo muito a Deus. Sinto muito por meus pecados e me entristeço quando sei que o decepcionei. Quero a vontade Dele em minha vida. Estou certa de que se você está lendo este livro, a atitude do seu coração é como a minha. Talvez, assim como eu, você tenha sido atormentado durante anos por sentimentos de culpa e medo, mas saber que Deus o ama incondicionalmente libera você dessas emoções negativas e permite que você desfrute a si mesmo enquanto está sendo transformado. Em 2 Coríntios 5:20, Paulo enfatiza novamente a reconciliação e o favor que Deus nos estende, encorajando-nos a crer nestas coisas: "Portanto, somos embaixadores de Cristo, como se Deus estivesse fazendo o seu apelo por nosso intermédio. Por amor a Cristo lhes suplicamos: Reconciliem-se com Deus". Na verdade, Paulo está pedindo aos crentes do seu tempo que tomem posse do que Deus está oferecendo, e eu o incentivo a fazer o mesmo. Não espere nem mais um instante para crer que Deus o aceita, vê você como justificado perante Ele e o ama incondicionalmente.

## Pense Nisto

Você realmente acredita que está reconciliado com Deus e que Ele não está zangado com você, ao contrário, está completamente satisfeito e se agrada de quem você é?

---

---

## Leve Para o Lado Pessoal

A verdade de que Deus nos ama incondicionalmente e nos dá uma posição de justificação diante Dele é tão impressionante que acho difícil encontrar as palavras certas para expressar a profundidade da beleza de ser justificado diante de Deus. Para liberar o poder dessa verdade em sua vida, comece a meditar (pensar) nessa verdade e a declará-la em voz alta. Diga: "Sou a justiça de Deus em Cristo. Sou uma nova criatura em Cristo, as coisas velhas já passaram e todas as coisas se fizeram novas. Sou precioso aos olhos de Deus e tenho valor. Sou filho de Deus, a menina dos Seus olhos, e Ele cuida de mim constantemente". Diga: "Deus me ama incondicionalmente" muitas vezes ao dia. Isso o ajudará a renovar a sua mente de acordo com a verdade da Palavra de Deus.

Vá para a cama à noite e fique ali deitado, pensando e pensando: *Deus me ama incondicionalmente, e sou justificado perante Ele através da fé em Jesus.* Quando você acordar pela manhã, fique deitado na cama por alguns minutos e agradeça a Deus porque Ele ama você e estará com você o dia inteiro, em tudo o que você fizer.

Meditar na Palavra de Deus e confessá-la é um tema central na *economia de Deus* (a Sua maneira de fazer as coisas). Acrescente um pouco de poder à sua vida crendo no que a Bíblia diz a seu respeito. Você foi justificado diante de Deus; você é precioso, valioso, e amado incondicionalmente.

PARTE II – Pensamentos Poderosos

## Pense Nisto

Como você se sente quando pensa no fato de que é especial e precioso para Deus?

_____

_____

## Palavras de Poder

"Deus tornou pecado por nós aquele que não tinha pecado, para que nele nos tornássemos justiça de Deus."
*2 Coríntios 5:21*

"Portanto, se alguém está em Cristo, é nova criação. As coisas antigas já passaram; eis que surgiram coisas novas!"
*2 Coríntios 5:17*

"Visto que você é precioso e honrado à minha vista, e porque eu o amo, darei homens em seu lugar, e nações em troca de sua vida".
*Isaías 43:4*

"Porque Deus nos escolheu nele antes da criação do mundo, para sermos santos e irrepreensíveis em sua presença".
*Efésios 1:4*

# PENSAMENTO PODEROSO N.º 3

# Não viverei com medo.

*"Pois Deus não nos deu espírito de covardia,
mas de poder, de amor e de equilíbrio".*

2 Timóteo 1:7

A famosa colunista e conselheira Ann Landers supostamente recebia dez mil cartas por mês. Quando lhe pediram para citar o problema predominante na vida de seus leitores, ela respondeu: "O problema que parece estar acima de todos os outros é o medo. As pessoas têm medo de perder a saúde, a riqueza e os entes queridos. As pessoas têm medo da própria vida".[1]

Não é difícil acreditar na avaliação de Landers. Vejo muitas pessoas que são governadas pelo medo. Ele pode dominar completamente a vida de uma pessoa, e esse é o motivo pelo qual acredito que este pensamento poderoso — "Não viverei com medo" — é tão importante. Seremos cativos do medo até que o seu poder seja quebrado em nossa vida, o que significa que não somos livres para seguir o nosso coração ou para seguir a Deus. Para cumprir o Seu bom plano para as nossa vida e desfrutar todas as bênçãos que Ele quer nos dar, precisamos simplesmente nos recusar a viver com medo.

Se o medo governa nossa vida, não podemos desfrutar nada do que fazemos. Digamos que Sara é convidada para uma festa. Ela está entusiasmada por ter sido convidada, mas, quando chega, tem medo de não estar bem arrumada. Ela fica desconfortável e começa a se comparar com os outros convidados. Ela começa a olhar para ver quem está falando com quem. Então Sara faz uma análise minuciosa de quem está falando com ela e verifica se estão sendo realmente amigáveis. Ela está com tanto medo de ser rejeitada que não consegue relaxar e simplesmente desfrutar a festa.

Sara está tão concentrada em si mesma que realmente não consegue se comunicar com ninguém, e isso faz com que ela pareça distante e antissocial. Como é de se esperar, ela não é convidada para a próxima festa. O resultado é que todos os medos de que ela seja indesejada e inaceitável acabam se confirmando em sua mente. O mais triste é que todo esse cenário foi criado pelo seu próprio medo. A guerra no campo de batalha da mente de Sara estava sendo travada tão arduamente durante a festa que ela se sentiu confusa e não conseguiu desfrutar nada nem ninguém. Ela estava ocupada demais tentando organizar suas emoções negativas e controlar o inimigo chamado *medo*. O medo gera tormento e precisamos nos recusar a recepcioná-lo. Se não fizermos isso, teremos uma vida infeliz.

## Pense Nisto

Pare um instante para pensar em como a sua vida seria se você estivesse livre de todo o medo. Como uma vida livre do medo diferiria da vida que você tem hoje?

## Como o Medo Age

Há mais tipos de medo do que podemos citar ou contar, mas todos eles têm a mesma fonte e o mesmo propósito. Todos eles procedem do inimigo e se destinam a roubar a vida que Jesus morreu para nos dar. Costumamos pensar que o medo é simplesmente uma emoção ou um

## Pensamento Poderoso N.º 3

sentimento, mas ele também nos afeta fisicamente. Em *Who Switched Off My Brain?* (Quem Desligou o Meu Cérebro?), a Dra. Caroline Leaf observa que o medo "dispara mais de mil e quatrocentas reações físicas e químicas conhecidas, ativando mais de trinta hormônios e neurotransmissores diferentes", e conclui que o medo é a raiz de todo estresse.[2] Quando o medo gera uma reação de estresse no nosso corpo, ele "inunda" o corpo em químicos tóxicos. Isso, naturalmente, é terrivelmente prejudicial à saúde, e ameaça o nosso bem-estar físico.

Há muitas maneiras pelas quais Satanás usa o medo para nos roubar. Por exemplo, o medo de não sermos aceitos como somos faz com que desenvolvamos personalidades falsas que reprimem o nosso verdadeiro ser e escondem aquilo que Deus nos criou para sermos. O medo do fracasso nos impede de tentar coisas novas ou de nos esforçarmos para fazer mais do que nos sentimos confortáveis fazendo. O medo do futuro pode fazer com que não desfrutemos o hoje. Até algo como o medo de voar pode nos impedir de descobrir e desfrutar a beleza e a empolgação dos lugares que gostaríamos de visitar. Ele pode absolutamente nos paralisar, e nos seus estágios mais avançados, pode nos levar a fazer coisas que são completamente irracionais. Ele pode até gerar problemas mentais e emocionais.

Em um exemplar de agosto de 1989, a revista *Time* publicou uma história que mostra como o medo pode ser absolutamente destrutivo e controlador. O breve artigo relatava que Charles Bodeck, um aposentado que havia recebido várias mordidas de carrapato ao preparar armadilhas para caçar animais e retirar sua pele, ficou com medo de ter contraído a doença de Lyme quando esta atraiu a atenção da mídia em fins dos anos 80. Bodeck não apenas tinha medo de ter contraído a doença, como também estava preocupado de tê-la transmitido à esposa. Apesar de muitos exames e de repetidas garantias por parte de seus médicos de que ele não estava infectado e que passar a doença para sua esposa seria impossível (porque ele não a havia contraído), Bodeck continuou aterrorizado. O seu medo totalmente infundado o controlava tão completamente que ele terminando matando sua mulher e suicidando-se

PARTE II – Pensamentos Poderosos

com uma arma. Quando a polícia procurou na sua caixa de correio após o incidente, eles a encontraram entulhada de informações sobre a doença de Lyme — e uma correspondência confirmando mais uma consulta médica para um exame de verificação da doença de Lyme.[3] A história de Bodeck e inúmeros outros casos menos dramáticos provam que o medo pode ser poderoso em nossa vida. Acredito firmemente que ele é a ferramenta utilizada pelo diabo para nos manter infelizes e fora da vontade de Deus. Ele drena a nossa coragem, nos apresenta tudo a partir de uma perspectiva negativa, e nos impede de progredir. Destinos são destruídos por causa do medo — medo da dor, medo do desconforto, medo da falta, medo do sacrifício, medo da vida ser difícil demais, medo de perder os amigos, medo de ficar só, medo de perder a nossa reputação, medo de ninguém nos entender, medo de se afastar de Deus, e daí por diante. O medo é a distorção, criada pelo inimigo, da fé. Ele diz: "Acredite no que estou lhe dizendo. Isso não vai dar certo. Suas orações não servem para nada. Você não está bem com Deus. Você é um fracasso".

O medo sempre lhe diz o que você não é, o que você não tem, o que você não pode fazer, e o que você nunca será. Mas Romanos 8:15 diz: "Pois vocês não receberam um espírito que os escravize para novamente temer, mas receberam o Espírito que os adota como filhos, por meio do qual clamamos: 'Aba, Pai'". Você não precisa viver cativo do medo ou permitir que ele controle a sua vida. Você pode ser ousado, corajoso e aventureiro.

A palavra "Aba" era um termo usado pelas crianças pequenas que falavam aramaico para se dirigirem ao pai. Seria semelhante à palavra "Papai". Esse termo é menos formal que "Pai" e denota uma proximidade confortável entre um filho e seu pai. Jesus disse que poderíamos chamar Deus de "Aba" porque Ele havia nos libertado de todo medo. Ele sempre cuidará dos Seus amados filhos e podemos nos aproximar Dele sem medo de sermos rejeitados. Quando corremos para Ele com algum problema ou dor, Ele está esperando de braços abertos para nos consolar e nos encorajar.

## Tédio

Deus o criou para a aventura, para a euforia de uma vida que exige que você dê passos ousados de fé e o veja vir em seu socorro. Tantas pessoas estão insatisfeitas com sua vida simplesmente porque não querem se lançar para fazer as coisas novas que desejam fazer. Elas querem ficar na "zona de conforto", o que pode fazer com que se sintam seguras, mas nem sempre é onde a alegria e a aventura da vida podem ser encontradas. Não deixe que o medo o impeça de ter a vida vibrante que Deus tem para você ou destrua o seu destino. Mesmo quando *sentir* medo, não permita que ele paralise você! Como gosto de dizer: "Sinta o medo, mas aja assim mesmo!". O tédio geralmente é resultado da mesmice. Encorajo você a incluir mais variedade em sua vida. Experimente coisas novas; quando você começar a sentir que a vida está ficando "rançosa" e sem gosto, acrescente um pouco de tempero fazendo algo diferente. Comece pensando e dizendo: "Não vou viver com medo".

### Pense Nisto

O medo está fazendo você viver uma vida segura, mas monótona?

_____

_____

## Pare No Início

Nos Estados Unidos, existe um medicamento vendido sem receita médica que é anunciado como o remédio a ser tomado diante dos primeiros indícios de um resfriado, para impedir que ele piore e se instale totalmente. Tomo muita vitamina C quando estou com a garganta arranhando ou com secreção no nariz porque isso costuma me impedir de piorar. Impedir alguma coisa antes que ela vá longe demais é sábio.

PARTE II – Pensamentos Poderosos

A Bíblia diz que devemos resistir ao diabo no começo (ver 1 Pedro 5:8,9). Durante anos, usei esse princípio contra o medo, e garanto a você que ele faz a diferença.

Recomendo que a qualquer momento em que começar a se sentir temeroso por alguma coisa, você comece imediatamente a orar e confessar: "Não vou viver com medo". Você verá resultados impressionantes. Quando oramos, Deus ouve e responde. Quando confessamos a Sua Palavra, renovamos a nossa mente e entramos em acordo com os planos Dele para nós. Independentemente do que Deus quer fazer por nós, precisamos concordar com Ele a fim de receber e desfrutar essas coisas (ver Amós 3:3). Ele tem bons planos para nós, mas para que eles se tornem realidade em nossa vida, precisamos ter a nossa mente completamente renovada (ver Romanos 12:2). Resumindo, precisamos aprender a pensar como Deus pensa e a falar como Ele fala — e nenhum dos Seus pensamentos ou palavras são medrosos.

Este pensamento poderoso — "Não vou viver com medo" — o ajudará a se tornar corajoso em lugar de medroso. Traga-o à mente no instante em que você começar a sentir medo e medite nele até mesmo durante os momentos em que não senti-lo. Assim você estará ainda mais preparado para se levantar contra ele quando ele vier. Lembre-se de que levará tempo e comprometa-se a permanecer nessa prática até ver mudanças. Eu ainda digo "Não vou viver com medo". Acordei esta manhã e disse: "Este é o dia que o Senhor fez. Vou desfrutar este dia e não vou viver com medo". Deus me ensinou a usar o que chamo de "dupla de poder" para me ajudar a derrotar o espírito do medo. A dupla de poder é esta: "Eu oro" e "Eu digo". Quando sinto medo, começo a orar e a pedir a ajuda de Deus e digo "Não vou viver com medo!" Use essa dupla de poder assim que sentir medo de qualquer coisa e você poderá impedir que o medo o controle. Você talvez ainda sinta medo, mas pode ir além dele se entender que ele é meramente a tentativa do diabo de impedi-lo de desfrutar a vida ou fazer qualquer tipo de progresso. Faça o que você acredita que deve fazer mesmo que você tenha de "agir com medo".

Pensamento Poderoso N.º 3

## Pense Nisto

O que você pode fazer para impedir que o medo o controle?

_____

_____

## Não Vai Passar

O motivo pelo qual precisamos aprender a lidar com o medo antes que ele vá longe demais é porque ele nunca irá embora totalmente. Sentir medo faz parte de estar vivo. Podemos sentir medo quando estamos fazendo algo que nunca fizemos antes, ou quando os obstáculos parecem intransponíveis, ou quando não temos a ajuda natural que sentimos que precisamos. Nada disso significa que somos covardes; significa que somos humanos. Só somos covardes quando permitimos que os nossos medos ditem as nossas ações ou decisões, em vez de seguir o nosso coração e fazer o que sabemos que é certo para nós. Sentir medo é simplesmente a tentação de fugir do que devíamos enfrentar e confrontar; sentir medo não é igual a temer, porque temer significa permitir que os sentimentos de medo saiam ganhando. Posso sentir raiva e optar por não agir segundo a minha raiva, mas reagir com perdão e amor. Do mesmo modo, podemos sentir medo, mas não permitir que o medo tome a decisão por nós.

Precisamos aceitar o fato de que o medo nunca irá embora completamente, mas também precisamos saber que podemos viver ousadamente e corajosamente porque Deus nos disse que Ele está sempre conosco, e por causa disso podemos optar por ignorar o medo que sentimos. Não há problema em sentir medo; há problema em agir com base nesse sentimento. Ora, a palavra _medo_ significa "fugir", ou "escapar de", e ela faz com que queiramos fugir do que Deus quer que confrontemos. Não significa tremer ou estremecer ou ficar com a boca seca ou com os joelhos fracos. O medo não é um sentimento; o medo é um espírito maligno que produz um sentimento. Então quando dizemos:

125

"Não vou me curvar ao medo", o que queremos dizer é "Não vou me esconder de medo". O medo faz com que nos acovardemos, nos encolhamos e recuemos. Em vez de termos uma grande fé, ele faz com que tenhamos uma pequena fé, e se o aceitarmos por tempo suficiente, terminaremos sem fé alguma.

A única atitude aceitável para um cristão com relação ao medo é "Não temerei". Não recue diante de nada com medo. Você pode estar seguindo em frente com algo que sente que Deus lhe disse para fazer quando algo acontece para fazer parecer que isso não está funcionando, ou que as pessoas não estão a favor. Você percebe que se fizer o que Deus quer, pode se arriscar a perder alguns amigos, alguns recursos, ou a sua reputação. Quando você sente esse medo, o primeiro impulso é começar a recuar, não é? Deus sabe disso, e é por isso que Ele diz: "Não temas". Quando Ele nos diz para não temermos, o que quer dizer é que, independentemente de como você se sinta, deve continuar colocando um pé na frente do outro e fazendo o que você acredita que Ele lhe disse para fazer, porque esse é o único jeito de derrotar o medo e progredir.

Decidi que *sou* confiante, quer eu me sinta confiante ou não. Deus está comigo e por causa disso posso fazer tudo que for preciso e desfrutar o processo. Opto por ser confiante em vez de medrosa, mesmo quando surgem situações potencialmente dignas de medo. A confiança é a maneira como me apresento, e não meramente um sentimento que tenho. O diabo odeia quando somos confiantes de que Deus está conosco, capacitando-nos a fazer tudo que precisamos fazer na vida.

Eu o incentivo a meditar neste pensamento de poder: "Não vou viver com medo". Repasse-o diversas vezes em sua mente, porque ajustar a sua mente com antecedência para pensar que você não irá se curvar ao medo o ajudará a não fazer isso quando ele surgir. Você já terá tomado a decisão de não ficar com medo. Renovar a sua mente com esses pensamentos de poder o prepara para enfrentar tudo que surgir com confiança.

## Pense Nisto

Qual é a única atitude aceitável para um cristão com relação ao medo?

## Aja, Mesmo com Medo

Quando a Bíblia diz: "Deus não nos deu espírito de medo", não quer dizer que nunca sentiremos medo. Na verdade, quando Deus disse para tantas pessoas na Bíblia "Não temas", Ele estava basicamente dizendo a elas: "O medo vai vir atrás de você. Você vai ter de lidar com ele". Quando Deus deu a Josué a tarefa de liderar os israelitas em direção à Terra Prometida, Ele disse: "Seja forte, vigoroso, e muito corajoso. Não tenha medo" (Josué 1:9). Ele estava basicamente dizendo: "Você será atacado por muitos medos e será tentado a voltar atrás, mas precisa continuar seguindo em frente". Independentemente de como você se sinta, simplesmente continue seguindo em frente e você chegará ao destino desejado. Não estou sugerindo que façamos coisas tolas e nos recusemos a receber conselhos, mas se estivermos plenamente certos de que temos a direção de Deus, então devemos seguir em frente independentemente de como nos sintamos ou do que as pessoas digam. Costumo dizer: "A coragem não é a ausência de medo, é progredir mesmo que o medo esteja presente".

Suponha que um homem queira desesperadamente mudar de carreira porque odeia seu emprego e se sente totalmente sem realização e infeliz nele. Digamos que ele está no departamento de contabilidade de uma grande fábrica, mas o desejo do seu coração sempre foi trabalhar com vendas. Ele acreditar ter o dom para vender coisas em que realmente acredita, então, por que ele não muda de emprego? Ele começa a fazer isso, mas depois para e pensa no fato de que, no departamento de contabilidade, ele sempre recebe o contracheque a cada duas semanas, e sempre no mesmo valor. Ele pode depender dele e planejar sua vida com base nele. Na área de vendas, ele trabalharia por comissão e sua renda dependeria de quanto ele vendesse. Ela poderia oscilar, o que exigiria um planejamento financeiro melhor ou um orçamento mais restrito.

PARTE II – Pensamentos Poderosos

Então, mais pensamentos vêm à sua mente: *Você teria de construir a sua reputação em vendas e desenvolver um grupo de clientes, e isso levaria tempo. A sua renda pode ficar abaixo do que é agora por algum tempo. Você terá de abrir mão de algumas coisas. A sua família terá de se sacrificar por algum tempo. E se isso levar mais tempo do que você imagina?*

De repente, o homem tem medo de realizar a mudança que tão desesperadamente deseja, e assim continua indo trabalhar dia após dia em uma função que odeia, sentindo-se não realizado e infeliz. Somente ele mesmo pode mudar a sua situação. Ele precisa dar um passo de fé, deixar o medo para trás, e não se dispor a ficar preso na armadilha de um trabalho que abomina.

Deus está ao seu lado para ajudá-lo, mas isso só pode acontecer se o homem colocar a sua fé em Deus. Deus não pode nos dar nada que não estejamos dispostos a nos levantar para pegar. A Bíblia diz repetidas vezes que devemos "Não temer" porque Deus está conosco. Temos duas escolhas: Crer nessa verdade e tomar decisões com base nela, ou viver uma vida estreita e infeliz porque temos medo de mudar, de nos arriscar, ou de situações novas.

Embora não parecesse aos outros que eu era uma pessoa medrosa, na verdade passei muitos anos me curvando diante dos sentimentos internos de medo. Então finalmente aprendi a "agir com medo". O que quero dizer com isso é que aprendi a seguir o meu coração se ele estivesse de acordo com a Palavra de Deus, e continuar a seguir em frente mesmo quando o medo estava me fazendo tremer e me dizendo que eu iria fracassar. O diabo é um mentiroso, por isso podemos ter plena certeza de que quando ele nos diz que algo não vai funcionar, é porque vai. Quando Deus está tentando nos mostrar que devemos abrir mão de alguma coisa, Ele faz isso retirando a nossa paz, e não tentando nos amedrontar. Geralmente abro mão de alguma coisa porque ela me faz perder a paz. Devemos seguir a paz e deixar que ela seja o árbitro em nossa vida, mas não devemos seguir o medo.

Comecei a vencer o medo orando, pensando e dizendo: "Não vou viver com medo". Aprendi até mesmo a dizer: "O medo sempre se apresentará a mim, mas vou ignorá-lo e continuar seguindo em frente". Lembre-se de que *medo* significa "fugir ou correr de alguma coisa". Aprendi que eu precisava parar de correr e ficar quieta por tempo suficiente para ver o que Deus faria por mim se eu permitisse que a minha fé nele fosse maior que o meu medo. Finalmente percebi que toda vez que Deus estava me dirigindo para uma nova área que seria melhor para mim, o diabo lançava um ataque de medo contra mim. O medo é a arma favorita do diabo e ele a usa com destreza contra as pessoas, até que elas entendem que através de Deus têm o poder para ir além do medo e continuar avançando.

## Pense Nisto

Você está fugindo de alguma coisa em sua vida? Se estiver, irá continuar seguindo em frente para ver o que Deus fará por você?

## Seja Cheio de Fé

O medo é o oposto da fé. Recebemos do inimigo através do medo, e recebemos de Deus através da fé. O medo é a réplica do inimigo para a fé, a falsificação que ele fez dela. Em outras palavras, podemos conhecer e fazer a vontade de Deus colocando a nossa fé nele, mas também podemos cooperar com o plano do diabo por meio do medo. Quando temos medo, podemos deixar de fazer o que Deus quer que façamos, e, em vez disso, terminar fazendo o que o diabo quer. Jó, um homem do Antigo Testamento, disse que aquilo que ele temia lhe sobreveio (ver Jó 3:25), que era exatamente o que o inimigo queria para ele e o que quer para nós também. O inimigo é o autor do medo, e não Deus. Na verdade, 1 Timóteo 1:7 diz que Deus não nos deu espírito de medo, mas de poder, e precisamos aplicar essa verdade à nossa vida e nos recusarmos a viver de qualquer outra forma que não seja poderosamente.

## PARTE II – Pensamentos Poderosos

Quero compartilhar algo que tenho praticado com determinação ultimamente. Descobri que é muito útil, e acho que você também vai achar. Quando o medo bate à porta da nossa vida, se nos encontra cheios de fé, ele não pode entrar. Eu o incentivo firmemente a meditar e confessar que você é uma pessoa cheia de fé. Digo assim: "Sou uma mulher de fé. Penso na fé, falo na fé e ando na fé". Também escolho passagens das Escrituras sobre fé e medito nelas. Hebreus 11:6 é um bom exemplo: "Sem fé é impossível agradar a Deus, pois quem dele se aproxima precisa crer que ele existe e que recompensa aqueles que o buscam". Quanto mais medito na fé e creio que sou uma mulher cheia dela, mais forte e mais cheia de energia me sinto. O medo nos enfraquece de todas as maneiras, mas a fé acrescenta coragem, ousadia, confiança e energia real à nossa vida.

Em 1 Timóteo 6:12, Paulo encorajou Timóteo a "combater o bom combate da fé". Todos nós precisamos combater esse bom combate, e creio que meditar e confessar a Palavra de Deus é a maneira de fazer isso. Lembre-se de que estamos em uma guerra e o campo de batalha é a mente.

Se você está acostumado a permitir que sua mente vá aonde quer que lhe agrade, meditar na Palavra de Deus exigirá a formação de um novo hábito. Não fique desanimado se você descobrir que tem boas intenções, mas fracassa muitas vezes. Posso lhe garantir que todos têm a mesma experiência no começo desta jornada. Ore para que a graça de Deus o capacite e não "tente" meramente fazer as coisas. Frequentemente, tentamos com esforço sem pedir a ajuda de Deus, mas Ele sempre quer nos ajudar a obedecer, então, tudo que você precisa fazer é pedir. Peça a Ele para ajudá-lo a desenvolver a habilidade de se concentrar em pensamentos de poder que o capacitem, em vez de receber "hóspedes não convidados" (pensamentos) que o incapacitem.

Quando Satanás vier atacá-lo com medo, certifique-se de estar cheio de fé para que não haja lugar para ele entrar. O medo e a fé não podem coexistir; onde um está, o outro não pode ficar. A Palavra de Deus edifica a fé no seu coração, portanto use-a — e você manterá o medo fora de sua vida.

## Pense Nisto

Como você pode demonstrar fé em vez de medo?

---

## Liberte-se de Um Grande Medo

Realmente acredito que é possível ter tanto medo de que as pessoas nos reprovem — por causa do que dizemos, fazemos ou pensamos, por causa da nossa aparência, do que valorizamos, ou das escolhas que fazemos — que ficamos viciados na aprovação das pessoas. "O vício de agradar a todos" acontece quando as pessoas precisam tanto da aprovação dos outros que ficam infelizes toda vez que sentem que não a têm. Elas chegam a tomar determinadas decisões para ganhar a aprovação em vez de seguirem seu coração ou obedecerem ao que acreditam que seja a vontade de Deus para sua vida. Pretendo falar brevemente sobre esse assunto, mas por se tratar de um enorme problema, tenho um livro inteiro sobre o assunto intitulado *O Vício de Agradar a Todos*. Recomendo-o enfaticamente caso você ache que precisa de ajuda nessa área.

Desenvolvi uma necessidade de aprovação desequilibrada porque não tive um relacionamento saudável com meu pai. Eu não era viciada na aprovação de todos que me cercavam, e em alguns casos não me importava com o que as pessoas pensavam de maneira alguma. Mas no que dizia respeito às figuras de autoridade em minha vida, principalmente figuras de autoridade masculinas, eu ansiava desesperadamente por aprovação. Agora sei que estava tentando obter dos homens que ocupavam posições de autoridade o que deveria ter recebido de meu pai, mas nunca recebi.

Você tem medo de alguém em particular? Tem medo de determinados tipos de personalidade? Localizar um problema é o primeiro passo para derrotá-lo, portanto eu o encorajo firmemente a isolar os medos repetitivos e a tomar a decisão de vencê-los. Muitas pessoas confessam

PARTE II – Pensamentos Poderosos

que temem as figuras de autoridade em suas vidas e isso é prejudicial, porque todos nós precisamos lidar com outras pessoas que têm autoridade sobre nós.

Certa vez, tive uma funcionária que tinha um medo terrível de mim por causa de alguns problemas não resolvidos em sua infância. O medo não apenas a fazia infeliz, como também me deixava muito desconfortável. Ela tinha tanto medo de não me agradar que costumava cometer erros que não teria cometido se fosse mais confiante. Ela não conseguia relaxar e eu sentia que precisava ser extremamente cuidadosa com tudo que dizia e fazia, na esperança de que ela pudesse continuar confiante, mas parecia que nada funcionava por muito tempo. Era difícil dizer que ela havia feito alguma coisa errada quando era necessário corrigi-la. Era difícil ser direta na comunicação, e eu me via tendo de me esforçar tanto para mantê-la confiante que isso se tornou um fardo insuportável para mim. O medo que ela sentia estava roubando a minha capacidade de ser eu mesma, e finalmente nosso relacionamento profissional simplesmente não funcionou mais, e ela precisou seguir o seu caminho e fazer outra coisa.

O mais triste é que ela era uma pessoa linda, gentil e cuidadosa que queria fazer o melhor e ansiava por aceitação, mas os seus medos roubavam exatamente aquilo que ela tanto desejava.

Fico triste quando as pessoas têm medo daqueles que exercem autoridade sobre elas, mas infelizmente isso acontece com frequência. Muitas pessoas foram maltratadas por uma figura de autoridade enquanto cresciam, e por isso tendem a transferir esse medo para outras pessoas que absolutamente não tiveram nada a ver com o problema inicial. Sempre consigo discernir quando alguém se sente confortável comigo ou se sente desconfortável e nervoso. Eu me inclino para aquelas pessoas que são confiantes, porque sei que elas não apenas serão capazes de realizar o trabalho, como também poderei desfrutar o meu relacionamento com elas.

É importante entender que os nossos medos não apenas nos afetam, como também podem afetar as pessoas que nos cercam. Nada é mais desconfortável para mim do que ter de pisar em ovos com uma pessoa porque ela tem medos que a tornam sensível, temerosa e tensa. Sinto muito por essas pessoas e oro por elas, mas, no final das contas, o medo não pode ser vencido a não ser que o reconheçamos e o confrontemos, não permitindo que ele nos controle.

Talvez você seja como eu era — tem medo que as outras pessoas não o aprovem, ou tem medo de uma figura de autoridade em sua vida. Quer você lute com esse medo ou com outros medos, o caminho para a liberdade é o mesmo: Estude a Palavra de Deus, aplique-a a sua vida, ore e renove a sua mente.

## Pense Nisto

Você tem uma necessidade de aprovação desequilibrada? Existe alguém que você esteja permitindo que o controle por medo?

_____

_____

## Deus Está com Você

A verdade na qual precisamos crer para vencer o medo é que Deus está conosco. Isso faz toda a diferença na vida e é a chave para sermos capazes de obedecer ao que Deus nos diz para fazer tantas vezes ao longo da Bíblia: "Não temas". Se não confiarmos que Ele está conosco, temeremos. Davi só pôde enfrentar Golias porque sabia que Deus estava com ele. Ele não confiou na sua própria capacidade, mas confiou em Deus. Talvez não saibamos sempre exatamente o que Deus vai fazer, mas podemos relaxar sabendo que Ele fará o que precisa ser feito no tempo certo. Podemos sentir medo facilmente se pensarmos no futuro e em todas as coisas que nos são desconhecidas. Podemos olhar para isso de duas maneiras: podemos ser negativos e temerosos, ou podemos ficar entusiasmados por sermos parte do mistério de Deus, sabendo que

PARTE II – Pensamentos Poderosos

Ele sabe exatamente o que vai acontecer e está bem ali conosco, nos ajudando e nos direcionando.

Talvez não saibamos o que fazer em uma situação de tensão, mas Deus sabe. Ele nunca se surpreende com nada. Ele sabe tudo antes que aconteça e já planejou nossa libertação, de modo que tudo que precisamos fazer é continuar seguindo em frente. Precisamos simplesmente dar um passo de cada vez e não nos preocuparmos com o passo seguinte, porque Deus estará lá para nos guiar no próximo passo quando o tempo chegar.

Deus disse que Ele está conosco em todo o tempo. Essa é uma verdade poderosa que pode absolutamente demolir o medo em nossa vida. Não precisamos vê-lo ou senti-lo para crer nisso. A fé é uma questão do coração, e não dos sentidos naturais. Deus está com você! Creia nisso e comece a viver corajosamente. Renove a sua mente para a verdade de que Deus está sempre com você pensando nisso e confessando essa verdade. Quanto mais ciente você estiver da Sua Presença, mais confiante será.

Diga: "Não temerei. Não vou ter medo dos homens porque Deus está comigo". Creio que, ao iniciar a próxima semana meditando nesse pensamento poderoso, você começará a se sentir mais confiante do que nunca. Você só tem uma vida para viver, portanto, viva-a com ousadia e nunca permita que o medo roube o melhor de Deus para você!

## Palavras de Poder

"Pois vocês não receberam um espírito que os escravize para novamente temer, mas receberam o Espírito que os adota como filhos, por meio do qual clamamos: 'Aba, Pai!'".
*Romanos 8:15*

"Que diremos, pois, diante dessas coisas? Se Deus é por nós, quem será contra nós?"
*Romanos 8:31*

"O Senhor está comigo, não temerei. O que me podem fazer os homens?"
*Salmo 118:6*

"Pois Deus não nos deu espírito de covardia, mas de poder, de amor e de equilíbrio".
*2 Timóteo 1:7*

PENSAMENTO PODEROSO N.º 4

# Sou uma pessoa que não se ofende facilmente.

*"Os que amam a tua lei desfrutam paz, e nada há que os faça tropeçar."*

SALMO 119:165

As pessoas que querem viver vidas poderosas devem se tornar especialistas em perdoar aqueles que as ofendem e magoam. Quando alguém fere os meus sentimentos ou é rude e insensível comigo, acho útil dizer rapidamente: "Não vou me ofender". Preciso dizer essas palavras silenciosamente em meu coração se a pessoa ainda estiver na minha presença, mas depois, quando a lembrança do que ela fez voltar para me assombrar, repito-as em voz alta. Quando digo: "Não vou me ofender", sempre oro para que Deus me ajude, entendendo que não posso fazer nada sem Ele. Então, mais uma vez, "Eu oro e depois falo!".

Meu marido Dave sempre foi uma pessoa que não se ofende facilmente. Quando ele está com pessoas que poderiam magoá-lo ou em situações onde poderia ser ofendido, ele diz: "Não vou permitir que essas pessoas negativas controlem o meu humor. Elas têm problemas e não vão passar os seus problemas para mim".

Por outro lado, eu passei muitos anos tendo meus sentimentos feridos regularmente e vivendo com a agonia da ofensa, mas não estou disposta a viver mais assim. Estou ocupada em conquistar uma nova mentalidade. Você está disposto a se juntar a mim para se tornar uma pessoa que não se ofende facilmente? Se estiver, você abrirá a porta para ter mais paz e alegria do que jamais conheceu antes.

Desenvolver a mentalidade de alguém que não se ofende facilmente tornará a sua vida muito mais agradável. As pessoas estão por toda parte e você nunca sabe o que elas poderão dizer ou fazer. Por que entregar o controle do seu dia a outras pessoas? Ficar magoado e ofendido não muda as pessoas, apenas a nós mesmos. Isso só nos deixa infelizes e rouba a nossa paz e alegria, portanto, por que não nos prepararmos mentalmente para não cairmos na armadilha de Satanás?

## Você Vai Morder a Isca?

Não há dúvida quanto a isto: enquanto estivermos no mundo e cercados de pessoas, teremos oportunidades de nos ofendermos. A tentação de ficarmos magoados, zangados ou ofendidos vem com tanta certeza quanto qualquer outra tentação, mas Jesus disse que devemos orar para não cedermos a ela (ver Mateus 26:41). Orar para que a tentação não venha não adianta, mas podemos optar por aceitá-la ou deixá-la. O mesmo acontece com a ofensa. O escritor e conferencista John Bevere chama a ofensa de "A Isca de Satanás", e concordo plenamente com ele. Na sua introdução ao livro que tem esse nome, ele escreve:

> Um dos tipos de isca [de Satanás] mais enganosos e traiçoeiros é algo que todo cristão já teve de enfrentar — a ofensa. Na verdade, a ofensa em si não é mortal — caso ela permaneça na armadilha. Mas se a pegarmos e a consumirmos, e permitirmos que ela alimente nosso coração, então nos escandalizaremos e ficaremos ofendidos. Pessoas ofendidas geralmente produzem muitos frutos, como a dor, a ira, o escândalo, os ciúmes, o ressentimento, as disputas, a amargura, o ódio e a inveja. Quando damos importância a uma ofensa, algumas das consequências são os insultos, os ataques, as feridas, a divisão, a separação, os relacionamentos quebrados, a traição, e o retorno ao pecado.[1]

PARTE II – Pensamentos Poderosos

Como você pode ver, permitir-se ficar ofendido é muito sério e tem consequências devastadoras. Satanás não irá parar de tentar fazer com que fiquemos ofendidos, mas somos nós que escolhemos se vamos ou não morder a isca.

Um dos sinais dos últimos dias antes da volta de Jesus é que o escândalo (a ofensa) irá aumentar.

> Nesse tempo muitos se ofenderão, e serão repelidos e começarão a desconfiar e a abandonar [Aquele em quem deveriam confiar e obedecer] e tropeçarão e apostatarão e trairão uns aos outros e perseguirão uns aos outros com ódio.
>
> — Mateus 24:10

A grosseria, a irritabilidade e as pessoas que guardam rancor parecem ser muito comuns hoje em dia. As pessoas não percebem que estão brincando nas mãos do diabo quando permitem que essas emoções negativas e venenosas as governem. Vamos pensar em Rebeca, uma jovem cristã que está progredindo e crescendo em Cristo quando de repente alguma coisa acontece em sua igreja que a ofende. Rebeca tinha esperanças de ser escolhida para cantar no coral, mas, por algum motivo, ela foi preterida. Satanás tira vantagem da situação e enche a sua mente com todo tipo de pensamentos que nem sequer são verdadeiros. A jovem começa a se concentrar no que ela imagina ser um ataque, em vez de simplesmente confiar em Deus. A ofensa se torna uma pedra de tropeço para ela, e, como o versículo citado anteriormente diz, ela começa a abandonar o que deveria ser importante para ela, que é crescer no seu relacionamento com Deus. Infelizmente, esse cenário se repete sucessivamente no mundo de hoje. Às vezes acho que temos mais pessoas no mundo que estão zangadas e ofendidas do que pessoas que não estão.

Satanás está pescando o tempo todo, tentando pegar alguém na sua armadilha; não morda a isca! Comece a meditar nessas palavras e a dizer: "Sou uma pessoa que não se ofende facilmente".

## Pense Nisto

Por que a "isca de Satanás" é um bom termo para a ofensa? Que tipos de "isca" Satanás gosta de usar para atrair você?

---

## Deixe Deus Fazer Isso

Um dos motivos pelos quais achamos difícil perdoar as pessoas quando somos ofendidos é porque já dissemos a nós mesmos milhares de vezes que perdoar é difícil. Nós nos convencemos e condicionamos nossa mente a fracassar em um dos mandamentos mais importantes de Deus, que é o de perdoarmos e orarmos pelos nossos inimigos e por aqueles que nos ferem e abusam de nós (ver Lucas 6:35,36). Meditamos demais no que a pessoa ofensora fez conosco, e não percebemos o que estamos fazendo com nós mesmos ao mordermos a isca de Satanás. Continue lembrando que ficar ofendido não irá mudar a pessoa, somente irá mudar você! Irá deixá-lo amargo, retraído e geralmente vingativo. Manterá o seu pensamento em algo que não dará bons frutos em sua vida.

Embora orar pelos nossos inimigos e abençoar aqueles que nos amaldiçoam possa parecer extremamente difícil ou quase impossível, podemos fazer isso se condicionarmos a nossa mente para fazê-lo. Ter a mentalidade adequada é crucial se quisermos obedecer a Deus. Ele nunca nos diz para fazer alguma coisa que não seja boa para nós, nem alguma coisa que não podemos fazer. Ele está sempre disponível para nos dar a força que precisamos para obedecer (ver Filipenses 4:13). Nem sequer precisamos pensar no quanto é difícil, precisamos apenas fazê-lo!

Deus é justo! A justiça é um dos Seus traços de caráter mais admiráveis. Ele faz justiça quando esperamos e confiamos nele para ser o nosso vingador nas situações em que fomos magoados ou ofendidos. Ele pede simplesmente para orarmos e perdoarmos — e Ele faz o resto. Deus faz com que até a nossa dor coopere para o nosso bem (ver Romanos 8:28). Ele nos justifica, nos vinga e nos recompensa. Ele nos recom-

PARTE II – Pensamentos Poderosos

pensa pela nossa dor se seguirmos os Seus mandamentos de perdoar os nossos inimigos, e afirma que receberemos "porção dupla pela nossa vergonha" (ver Isaías 61:7).

À medida que renovamos a nossa mente com pensamentos do tipo: *Sou uma pessoa que dificilmente se ofende*, ou *Perdoo liberalmente e rapidamente*, descobriremos que perdoar e liberar as ofensas é mais fácil do que imaginamos. Isso é verdadeiro porque "Para onde a mente vai, o homem segue". À medida que concordamos mentalmente e verbalmente com Deus obedecendo à Sua Palavra, nós nos tornamos uma equipe imbatível.

A Bíblia nos ensina sobre o poder da concordância. Deuteronômio 32:30 afirma que uma pessoa pode colocar mil inimigos em fuga, mas duas pessoas podem fazer fugir dez mil. Em Mateus 18:19, Jesus diz: "Também lhes digo que se dois de vocês concordarem na terra em qualquer assunto sobre o qual pedirem, isso lhes será feito por meu Pai que está nos céus". Se as pessoas na Terra podem ter esse tipo de resultados poderosos simplesmente por estarem de acordo, imagine o que acontecerá quando chegarmos a um acordo com Deus!

Realmente creio que perdoar aqueles que nos magoaram e ofenderam é uma das coisas mais espiritualmente poderosas que podemos fazer. A Bíblia diz que "vencemos (dominamos) o mal com o bem" (Romanos 12:21). A melhor maneira de derrotar o diabo é fazer o que é certo. Não consigo imaginar como ele fica frustrado quando oramos por aqueles que nos magoaram em vez de odiá-los. Quando penso sobre isso, chego a ter vontade de rir bem alto.

## Pense Nisto

Em que áreas você costuma morder a isca de Satanás e cair na armadilha dele ficando ofendido? Qual é o novo pensamento poderoso que o preparará antecipadamente para a vitória?

# Creia no Melhor

Acreditar no melhor das pessoas é muito útil no processo de perdoar aqueles que nos magoam ou ofendem. Como seres humanos, tendemos a desconfiar dos outros e costumamos nos magoar devido à nossa própria imaginação. É possível acreditar que alguém magoou você de propósito quando a verdade é que essa pessoa não estava sequer ciente de que ter feito alguma coisa e ficaria triste em saber que o magoou. Deus nos chama para amar as pessoas, e o amor sempre acredita no melhor. 1 Coríntios 13:7 deixa isso claro: "O amor suporta qualquer coisa e tudo o que vier, *está sempre pronto a acreditar no melhor de cada pessoa*, as suas esperanças não se esgotam sob nenhuma circunstância, e ele tolera tudo [sem enfraquecer]" (AMP, ênfase da autora).

De muitas maneiras, Dave e eu somos extremamente diferentes, mas raramente discutimos ou ficamos zangados um com o outro. Antes não vivíamos assim, mas aprendemos a discordar de forma agradável. Respeitamos o direito um do outro de ter uma opinião, mesmo se as nossas opiniões diferirem.

Lembro-me que, durante os primeiros anos do nosso casamento, eu me concentrava em tudo que considerava negativo a respeito de Dave e ignorava as suas características positivas. Meus pensamentos eram mais ou menos assim: *Simplesmente não concordamos em nada. Dave é tão teimoso, e ele tem de estar certo o tempo todo. Ele é insensível, e simplesmente não se importa com os meus sentimentos. Ele nunca pensa em ninguém a não ser em si mesmo.* Na verdade, nenhum desses pensamentos era verdadeiro! Eles só existiam na minha mente; e a minha maneira errada de pensar gerou muita ofensa e discórdia que poderia ter sido facilmente evitada se a minha mentalidade fosse mais positiva. Eu me convenci a me sentir ofendida acreditando em mentiras — exatamente o que o inimigo queria que eu fizesse.

Com o tempo, à medida que cresci no meu relacionamento com Deus, aprendi sobre o poder de acreditar no melhor das pessoas e de meditar nas coisas boas. À medida que isso aconteceu, meus pensamentos passaram a ser assim: *Dave geralmente é uma pessoal de fácil convivência; ele tem as suas áreas de teimosia, mas eu também tenho. Dave me ama e jamais feriria meus sentimentos de propósito. Ele é muito protetor comigo e sempre quer garantir que minhas necessidades sejam atendidas.* A princípio, tive de pensar essas coisas de propósito, porque eu tinha o hábito de sempre escolher o lado negativo, mas agora me sinto desconfortável quando tenho pensamentos negativos e os pensamentos positivos vêm mais naturalmente porque me disciplinei para pensar neles.

Ainda há vezes em que as pessoas ferem os meus sentimentos, mas então lembro que posso escolher se vou ficar magoada ou se vou "superar o fato". Posso acreditar no melhor ou posso acreditar no pior, então, por que não acreditar no melhor e desfrutar o meu dia? Cresci em uma casa cheia de confusão e raiva, e recuso-me a viver assim agora. Ajudo a criar uma boa atmosfera ao meu redor tendo bons pensamentos sobre os outros e escolhendo não ficar facilmente ofendida ou irada.

Eu o encorajo a acreditar no melhor a respeito dos outros. Resista à tentação de questionar os motivos deles ou de pensar que eles o magoaram intencionalmente. Acreditar no melhor das pessoas manterá a ofensa e a amargura fora de sua vida e o ajudará a permanecer alegre e em paz. Portanto, faça sempre o seu melhor para acreditar no melhor.

## Pense Nisto

Quem é a pessoa a respeito de quem você precisa começar a acreditar no melhor?

## Cansado e Suscetível

Temos a propensão de ficarmos mais ofendidos ou magoados em alguns momentos do que em outros. Anos de experiência me ensinaram que, quando estou excessivamente cansada, fico mais suscetível a ter meus sentimentos feridos do que quando estou descansada. Aprendi a

# Pensamento Poderoso N.º 4

evitar conversas que poderiam ser tensas quando sei que estou cansada. Também aprendi a esperar para tratar de assuntos que podem ser tensos para Dave quando ele está cansado. Os momentos em que estamos cansados são os piores momentos para confrontar algo que eu acho que ele está fazendo errado ou para mencionar algo que eu gostaria que ele mudasse. Sei que vou acabar ficando magoada ou zangada se ele não reagir do jeito que quero, então não me coloco nessa posição.

Encorajo os maridos e as esposas a aprenderem a se identificar um com o outro de uma maneira que minimize o potencial para a ofensa, assim como Dave e eu aprendemos a fazer. Uma mulher não deve cumprimentar seu marido quando ele volta do trabalho com todas as más notícias de que consegue se lembrar, como: "As crianças foram terríveis o dia inteiro e você precisa corrigi-las", e "As contas de luz e gás estão mais altas do que nunca", e "Você precisa sair desse time de futebol porque estou cansada de ficar assistindo você se divertir enquanto eu faço todo o trabalho".

Do mesmo modo, quando uma das crianças manteve a mãe acordada a noite inteira com uma doença, as outras se comportaram mal o dia inteiro, a casa parece que foi atingida por um ciclone, e o jantar queimou a ponto de ficar irreconhecível — essa não é a hora para o marido anunciar: "Vou pescar com os amigos este fim de semana". Sob as circunstâncias que mencionei, tudo que a esposa quer é encorajamento, um pouco de ajuda com a casa e alguém para ajudar com as crianças, e não a notícia de que ela terá de lidar com tudo sozinha durante todo o fim de semana. Talvez este casal precise realmente falar sobre os filhos, as contas a pagar, o time de futebol e a pescaria, mas precisam fazer isso em um bom momento, e não quando estão frustrados, sugados ou exaustos.

Também descobri que posso me ofender mais facilmente do que o normal quando trabalhei durante muito tempo sem uma interrupção. Posso não estar cansada fisicamente, mas estar fatigada mentalmente, e preciso de um pouco de criatividade ou diversidade. Aprender a entender esses detalhes sobre mim ajudou-me a evitar a ofensa. Posso dizer a mim mesma: "Estou cansada e por isso estou suscetível, então preciso me livrar disso e não ficar irritada com algo que normalmente não me irritaria".

PARTE II – Pensamentos Poderosos

Falar consigo mesmo é bom! Quando começo a ter uma atitude negativa, costumo dizer que preciso ter uma reunião comigo mesma. Principalmente quando somos tentados a pecar (e ficar ofendido é pecado), talvez seja necessário dar lembretes verbais ou instruções a nós mesmos, do tipo: "Sei que estou cansada e frustrada, mas não vou pecar. Não vou abrir a porta para o inimigo em minha vida ficando ofendido. Vou obedecer a Deus e perdoar esta pessoa, e não abrigar a mágoa e a ofensa em meu coração".

Faça tantas reuniões consigo mesmo quantas forem necessárias com o fim de identificar os momentos em que você tem maior probabilidade de se ofender com facilidade. Como mencionei, sou mais sensível às ofensas quando estou cansada ou estressada, e acredito que a maioria de nós é assim. Conheça a si mesmo dessa forma. Esteja ciente quando as circunstâncias que o deixam suscetível se levantarem, e seja diligente em recusar a se ofender.

## "Aqueles" Dias do Mês

Muitas discussões em família acontecem durante o ciclo menstrual da mulher. Os homens costumam dizer: "Ela está naqueles dias de novo", e dizem isso com pavor no tom de voz. Tenho duas filhas e ambas aprenderam que ficam mais sensíveis que o normal nesse período do mês, e tentam ter isso em mente quando situações que normalmente não as incomodariam em nada começam a deixá-las frustradas. Elas entendem que estão mais inclinadas e ter pensamentos negativos e que têm uma tendência maior de se sentirem sobrecarregadas. Lembrar a si mesmas desse fato as ajuda a não permitir que suas emoções assumam o controle.

A maioria das mulheres tem dias de mau humor antes mesmo de começar o ciclo menstrual, e por esse motivo, geralmente não ligam uma coisa à outra. Elas pensam: "Minha vida está me deixando louca", e não percebem que a vida é a mesma de sempre, são elas que estão diferentes. Incentivo as mulheres que ainda não passaram pela idade da menopausa a marcarem esse período nos seus calendários todo mês e orarem antecipadamente para que não se ofendam facilmente devido a mudanças hormonais no seu corpo. Incentivo os homens a marcarem nos seus calendários também e a usarem de sabedoria. Esse é um período excelente do mês para enviar flores para sua esposa ou para lhe dar um incentivo extra, e não é um bom momento para corrigi-la ou ficar mal-humorado com ela.

Se possível, as mulheres devem descansar mais nesse período do mês, e devem absolutamente evitar tentar resolver uma crise. Até o mundo deu a esse acontecimento mensal um nome. Ele se chama TPM, que significa tensão pré-menstrual. Seja lá como decidamos chamá-lo, a verdade é que é um período do mês em que algumas mulheres precisam ser cautelosas para não se ofenderem, mas simplesmente entender que elas estão emocionalmente sensíveis e precisam tomar mais cuidado com a maneira como se comportam.

As mulheres podem experimentar diversos graus de instabilidade durante o período da menopausa, de modo que esse também é um período para se usar de cautela e sabedoria. Tente ser paciente porque finalmente esse período da vida vai passar e as coisas voltarão ao normal.

## Pense Nisto

O que aumenta sua tendência a se ofender? Estar cansado, sentir-se estressado com o trabalho, a pressão financeira, as dificuldades de relacionamento, ou outra coisa?

---

---

## A Vida é Preciosa — Não Desperdice o Seu Tempo!

Aprendi que cada dia que passo zangada e ofendida é um dia perdido. A vida é curta demais e preciosa demais para ser desperdiçada com essas coisas. Quanto mais velhos ficamos, mais costumamos perceber isso. Po-

PARTE II – Pensamentos Poderosos

rém, fico triste em dizer que algumas pessoas nunca aprendem. A sociedade em que vivemos hoje está cheia de pessoas iradas, que se ofendem com facilidade, que estão estressadas e cansadas na maior parte do tempo. Jesus nos diz que nós não somos "deste" mundo (ver João 8:23); realmente vivemos no mundo, mas não somos *do* mundo no que diz respeito a nos comportarmos como a sociedade se comporta e a reagirmos às situações como ela reage. Jesus nos ensina uma maneira melhor de viver. Sempre gosto de dizer que o Cristianismo começa quando aceitamos Jesus como nosso Salvador e depois continua com um estilo de vida baseado nos Seus ensinamentos. Jesus disse aos Seus discípulos que embora a lei dissesse "olho por olho", o que significava que seja o que for que alguém lhe fez, você deve fazer o mesmo a ele, agora Ele estava dizendo para perdoarmos os nossos inimigos, para amarmos e orarmos por aqueles que nos usaram e abusaram de nós. As pessoas que o ouviram ficaram surpresas, pois nunca haviam ouvido nada parecido.

Ele lhes ensinou muitas outras coisas que seriam uma maneira totalmente nova de viver, mas que geraria uma qualidade de vida que eles não haviam conhecido anteriormente.

Podemos optar por viver de acordo com a Palavra de Deus em vez de viver do jeito do mundo ou ceder aos pensamentos ou emoções carnais. A Bíblia nos diz para andarmos no Espírito (ver Gálatas 5:25) e para fazer isso precisamos administrar nossas emoções em vez de permitir que elas nos controlem. Precisamos assumir a responsabilidade pelas nossas reações aos acontecimentos diários, principalmente as pequenas ofensas que nos tentam a ficarmos irados.

Tomar a decisão de não se ofender nem sempre muda a maneira como nos sentimos sobre a forma como fomos tratados. Um dos nossos maiores problemas é que geralmente permitimos que os nossos sentimentos dirijam as nossas escolhas, e assim nunca conseguimos tomar as decisões que precisamos tomar. Precisamos entender que os nossos sentimentos acompanharão as nossas decisões, portanto precisamos ser responsáveis e tomar as decisões certas, deixando que os sentimentos as sigam. Firmar-se no pensamento *sou uma pessoa que não se ofende facil-*

*mente* pode prepará-lo antecipadamente para qualquer ofensa que você possa enfrentar. Agir assim o deixará propenso a perdoar e a liberar o ofensor, mantendo-o fora do laço da falta de perdão.

Uma pessoa sábia recusa-se a viver com os sentimentos feridos ou com a ofensa em seu coração! A vida é curta demais para desperdiçar um dia ficando zangado, amargurado e ressentido. As boas-novas do Evangelho de Jesus Cristo são que os nossos pecados foram perdoados e acredito que recebemos a capacidade para perdoar aqueles que pecam contra nós. Qualquer coisa que Deus tenha nos dado, como o perdão e a misericórdia, Ele espera que estendamos a outros. Se algo vem *até* nós, deve fluir *através de nós* — e esse deve ser o nosso objetivo. Quando somos ofendidos, precisamos trazer depressa à nossa mente o fato de que Deus nos perdoou liberal e completamente, e assim nós também devemos perdoar as pessoas liberal e completamente.

## Pense Nisto

Existe alguma ofensa à qual você tem se agarrado? Se existe, anote-a em um pedaço de papel. Depois, rasgue-o em pedaços pequenos e jogue-o fora.

---

## Não Tome o Veneno

Muitas pessoas arruínam sua saúde e sua vida reagindo a ofensas, bebendo o veneno da amargura, do ressentimento e da falta de perdão. Em Mateus 18:23-35, Jesus conta uma história sobre um homem que recusou-se a perdoar outro homem. No fim, Ele prova com clareza e firmeza o ponto de vista de que aqueles que não perdoam os outros são "entregues aos atormentadores" (ver Mateus 18:34, ARCF). Se você tem ou já teve problemas para perdoar as pessoas, estou certa de que

PARTE II – Pensamentos Poderosos

pode confirmar essa verdade. Abrigar pensamentos de ódio e amargura contra outra pessoa em sua mente é realmente um tormento.

Talvez você já tenha ouvido o ditado: "Recusar-se a perdoar é como tomar veneno esperando que a outra pessoa morra". Não estamos ferindo aquele que nos magoou ficando irados com ele. A verdade é que, na maioria das vezes, as pessoas que nos ofendem nem sequer sabem como nos sentimos. Elas seguem em frente com suas vidas enquanto bebemos o veneno da amargura. Quando você perdoa aqueles que o ofendem, na verdade está ajudando a si mesmo mais do que a eles, por isso eu digo: "Faça um favor a si mesmo e perdoe!".

Pensamos: *Mas é tão injusto eu perdoá-las e elas ficarem sem nenhuma punição pelo que fizeram. Por que eu devo ficar com a dor enquanto elas ficam livres?*

A verdade é que, perdoando, estamos liberando essas pessoas para que Deus possa fazer o que só Ele pode fazer. Se eu ficar no caminho, tentando me vingar ou cuidar da situação por mim mesma em vez de confiar em Deus e obedecer a Ele, Deus pode recuar e permitir que eu tente cuidar do assunto na minha própria força. Mas, se eu permitir que Ele trate com aqueles que me ofendem perdoando-os, Ele pode fazer com que as coisas cooperem para o bem de ambas as partes. O livro de Hebreus nos diz que Deus julga as causas do Seu povo. Quando perdoamos, colocamos Deus na causa (ver Hebreus 10:30).

## Pense Nisto

Como o perdão ajuda você?

## Perdoe... Para o SEU Próprio Bem!

A passagem bíblica de Marcos 11:22-26 nos ensina claramente que a falta de perdão impede a nossa fé de operar, então podemos concluir que o oposto também é verdade: que o perdão permite que a fé trabalhe em nosso favor. O Pai não pode perdoar os *nossos* pecados se não perdoarmos as pessoas (ver Mateus 6:14,15). Essa é uma ilustração da lei bíblica que afirma que colhemos o que plantamos (ver Gálatas 6:7). Semeie misericórdia, e colha misericórdia. Semeie julgamento, e colha julgamento. Semeie perdão aos outros, e colha o perdão de Deus.

Há ainda mais benefícios em se perdoar. Por exemplo, sou mais feliz e me sinto melhor fisicamente quando não estou cheia do veneno da falta de perdão. Doenças graves podem se desenvolver em resultado do estresse e da pressão que resultam da amargura, do ressentimento e da falta de perdão. A nossa comunhão com Deus flui livremente quando estamos dispostos a perdoar, mas a falta de perdão serve como um grande bloqueio à comunhão com Deus. Também acredito que é difícil amar as pessoas enquanto estamos odiando ou abrigando raiva com relação a outras. Quando temos amargura em nosso coração, ela transborda para nossas atitudes e relacionamentos. É bom lembrar que até as pessoas a quem queremos amar podem sofrer quando abrigamos sentimentos de amargura, ressentimento e falta de perdão. Por exemplo, eu era muito irada e amarga com meu pai por ter cometido abuso contra mim, e acabava maltratando meu marido, que não tinha nada a ver com a dor que eu havia sofrido. Achava que alguém tinha de pagar pela injustiça que eu havia sofrido, mas estava tentando receber isso de alguém que não podia pagar e não tinha qualquer responsabilidade quanto a isso. Deus promete nos recompensar pelos nossos problemas passados se entregarmos a situação a Ele, e se não o fizermos, então permitimos que Satanás perpetue a nossa dor e a leve de um relacionamento a outro. Perdoar nossos inimigos nos liberta para seguirmos em frente com a vida. Finalmente, o perdão impede que Satanás tenha vantagem sobre nós (ver 2 Coríntios 2:10,11). Efésios 4:26,27 nos diz que não devemos deixar o sol se pôr sobre a nossa ira ou dar ao diabo alguma brecha ou oportunidade. Lembre-se de que o diabo precisa encontrar uma *brecha* antes que ele possa construir uma *fortaleza*. Não ajude Satanás a torturar você. Seja rápido em perdoar quando você for ofendido.

## Pense Nisto

Relacione três benefícios que você recebe ao perdoar.

_____

_____

## Um Fator Chave para os Momentos de Desespero

Algumas pessoas dizem sem parar: "Sou muito sensível e meus sentimentos se ferem com facilidade. Sou assim e não posso impedir". Isso é o que elas acreditam acerca de si mesmas, e essa convicção controla suas palavras e atitudes, o que é muito triste, porque é algo atroz! Também é uma desculpa para continuar com o comportamento errado.

Preciso enfatizar o quanto é importante se tornar uma pessoa que não se ofende com facilidade. Satanás tenta desesperadamente nos impedir de progredir espiritualmente. Se ele puder nos manter focados nas pessoas com quem estamos irados e no que elas fizeram para nos ofender, então não poderemos nos concentrar na Palavra de Deus e no Seu plano para nós, e não cresceremos espiritualmente. Mais uma vez, deixe-me lembrar a você que Satanás está pescando, esperando pegar alguém na sua armadilha: não morda a isca!

A maioria de nós sente que está vivendo em tempos de desespero em meio a pessoas desesperadas, e devemos tomar mais cuidado do que nunca para não permitir que nossas emoções desempenhem o papel principal em nossa vida. Em vez de sermos rápidos em nos irar ou ficarmos ofendidos com facilidade, precisamos seguir o conselho da Bíblia e sermos prudentes como as serpentes e simples como as pombas (ver Mateus 10:16). Em outras palavras, devemos ser espiritualmente maduros, pacientes, bondosos e mansos com os outros e sábios o bastante para não permitir que eles nos ofendam. Não podemos controlar o que as pessoas nos fazem, mas por meio de Deus podemos controlar a maneira como reagimos a elas. O mundo parece estar ficando cada vez mais escuro; para onde quer que olhemos, ouvimos e lemos sobre pessoas cuja ira as levou a fazer coisas drásticas e até trágicas. Queremos representar Deus e expressar o Seu amor nestes dias difíceis, e para fazer isso, precisamos proteger o nosso coração diligentemente contra a ofensa e a ira. Construir uma nova mentalidade que não permite que você se ofenda com facilidade será muito útil para você e para todos aqueles a quem você ama.

Também é muito importante ensinar esse princípio aos nossos filhos. Um dos motivos pelos quais foi tão difícil para mim perdoar foi porque eu nunca vi esse exemplo. Todas as pessoas com as quais cresci ficavam iradas na maior parte do tempo, e se alguém fizesse alguma coisa que as magoasse ou decepcionasse, sua reação natural era isolar aquela pessoa raivosamente e deixá-la fora de sua vida para sempre. O que fazemos na frente dos nossos filhos os afeta ainda mais do que aquilo que dizemos, portanto, lembre de dar um bom exemplo para eles. Aproveite cada oportunidade de ensinar-lhes a importância do perdão imediato e completo. Se você os treinar cedo a não se ofenderem facilmente, poderá poupar-lhes anos de dor e frustração.

## Pense Nisto

Responda com suas próprias palavras: por que é importante se tornar uma pessoa que não se ofende facilmente?

---

## Palavras de Poder

"Os que amam a tua lei desfrutam paz, e nada há que os faça tropeçar".
*Salmo 119:165*

PARTE II – Pensamentos Poderosos

"Pois se perdoarem as ofensas uns dos outros, o Pai celestial também lhes perdoará. Mas se não perdoarem uns aos outros, o Pai celestial não lhes perdoará as ofensas".

*Mateus 6:14,15*

"O amor suporta qualquer coisa e tudo o que vier, está sempre pronto a acreditar no melhor de cada pessoa, suas esperanças são inabaláveis sob qualquer circunstância, e ele tolera todas as coisas [sem enfraquecer]".

*1 Coríntios 13:7, AMP*

# PENSAMENTO PODEROSO N.º 5

## Amo as pessoas e tenho prazer em ajudá-las.

*"Um novo mandamento lhes dou: Amem-se uns aos outros.*
*Como eu os amei, vocês devem amar-se uns aos outros."*

João 13:34

O filósofo romano Sêneca fez uma declaração que todos nós precisamos lembrar: "Onde quer que haja um ser humano, há uma oportunidade para a bondade". Eu acrescentaria: "Onde quer que haja um ser humano, há uma oportunidade de se expressar amor". Todo mundo na Terra precisa de amor e bondade. Mesmo quando não temos nada a oferecer aos outros em termos de dinheiro ou bens, podemos lhes dar amor e lhes demonstrar bondade.

Se eu pudesse pregar apenas uma mensagem, provavelmente seria esta: Tire a sua mente de si mesmo e passe a sua vida tentando ver o quanto você pode fazer pelos outros. Do começo ao fim, das mais diferentes maneiras, a Palavra de Deus nos encoraja e nos desafia a amar as outras pessoas. Amar os outros é o "novo mandamento" que Jesus nos deu em João 13:34, e é o exemplo que Ele nos deu ao longo de Sua vida e ministério na Terra. Se quisermos ser como Jesus, precisamos amar as pessoas com o mesmo tipo de amor gracioso, perdoador, generoso e incondicional que Ele nos dá.

Nada mudou a minha vida mais drasticamente do que aprender a amar as pessoas e a tratá-las bem. Se você adotar apenas um pensamento poderoso deste livro em sua vida, eu o incentivo a escolher este: "Amo as pessoas e tenho prazer em ajudá-las".

## Pense Nisto

O que você está fazendo para ajudar outras pessoas?

---

## Mais que um Sentimento

Algumas pessoas pensam que o amor é um sentimento maravilhoso — uma sensação de entusiasmo ou de emoções efusivas que fazem com que nos sintamos aquecidos ou aconchegados. Embora o amor certamente envolva sentimentos maravilhosos e emoções poderosas, é muito mais do que isso. O verdadeiro amor pouco tem a ver com emoções piegas e arrepios; e tem tudo a ver com as escolhas que fazemos sobre a maneira como tratamos as pessoas. O verdadeiro amor não é teoria ou retórica; é ação. É uma decisão com relação à maneira como nos comportamos no nosso relacionamento com as outras pessoas. O verdadeiro amor supre necessidades mesmo quando é necessário sacrifício para se fazer isso. A Bíblia deixa isso claro em 1 João 3:18: "Filhinhos, não amemos de palavra nem de boca, mas em ação e em verdade". Está claro que o amor nos leva a tomar uma atitude — e não apenas teorizarmos ou falarmos sobre ele.

Fico impressionada quando penso na frequência com que sabemos a coisa certa a ser feita, mas nunca encontramos tempo para fazê-la. O apóstolo Tiago disse que se ouvimos a Palavra de Deus e não a praticamos, estamos enganando a nós mesmos com um modo de pensar que não está de acordo com a verdade (ver Tiago 1:21,22). Em outras palavras, sabemos o que é certo, mas damos desculpas a nós mesmos. Encontramos uma razão para nos isentarmos de fazer o que diríamos aos outros que eles deveriam fazer. Se realmente quisermos andar em amor, *faremos* o que é certo.

Durante um bom tempo, tenho desafiado pessoas em todo o mundo com o desafio que quero apresentar a você hoje:Você assumiria o compromisso diante de Deus e sinceramente no seu coração de fazer pelo menos uma coisa por alguém todos os dias? Pode parecer simples, mas para fazer isso, você terá de pensar nisso e optar por fazê-lo deliberadamente. Talvez seja preciso deixar de lado o seu grupo de amigos habitual e fazer coisas por pessoas às quais normalmente você não estenderia a mão, ou até por estranhos. Mas tudo bem, porque existem muitas pessoas no mundo que nunca, nunca tiveram ninguém que fizesse algo de bom por elas e que estão desesperadas por receber algumas palavras ou gestos de amor.

Permita que o amor seja o tema principal de sua vida e você terá uma vida que vale a pena viver. A Bíblia diz que sabemos que passamos da morte para a vida porque amamos nossos irmãos (ver 1 João 3:14). Lembre:"Para onde a mente vai, o homem segue". Se você deseja realmente distinguir-se na caminhada do amor, precisa primeiro se propor a encher a sua mente com pensamentos de bondade, amor, altruísmo e generosidade. Esta é uma oportunidade de praticar o princípio de pensamentos "deliberados" sobre o qual falamos na primeira parte deste livro. É impossível mudar o seu comportamento, a não ser que você mude a sua mente. Comece a ter pensamentos amorosos e generosos hoje, e logo você terá uma vida cheia de amor e felicidade. Separe alguns minutos todas as manhãs e peça a Deus para lhe mostrar o que você pode fazer por alguém naquele dia. Você pode até escolher uma pessoa específica e pedir a Deus para lhe mostrar o que você pode fazer por ela. Isso tirará a sua mente de si mesmo e liberará novos níveis de alegria em sua vida, e também será um grande encorajamento para as pessoas a quem você estender a mão.

PARTE II – Pensamentos Poderosos

## Pense Nisto

O que você fará para colocar o amor em ação hoje?

## E Eu?

Preocupar-se com outras pessoas é a melhor coisa que podemos fazer porque, como seres humanos, somos egoístas por natureza. O egoísmo e o egocentrismo são inatos em nós. O foco dos nossos pensamentos tende a estar em nós mesmos, e quer pronunciemos estas palavras com a nossa boca ou não, perguntamos constantemente: "E eu? E eu? E eu?". Porém, não é assim que Deus quer que vivamos.

Passei muitos anos da minha vida sendo uma pessoa muito infeliz e insatisfeita, e perdi muito tempo pensando que a minha infelicidade era culpa de alguém. Pensamentos do tipo *Se eu tivesse mais dinheiro, eu seria feliz,* ou *Se as pessoas fizessem mais por mim, eu seria feliz,* ou *Se eu não tivesse de trabalhar tanto, eu seria feliz,* ou *Se eu me sentisse melhor fisicamente, eu seria feliz,* enchiam a minha mente. A lista de motivos que eu achava que eram a causa da minha infelicidade parecia interminável, e independentemente do que eu fizesse para me distrair, nada funcionava por muito tempo. Eu era cristã, tinha um ministério que crescia e uma família maravilhosa, mas o meu nível de alegria era definitivamente afetado pelas circunstâncias. Ter o que eu queria me fazia feliz por algum tempo, mas a felicidade evaporava rapidamente assim que eu precisasse de mais uma "dose", fazendo as coisas do meu jeito ou conseguindo aquilo que desejava.

À medida que cresci em meu relacionamento pessoal com Deus, tornei-me literalmente desesperada por paz, estabilidade, verdadeira felicidade e alegria. Esse tipo de fome por mudança geralmente requer que enfrentemos algumas verdades — talvez algumas verdades desagradáveis ou coisas que não gostamos de admitir — a respeito de nós mesmos, e aprendi que se realmente quisermos a verdade, Deus a dará a nós. À medida que comecei a buscar a Deus para conhecer a causa e a raiz da minha infelicidade, Ele me mostrou que eu era muito egoísta e egocêntrica. O meu foco estava no que os outros podiam e deviam fazer por mim, e não no que eu podia fazer por eles. Não foi uma verdade fácil de aceitar, mas fazer isso foi o princípio de uma jornada transformadora com Deus.

À medida que Deus me direcionava, fui lembrada de que havia crescido em uma casa onde não havia amor e bondade. As pessoas com as quais eu vivia eram focadas em si mesmas e não se importavam realmente com quem ficaria machucado, desde que elas tivessem o que queriam. Meus modelos foram pessoas egoístas e insensíveis. Esses eram os traços de caráter que eu observava, portanto, foram esses traços que eu desenvolvi. Ninguém nunca me ensinou sobre amor, bondade ou doação, até que dei início a um relacionamento com Deus através de Jesus Cristo.

Deus me ajudou a ver a mim mesma como uma pessoa que podia dar e ajudar. Tive de mudar minha maneira de pensar de *"E eu?"* para *"O que posso fazer por você?"*. Gostaria de dizer que foi uma mudança fácil, mas a verdade é que foi muito difícil e demorou mais do que eu gostaria de admitir.

Com o tempo, passei a entender que Deus é amor e que a Sua natureza é ser galardoador (ver 1 João 4:8). Ele dá, Ele ajuda, Ele se importa, e Ele se sacrifica. Ele não faz essas coisas apenas ocasionalmente, mas elas representam a Sua atitude constante para conosco. O amor não é algo que Deus faz, é quem Ele é. Ele sempre nos oferece amor, generosidade, graça e ajuda. É verdade que Deus é justo e há vezes em que ele pune o pecado, mas até isso Ele faz por amor, para o nosso próprio bem, para nos ensinar a maneira certa de viver. Tudo que Deus faz é para o nosso bem; todas as Suas ordens destinam-se a nos ajudar a ter a melhor vida possível. Ele nos ordena a amarmos e a sermos bondosos com os outros, o que significa tirar o foco de nós mesmos, silenciando a voz que pergunta "E eu?" e aprendendo a seguir o exemplo de Jesus sendo bondosos, generosos e amorosos para com os outros.

PARTE II – Pensamentos Poderosos

## Pense Nisto

Peça a Deus para lhe mostrar a causa e a raiz de toda infelicidade em sua vida. Esteja disposto a encarar a verdade sobre si mesmo, ainda que você não goste dela. Esse é o primeiro passo para uma vida melhor!

## Faça Isto Deliberadamente

Jesus nos disse claramente o que precisamos fazer se quisermos segui-lo. "Se alguém quiser acompanhar-me, negue-se a si mesmo, tome a sua cruz e siga-me" (Marcos 8:34). A "cruz" que Jesus nos pede que carreguemos na vida é simplesmente a cruz da ausência de egoísmo.

A maioria de nós se concentra no que podemos *receber* na vida, mas precisamos nos concentrar no que podemos *dar*. Pensamos no que as outras pessoas deviam fazer por nós e costumamos ficar irados porque elas não nos dão o que queremos. Em vez disso, deveríamos pensar com determinação sobre o que podemos fazer pelos outros e depois confiar em Deus para suprir as nossas necessidades e realizar os nossos desejos.

Observe que digo que precisamos pensar *com determinação* sobre o que podemos fazer pelos outros. Gálatas 6:10 transmite o mesmo significado, encorajando-nos a sermos diligentes em sermos uma bênção. Resumindo, ser diligente significa ser deliberado, intencional e agir com propósito. Deus quer que pensemos deliberadamente e que nos certifiquemos de ser uma bênção para outros.

Faço o meu melhor para ser determinada em pensar em quem posso abençoar, e entender que preciso dar e ajudar deliberadamente foi muito benéfico para mim. Não foi algo que aconteceu naturalmente. Tive de aprender a fazer isso, mas foi uma das maiores e mais recompensadoras lições da minha vida. Há certos momentos em que "sinto" vontade de ser uma bênção, mas há outras vezes em que não. Às vezes também posso sentir que as pessoas deveriam fazer mais por mim, e na verdade talvez elas devessem, mas essa não pode ser a minha preocupação. Aprendi a confiar em Deus para me dar o que Ele quer que eu tenha e a continuar estendendo a mão pessoalmente a outros. Não podemos viver com base no que sentimos e sempre termos persistência e estabilidade. Nossa capacidade de escolher é maior do que a maneira como nos sentimos e é essa capacidade que devemos ativar. Seja deliberado com relação ao amor!

Lembro-me de uma manhã específica em que me sentei e pensei: *Tudo bem, Deus, quero abençoar alguém hoje*. Eu não estava falando em abençoar alguém pregando ou ensinando, mas na minha vida pessoal, no meu pequeno mundo. Sempre me certifico de que estou vivendo do mesmo modo que encorajo as pessoas a viverem, então pensei em todas as pessoas que estariam ao meu redor naquele dia.

Cerca de trinta segundos depois, Deus me mostrou algo que eu poderia fazer por uma pessoa específica. Ele colocou em mim a impressão de que ser uma bênção para aquela pessoa apenas dizendo a ela o quanto eu a apreciava realmente significaria muito para ela e lhe daria combustível para aquele dia. Tudo que precisei dizer foi "Quero apenas que você saiba que realmente a aprecio". Não demorou muito, e não foi preciso fazer muito esforço, mas precisei pensar naquilo. Tive de optar por fazer aquilo deliberadamente; tive de ser intencional quanto a desejar abençoar alguém.

Eu o encorajo a começar a pensar deliberadamente sobre como você pode ser uma bênção para as pessoas que o cercam. Lembre, não precisa custar dinheiro, embora às vezes isso possa acontecer; nem sempre terá de levar muito tempo; e não será necessário despender uma grande quantidade de energia. Abençoar pessoas pode ser rápido e fácil, mas não acontecerá sem mais nem menos. Você terá de fazer isso deliberadamente. Algumas vezes, o que Deus nos pede para fazer pode ser mais dispendioso para nós em termos de tempo, esforço ou finanças do que outras vezes, mas de uma forma ou outra, precisamos estar prontos para ser embaixadores de Deus na Terra. Use o que você tem a serviço de Deus e do homem, e as suas necessidades serão sempre supridas.

PARTE II – Pensamentos Poderosos

## Pense Nisto

Como você será deliberadamente uma bênção para alguém esta semana?

---

---

## Seja um Distribuidor de Bênçãos

O amor de Deus está em nós porque Deus coloca o Seu amor no nosso coração quando aceitamos Jesus como nosso Salvador, mas esse amor precisa passar *através* de nós a fim de poder ajudar qualquer pessoa. Em Gênesis 12:2, Deus disse a Abraão que o abençoaria e faria dele uma pessoa que distribuiria bênçãos por onde fosse. Quando leio essa história, lembro-me de um vidro de loção para mãos com borrifador que costumo usar. Quando aperto o borrifador, ele libera a loção. É assim que quero ser com as bênçãos. Quando as pessoas chegarem perto de mim, quero distribuir algo bom, algo que as beneficie.

Quero encorajá-lo a usar o que você tem para suprir as necessidades das outras pessoas, e a ter o que chamo de "prosperidade com um propósito". Não ore para ser próspero para poder ter cada vez mais para si, mas certifique-se de usar uma boa parte do que tem para abençoar outros. Não estou falando apenas de colocar dinheiro na sacola de ofertas da igreja aos domingos. Estou falando de fazer coisas para as pessoas na sua vida diária — as pessoas com quem você trabalha, as pessoas da sua família, as pessoas de quem você gosta e as pessoas de quem você possa não gostar particularmente; as pessoas que você conhece e as pessoas que você não conhece, e aquelas que você acha que merecem e aquelas que você acha que não merecem. Essa é uma maneira empolgante de viver, como aprendi por experiência pessoal.

Eu estava fazendo compras um dia e senti que Deus queria que eu pagasse pelos brincos de uma senhora que também estava comprando. Eu não sabia quem era a mulher; nunca a havia visto antes e achei que ela poderia achar que eu era um pouco anormal por querer comprar brincos para ela. Mas a sensação de que eu tinha de pagar pelos brincos dela não ia embora. Então, finalmente, fui até ela e disse: "Ouça, sou cristã e sinto que Deus quer que você seja abençoada hoje. Ele quer que você saiba que Ele a ama, então, eis o dinheiro para pagar pelos seus brincos".

Saí o mais rápido possível porque se ela achasse que eu era louca, eu não queria saber! Meses e meses depois, ouvi que aquela mulher estava fazendo compras naquele dia com alguém que havia me reconhecido e me assistido na televisão. Aquela mulher tinha um vizinho, um homem que tinha tendência a zombar de mim e não falava coisas agradáveis a meu respeito. A mulher da loja disse ao homem o que havia acontecido, e aquilo mudou a atitude dele. Aquele homem que um dia zombou de mim terminou assistindo o nosso programa de televisão regularmente e recebendo a salvação!

Você nunca sabe o que Deus tem reservado quando Ele coloca algo no seu coração para fazer — mesmo quando possa não fazer sentido para você ou quando parecer tolo ou constrangedor. Se Ele lhe pedir para fazer alguma coisa, faça. Eu lhe garanto, Ele sempre sabe o que está fazendo, portanto, mesmo quando você não entender, vá em frente e obedeça.

Quando paguei pelos brincos da mulher durante as minhas compras, fui abençoada, a mulher que ganhou os brincos foi abençoada, a mulher que testemunhou foi abençoada, Deus foi honrado, e o homem que se tornou crente foi abençoado. Sou grata por ter sido obediente naquela situação. Em muitas passagens a Bíblia ensina que quando obedecemos a Deus, somos abençoados, e quando não obedecemos, não somos. É simples assim. Faço o máximo para obedecer a Deus quando sinto que Ele quer que eu faça algo para abençoar alguém, mas certamente já perdi algumas oportunidades e me impedi de receber uma bênção. Deixe-me explicar.

Certa vez, eu estava em uma grande loja de sapatos em liquidação e a cliente que estava na minha frente na fila estava com vários pares de sapatos que pretendia comprar. Comecei a sentir que Deus queria que eu pagasse pelos sapatos dela, mas achei que ela iria pensar que eu era louca, então fiquei andando pela loja por tempo suficiente para não fazer aquilo e não disse nada a ela. Quando o balconista disse a ela o valor total da compra, ela não tinha dinheiro suficiente para pagar pelos sapatos. Eu me senti tão mal! Eu não apenas não estava disposta a me sentir constrangida diante dela, como também estava envergonhada diante de Deus por tê-lo desobedecido. Acredite na minha palavra, a obediência é melhor que a desobediência. Nem sempre entendo certo, e você provavelmente também não irá entender, mas estou avançando — e você também pode avançar. É isso que Deus quer de nós.

Encorajo você a desenvolver uma nova mentalidade, uma mentalidade que diz: "Amo as pessoas; tenho prazer em ajudá-las e em ser generoso". Então, proponha-se a passar algum tempo todas as manhãs pensando no que você pode fazer por alguém naquele dia. Fique deitado na cama antes de se levantar pela manhã e ore: "Deus, a quem posso abençoar hoje?" Não pergunte "Como posso ser abençoado hoje?". À noite, faça um "inventário de bênçãos", perguntando: "O que fiz hoje para tornar melhor a vida de alguém?". À medida que comecei a aprender a abençoar outras pessoas, descobri que eu costumava fazer planos pela manhã de abençoar pessoas mais tarde naquele dia, mas então eu ficava ocupada e não cumpria o meu propósito. Fazer o inventário à noite realmente me ajudou porque eu não queria ter de responder: "Nada, não fiz nada para melhorar a vida de alguém hoje".

Decida-se a usar as bênçãos em sua vida para ser uma bênção para outros em todos os lugares aonde for. Você pode fazer isso de maneira grande ou pequena, mas simplesmente faça. Você ficará impressionado com os resultados.

Outra maneira de ser uma bênção é apenas sendo amigável. Faça um verdadeiro esforço para ser amigável com as pessoas aonde quer que você vá e demonstre um interesse genuíno por elas. Tente fazer com que as pessoas tímidas se sintam confortáveis e confiantes. Tente fazer com que qualquer pessoa que é deficiente de qualquer forma se sinta tão "normal" quanto qualquer outra. Há inúmeras maneiras de sermos uma bênção se pensarmos nisso com criatividade.

## Pense Nisto

Quem você pretende abençoar esta semana e como fará isso?

_____

_____

## Uma Vida Longa e Maravilhosa

Desde que ser boa para as pessoas tem sido um de meus objetivos pessoais, o meu tanque de alegria nunca fica vazio por muito tempo. Inclusive descobri que quando fico triste ou desanimada, posso começar a pensar deliberadamente sobre o que posso fazer por alguém e não demora até que eu esteja alegre novamente.

Todos nós passamos por períodos em nossa vida em que as coisas não vão muito bem para nós. Podemos até estar em meio a perdas ou dores, mas não podemos ser bons com as pessoas somente quando as coisas vão bem para nós; também precisamos abençoar as pessoas — e principalmente — quando os tempos estão difíceis para nós. O motivo pelo qual acredito que precisamos ser especialmente diligentes quanto a abençoar outros quando estamos tendo dificuldades é que quando nos concentramos em dar, em sermos bondosos, em expressar amor e em abençoar outras pessoas, isso tira a nossa mente dos nossos problemas e experimentamos a alegria em meio às dificuldades. Por quê? Porque aqueles que são abençoadores são felizes!

Você talvez tenha ouvido muitas vezes que a Bíblia diz: "Mais abençoado é dar que receber" (Atos 20:35). A Amplified Bible traduz esse versículo assim: "É mais abençoado (torna alguém mais feliz e mais digno de inveja) dar que receber" (Atos 20:35). Talvez você conheça o versículo, mas será que realmente crê nele? Se crê, então você provavelmente está fazendo o máximo para ser uma bênção para todos em todos os lugares aonde vai. Devo admitir que, por muitos anos, eu podia citar esse versículo, mas obviamente não acreditava realmente

PARTE II – Pensamentos Poderosos

nele, porque passava minha vida tentando ser abençoada em vez de ser uma bênção.

Agora aprendi que nem sequer sabemos o que significa ser "feliz" até que nos esqueçamos de nós mesmos, comecemos a colocar o foco nos outros, e nos tornemos generosos em dar. Para sermos generosos, precisamos fazer mais do que simplesmente dar uns trocados a alguém que precise ou para ajudar alguma causa, ou ofertar na igreja uma vez por semana. Na verdade, creio que aprender a ofertar na igreja deve simplesmente ser uma forma de praticarmos a maneira como deveríamos viver a nossa vida diária. Quero me oferecer todos os dias para ser usada para qualquer coisa que Deus escolha. Para que essa mudança acontecesse em minha vida, foi preciso mudar o meu modo de pensar. Tive de pensar e dizer milhares de vezes: "Amo as pessoas e tenho prazer em ajudá-las". Esse pensamento poderoso será transformador para você se você o colocar em prática em sua vida.

À medida que você se tornar alguém que dá com generosidade, ficará impressionado ao ver o quanto ficará feliz e o quanto apreciará a vida. Em contrapartida, as pessoas sovinas são infelizes. Aqueles que não são generosos vivem vidas pequenas e patéticas. Eles só fazem o que têm de fazer; só cuidam de si mesmos, não gostam de compartilhar e só dão quando sentem que precisam dar — e costumam fazer isso com relutância e ressentimento. Essas atitudes e ações são contrárias à maneira como Deus quer que vivamos, porque não resultam em bênçãos para ninguém. Na verdade, Provérbios 1:19 diz que ser sovina irá drenar a vida de uma pessoa:

> Tal é a sorte de todo ganancioso; e este espírito de ganância tira a vida de quem o possui (ARA).

Deus é galardoador. Paulo escreveu: "Ora, àquele que é poderoso para fazer tudo *muito mais abundantemente além daquilo que pedimos ou pensamos, segundo o poder que em nós opera,* a esse seja glória na igreja e em Cristo Jesus, por todas as gerações, para todo o sempre" (Efésios 3:20,21, ênfase da autora).

## Pense Nisto

De que maneiras você pode se tornar mais generoso?

_____

_____

## Se Você Ouvir, Saberá

Pelo fato de a natureza humana ser egoísta e egocêntrica, dar generosamente não é natural para nós. Precisamos estabelecer no nosso pensamento a mentalidade de que somos generosos. Comece a pensar e dizer: "Sou uma pessoa muito generosa. Procuro oportunidades para dar".

Descobri que as oportunidades para dar estão à minha volta — e elas estão ao seu redor também. Descobrir como você pode abençoar outra pessoa é tão fácil quanto usar seus ouvidos. Se você apenas ouvir as pessoas, logo saberá o que elas precisam ou gostariam.

Em uma conversa casual, uma pessoa que trabalha para mim certa vez mencionou que gostava das coisas fabricadas por certa empresa. Pedi a alguém que me conseguisse um vale-brinde dessa loja e o desse a ela com um bilhete, dizendo o quanto eu gostava dela, assim como apreciava o seu trabalho árduo. Ela começou a chorar e disse: "Não é o vale-brinde que significa tanto para mim. É o fato de que você realmente me ouviu e se lembrou do que eu disse".

Eu encorajo você a começar a ouvir as pessoas e a prestar atenção no que elas dizem mais do que nunca. As pessoas querem saber que você as está ouvindo; elas se sentem amadas e valorizadas quando você as ouve. Se você não sabe o que fazer por alguém, você não está ouvindo essa pessoa, porque as pessoas falam o que querem, o que precisam e o que gostam — e você saberá se ouvir. Você poderia começar a fazer uma lista de coisas que ouve as pessoas dizerem que querem ou precisam, e se não puder dar isso a elas agora, você pode orar para que Deus lhe dê a capacidade de fazer isso. Se você agir com base no que ouve e abençoar as pessoas de acordo com isso, verá que abençoar as pessoas realmente é melhor que receber qualquer coisa para si mesmo. Eu lhe garanto: quanto mais você der, mais feliz será.

## Pense Nisto

O que você ouviu recentemente que lhe fez saber o que alguém precisa ou deseja? O que você vai fazer a respeito?

_____

_____

## Quão Generoso Você É?

Quero encerrar este capítulo com diversas perguntas para você fazer a si mesmo, a fim de ajudá-lo a ver o quanto você é generoso ou, talvez, não é.

- Como são as minhas gorjetas? Se eu fosse um garçom ou uma garçonete, gostaria de servir minha mesa, com base nas gorjetas que dou?
- Que tipo de presentes costumo dar? Dou as coisas mais baratas que encontro? Dou qualquer coisa apenas para cumprir com uma obrigação, ou procuro sinceramente aquilo que acredito que a pessoa que vai receber o presente gostaria de ganhar?
- Costumo elogiar e encorajar os outros liberalmente e com frequência?
- Estou disposto a compartilhar o que tenho?
- Eu acumulo bens ou dou aquilo que não estou usando?
- Quantas coisas tenho escondidas nas gavetas de minha casa — coisas que não uso há anos e que guardo só porque gosto de ter bens?

- Quando tenho oportunidades de dar para os menos afortunados que eu, dou generosamente? Dou o máximo que posso ou o mínimo que posso?
- Se estou com alguém que está resfriado ou com o nariz escorrendo, e tenho comigo um pacote de lenços de papel, dou apenas um lenço a essa pessoa, ou ofereço todo o pacote para que ela tenha muitos?
- Dou a outra pessoa o bife mais bonito do prato no jantar ou fico com ele para mim?

Poderíamos fazer a nós mesmos todo tipo de perguntas como essas que nos ajudariam a identificar o nosso grau de generosidade. Creio que você quer ser tão generoso quanto possível, então, meditar neste pensamento poderoso certamente o ajudará a atingir o seu objetivo. Pense e diga: "Amo as pessoas e tenho prazer em ajudá-las".

## Palavras de Poder

"Façamos o bem a todos...".
*Gálatas 6:10*

"E chamando a si a multidão com os discípulos, disse-lhes: Se alguém quer vir após mim, negue-se a si mesmo, tome a sua cruz, e siga-me".
*Marcos 8:34*

"Filhinhos, não amemos de palavra nem de boca, mas em ação e em verdade".
*1 João 3:18*

"Nós sabemos que já passamos da morte para a vida, porque amamos os irmãos. Quem não ama permanece na morte".
*1 João 3:14*

PENSAMENTO PODEROSO N.º 6

# Confio em Deus completamente; não há razão para me preocupar!

*"Confie no Senhor de todo o seu coração e não se apóie em seu próprio entendimento".*

PROVÉRBIOS 3:5

A preocupação não faz bem algum e pode afetar a nossa vida negativamente. Estou certa de que você percebeu como se sente absolutamente sem forças quando se preocupa ou está ansioso ou perturbado, porque a preocupação é realmente completamente inútil. Ela é uma perda de tempo e energia, porque nunca muda as circunstâncias. Um pesquisador médico recentemente me disse que oitenta e sete por cento de todas as doenças estão ligadas a padrões errados de raciocínio. A preocupação estaria classificada sob o título "pensamento negativo" e todos os pensamentos negativos na verdade liberam produtos químicos a partir do cérebro que nos afetam de forma nociva. Em seu livro popular *Who Switched Off My Brain?* (Quem Desligou o Meu Cérebro?), a Dra. Caroline Leaf afirma que temos trinta mil pensamentos por dia, e que por meio de uma vida de pensamentos descontrolados criamos condições favoráveis à doença. Em outras palavras, nós nos deixamos doentes!

Apesar do fato de que a preocupação não nos faz bem algum e na verdade é prejudicial à nossa saúde e bem-estar, ela parece atormentar multidões, talvez até mesmo você. É próprio da natureza humana ficar preocupado com as situações negativas do nosso mundo e da nossa vida pessoal, mas se não tomarmos cuidado, poderemos facilmente ficar preocupados ou medrosos, e podemos acabar pecando, porque a preocupação nos impedirá de confiar em Deus. E pior que isso, ao nos preocuparmos acabamos ajudando o diabo no seu objetivo de nos atormentar. Acho mais fácil evitar a preocupação se ficar lembrando a mim mesma que ela é uma total perda de tempo e não faz absolutamente bem algum.

Gosto de dizer que a preocupação é como se sentar em uma cadeira de balanço, balançando para frente e para trás; ela está sempre em movimento e nós mantém ocupados, mas nunca nos leva a lugar algum. Na verdade, se fizermos isso por tempo demais, ficaremos esgotados! A preocupação nos impede de viver por fé e rouba a nossa paz. Quando nos preocupamos, na verdade estamos dizendo: "Se eu tentar ao máximo, posso encontrar uma solução para o meu problema", e isso é o oposto de confiar em Deus.

A origem da preocupação é simples: É deixar de confiar em Deus para cuidar das diversas situações de nossa vida. A maioria de nós passou a vida tentando cuidar de nós mesmos, e é necessário tempo para aprender a confiar em Deus em todas as situações. Aprendemos à medida que fazemos isso. Temos de nos levantar pela fé e, à medida que fizermos isso, experimentaremos a fidelidade de Deus, e isso torna mais fácil confiar nele na próxima vez. Costumamos confiar nas nossas próprias habilidades, acreditando que podemos descobrir como cuidar dos nossos próprios problemas. No entanto, na maior parte do tempo, depois de toda a nossa preocupação e esforço para fazermos as coisas sozinhos, deixamos a desejar, incapazes de encontrar soluções adequadas. Deus, por outro lado, sempre tem soluções para as coisas que nos deixam ansiosos e preocupados.

Confiar nele permite que entremos no Seu descanso, e o descanso é um lugar de paz onde podemos desfrutar a vida enquanto esperamos que Ele solucione os nossos problemas. Ele se importa conosco; Ele resolverá os nossos problemas e suprirá as nossas necessidades, mas pre-

PARTE II – Pensamentos Poderosos

cisamos parar de pensar e de nos preocupar com eles. Entendo que isso é mais fácil de dizer do que de fazer, mas não existe um momento melhor que o presente para começar a aprender uma nova maneira de viver — um modo de vida que é livre de preocupação, ansiedade e medo. Este é o momento para começar a pensar e dizer: "Confio em Deus completamente; não há razão para me preocupar!". Quanto mais você pensar nessa verdade, mais se verá escolhendo a confiança e não a preocupação.

## Pense Nisto

O que mais o preocupa? _____

Como você pode entregar a sua preocupação a Deus?

_____

_____

## É Uma Questão de Foco

Quando nossa filha Sandra era adolescente, ela ocasionalmente tinha "surtos" de espinhas no rosto. Ela odiava essas espinhas e ficava extremamente insegura por causa delas. Ela se concentrava tanto nas espinhas que acabava chamando atenção para elas. Ela falava sobre aquilo excessivamente, e fazendo isso, chamava a atenção e as pessoas começavam a reparar. Ela espremia e mexia nelas e depois tentava tão desesperadamente escondê-las com maquiagem que acabava piorando as coisas. Ela era uma garota bonita, tinha cabelos bonitos, e era magra e esguia. Ela era inteligente, atlética e tinha uma personalidade maravilhosa, mas todo mês, durante uma semana, tudo em que ela se concentrava era nas *duas* espinhas que apareciam em seu rosto. Esse é um bom exemplo de como exageramos as coisas simplesmente colocando o foco nelas em excesso.

Assim como era natural para Sandra fazer todo o possível para tentar corrigir o problema, é natural fazermos o mesmo com os nossos problemas. Não seríamos responsáveis se não procurássemos nenhuma solução. Considerar a situação e o que fazer a respeito é uma coisa, mas colocar o foco nela é outra bem diferente. Podemos nos concentrar nos nossos problemas a ponto de geralmente deixarmos de observar ou considerar outras coisas que deveríamos observar. Por exemplo, é importante contar as nossas bênçãos durante tempos desafiadores, porque isso nos impede de desanimar. Podemos colocar tanto o foco no que precisa ser feito que deixamos de ver o que Deus fez. Se você está sendo tentado a se preocupar com alguma coisa agora, reserve tempo para anotar todas as bênçãos que você consegue se lembrar, e isso o ajudará a não ficar sobrecarregado com o problema.

Quando temos problemas, devemos fazer o que podemos fazer e não nos preocuparmos com o que não podemos fazer. Como meu marido sempre diz: "Faça a sua parte e lance os seus cuidados sobre Ele".

Aquilo em que nos concentramos se torna cada vez maior em nossa mente. É possível que uma coisa pareça muito maior para nós do que ela realmente é. Quando nos preocupamos, colocamos o foco nos nossos problemas; nós os repassamos sem parar pela nossa mente, o que é como meditar neles. Quando ficamos ansiosos com as coisas, nós também falamos sobre elas incessantemente, porque o que está no nosso coração finalmente sai da nossa boca (ver Mateus 12:34). Quanto mais pensamos e falamos sobre os nossos problemas, maiores eles se tornam. Uma questão relativamente pequena pode crescer e se tornar um enorme problema simplesmente porque colocamos o foco demais nela. Em vez de meditar no problema, podemos meditar na fidelidade de Deus e lembrar a nós mesmos que não há razão para nos preocuparmos.

Podemos passar todo o nosso tempo pensando e falando sobre o que está errado no mundo ou podemos optar por nos concentrarmos em coisas boas. Podemos focar o que está errado com um membro da família, com um amigo, ou com um colega de trabalho, ou podemos procurar deliberadamente enfatizar o que está certo. Se dez coisas estiverem erradas e só vemos duas que achamos que estão certas, podemos fazer com que essas duas pareçam maiores que as outras dez por aquilo em que optamos por nos concentrar. Este é um bom momento

PARTE II – Pensamentos Poderosos

para lembrar a si mesmo que você pode escolher os seus pensamentos. Ouvi muitas pessoas dizerem: "Não consigo evitar; sou uma pessoa preocupada". A verdade é que elas optaram por se preocupar porque não sabiam como confiar em Deus. Nós passamos a ser bons em nos preocuparmos porque praticamos isso e também podemos nos tornar bons em confiar em Deus se praticarmos. Que a sua primeira reação em qualquer situação seja confiar em Deus, e não se preocupar. Fale em voz alta e diga: "Confio em Deus completamente; não há razão para me preocupar!".

Satanás, o inimigo da nossa alma, não quer que cresçamos na fé; ele quer que fiquemos cheios de preocupação, ansiedade e medo. Ele trabalha duro para nos distrair de Deus encorajando um foco excessivo nas nossas circunstâncias. Devemos desenvolver o hábito de deixar que o que está em nosso coração se torne mais real para nós do que o que vemos, pensamos ou sentimos. Meu coração sabe que posso confiar em Deus completamente, mas a minha mente costuma me dizer para me preocupar. Se Satanás puder fazer com que pensemos no que está errado ou no que poderia dar errado em uma situação, ele pode nos impedir de sermos capazes de confiar em Deus. É por isso que Hebreus 12:2 nos instrui a desviarmos o olhar de tudo que nos distrai e olharmos para Jesus, que é o Autor e Consumador da nossa fé. Se esperarmos em Deus, pensarmos nele e falarmos da Sua bondade, colocaremos o foco na fé, e à medida que usamos a nossa fé, descobrimos que ela cresce. Uma pequena fé pode se tornar uma grande fé por meio do uso. À medida que damos passos para confiar em Deus, experimentamos a Sua fidelidade e isso, por sua vez, nos encoraja a termos uma fé maior. À medida que a nossa fé se desenvolve e cresce, os nossos problemas têm menos poder sobre nós e nós nos preocupamos menos.

Podemos optar por pensar sobre o que Deus pode fazer em vez de pensar no que nós não podemos fazer. Se pensarmos continuamente sobre a dificuldade da nossa situação, podemos terminar desesperados, e isso significa que nos sentimos incapazes de encontrar uma saída. Nós nos sentimos presos em uma armadilha e então é fácil entrar em pânico e começar a fazer coisas irracionais que só tornam o problema pior. A Bíblia nos diz que Deus sempre providencia um escape (ver 1 Coríntios 10:13). Embora você talvez não veja a saída agora, ela existe e Deus a revelará à medida que você confiar nele.

## Pense Nisto

Que situação você está enfrentando agora na qual pode optar por confiar em Deus em lugar de se preocupar?

---

## Outra Forma de Preocupação

Na maioria das vezes, pensamos na preocupação como outra palavra para "ansiedade" ou como uma maneira de descrever a preocupação excessiva que costuma envolver uma boa dose de emoção. Mas a preocupação no seu sentido comumente entendido não é a única expressão da ansiedade. Outra forma de preocupação chama-se racionalização, que ocorre quando pensamos em alguma coisa sem parar, tentando descobrir o que aconteceu, tentando entender o que as pessoas estavam pensando, ou tentando decidir o que fazer em uma situação. A racionalização gera confusão e pode facilmente nos tornar vulneráveis ao engano. A confiança requer algumas perguntas não respondidas, e se satisfazer em saber que Deus sabe aquilo que nós não sabemos. Conhecemos em parte, mas Deus conhece tudo. Ele nunca se surpreende ou fica sem uma solução.

Descobri que posso ponderar sobre uma situação e às vezes encontrar respostas ou chegar a conclusões ao fazer isso. Entretanto, se pensar nisso por tanto tempo a ponto de começar a me sentir frustrada e confusa, sei que fui longe demais. É até possível, através da racionalização, chegar a um plano que você acha que está certo, mas, na verdade, nunca irá funcionar. A Bíblia chama esses planos feitos por homens de "obras

PARTE II – Pensamentos Poderosos

da carne". Eles tomam o nosso tempo, mas nos mantêm na esfera do esforço próprio e do orgulho. Eles não produzem nenhum bom fruto, mas certamente nos mantêm ocupados. Podemos literalmente passar anos de nossa vida com esses planos feitos por homens e nunca conseguirmos perceber que só Deus pode fazer o que precisa ser feito. Não desperdice o seu tempo com esses pensamentos; em vez disso, use-o em pensamentos poderosos que estejam de acordo com a Palavra de Deus. Deus não irá trabalhar até que entreguemos os nossos problemas a Ele. Ele é um cavalheiro e não interfere sem ser convidado. A Bíblia se refere a isso simplesmente dizendo que "não temos" porque "não pedimos" (ver Tiago 4:2).

Quando escrevo sobre a inutilidade da racionalização, não estou sugerindo que devemos nos tornar passivos ou nunca tentar fazer algo para nos ajudar a resolver os problemas. Uma mente passiva é um terreno aberto para o diabo ocupar. Precisamos ser ativos da maneira correta. Efésios 6:13 nos ensina que quando enfrentamos problemas, devemos fazer tudo que a crise requer e depois ficarmos firmes no nosso lugar. Certamente precisamos fazer o que acreditamos que é certo e o que sentimos paz em nosso coração em fazer, mas não devemos nos frustrar tentando fazer o que não podemos fazer.

Por exemplo, quando queremos ver mudanças em alguém a quem amamos, a melhor política é orar primeiro e só agir *se e quando* Deus nos direcionar. Podemos causar muitos estragos em relacionamentos tentando mudar as pessoas. Podemos sentir que estamos apenas tentando ajudar, mas se a pessoa não vê o que você vê ou se ela não quer mudar, ela pode se sentir pressionada e rejeitada. A oportunidade é muito importante quando se trata de discutir assuntos potencialmente sensíveis, então, se orarmos primeiro e esperarmos em Deus, as coisas sempre funcionarão melhor. Posso orar, mas não posso fazer com que um ser humano deseje mudar. Só Deus pode trabalhar dentro do coração de uma pessoa. Se eu continuar tentando fazer o que só Deus pode fazer, farei de mim mesma uma pessoa infeliz.

Eu era uma pessoa que queria entender tudo, porque isso me fazia sentir que eu estava no controle. Eu não era boa em "não saber". Minha mente não parava o dia inteiro com pensamentos do tipo: *Por que eu agi assim? Imagino o que fulana de tal está pensando sobre a minha decisão de comprar um carro novo. Por que Deus não respondeu ainda à minha oração pedindo uma promoção no trabalho? Gostaria de saber se estou fazendo alguma coisa errada ou se não tenho fé suficiente.* Os porquês na minha mente pareciam nunca terminar e me deixavam infeliz. Minha mente estava abrigando todo tipo de hóspedes indesejados (pensamentos atormentadores) simplesmente porque eu nunca dizia "não" a eles.

Eu me questionava, racionalizava e me preocupava, ficava nervosa e ansiosa a ponto de ficar totalmente exausta no fim da maioria dos dias. Na verdade, Deus me mostrou que eu era viciada em racionalizar e que eu tinha de abrir mão daquilo. Isso não aconteceu da noite para o dia, mas cada vez que iniciava a minha ginástica mental, eu dizia: "Não vou me preocupar nem tentar descobrir isto", e gradualmente pude confiar em Deus sobre tudo na vida.

## Pense Nisto

Você tem tendência a racionalizar? Lembre, racionalizar é uma forma de preocupação, portanto, da próxima vez que você começar a fazer isso, pare e decida-se a confiar em Deus para entender tudo para você.

---

## Descanse um Pouco

Em Mateus 11:28, Jesus disse: "Venham a mim, todos os que estão cansados e sobrecarregados, e eu lhes darei descanso". Jesus quer aliviar os nossos fardos e nos dar descanso. A versão da Bíblia *The Message* parafraseia essa passagem assim: "Você está cansado? Esgotado? Cansado de religião? Venha a mim. Fuja comigo e você recuperará a sua vida. Eu lhe mostrarei como descansar de verdade. Ande comigo e trabalhe comigo — veja como Eu faço. Aprenda os ritmos não forçados da gra-

PARTE II – Pensamentos Poderosos

ça. Eu não colocarei nada pesado ou mal ajustado sobre você. Faça-me companhia e você aprenderá a viver livre e leve" (Mateus 11:28-30).

Viver livre e leve nos "ritmos não forçados da graça" parece bom, não é? Estou certa de que você já teve "coisas pesadas" o suficiente em sua vida. Eu também, e quero ser livre. É bom saber que não precisamos nos preocupar com as coisas, entender tudo, ou levar os fardos em nossa vida. Na verdade é bem reanimador entender que não preciso saber tudo sobre tudo! Precisamos nos sentir confortáveis em dizer: "Não sei a resposta a este dilema e não vou me preocupar com nada porque Deus está no controle, e eu confio Nele. Vou descansar Nele e viver livre e leve!". Quando estamos sobrecarregados com os cuidados desta vida — esforço, trabalho e preocupação — precisamos de férias mentais e emocionais. Nossa mente precisa descansar de pensar em como cuidar dos problemas, e nossas emoções precisam descansar de ficar irritadas. A preocupação não é nada repousante. Na verdade, ela rouba o descanso e os benefícios do descanso sobre nós. Então, na próxima vez que você sentir que está carregando um fardo pesado em sua mente ou se vir preocupado e ansioso, lembre, você pode viver livre e leve. Tudo que você precisa fazer é descansar em Deus. Se alguém lhe perguntar o que você vai fazer quanto ao seu problema, pode dizer que você está dando um tempo para a sua mente e que não está pensando nele agora.

## Pense Nisto

Você precisa de um descanso mental e emocional? Como você pode colocar a sua mente para descansar hoje?

## Libere o Peso da Preocupação

Uma coisa é saber que não devemos nos preocupar, mas outra bem diferente é parar de se preocupar. Uma das coisas que me ajudaram a abrir mão da preocupação foi finalmente entender o quanto ela era totalmente inútil. Deixe-me fazer-lhe algumas perguntas: Quantos problemas você resolveu se preocupando? Quanto tempo você passou se preocupando com coisas que nunca sequer aconteceram? Alguma coisa alguma vez melhorou porque você se preocupou com ela? É claro que não! A Bíblia está cheia de conselhos profundos e comprovados para lidarmos com a preocupação. Por exemplo, o apóstolo Paulo nos ensina a não andarmos ansiosos por nada, mas em todas as circunstâncias deixarmos que os nossos pedidos de oração sejam conhecidos diante de Deus com ações de graças (ver Filipenses 4:6). Então ele nos encoraja dizendo que a paz de Deus encherá o nosso coração e a nossa mente (ver Filipenses 4:7).

No instante em que você começar a se preocupar ou a se sentir ansioso, entregue sua preocupação a Deus em oração. Libere o peso e confie totalmente nele para lhe mostrar o que fazer ou para que Ele mesmo cuide do assunto. A oração é uma força poderosa contra a preocupação. Lembro-me de um antigo refrão evangélico chamado: "Por que se preocupar quando você pode orar?". Quando você está sob pressão, é sempre melhor orar sobre o assunto em vez de afligir-se ou falar sobre ele.

A oração é o projeto para uma vida de sucesso. Durante o Seu tempo na terra, Jesus orou. Ele confiava tudo a Deus — até Sua reputação e Sua vida. Podemos fazer o mesmo. Não complique a sua comunicação com Deus. Apenas tenha confiança na oração simples e cheia de fé.

## Pense Nisto

Neste momento em sua vida, sobre o que você precisa orar em vez de se preocupar?

## Você Tem Uma Escolha a Fazer

A preocupação pode ser um mau hábito — um hábito profundamente enraizado e do qual não será fácil se livrar. Por esse motivo, as pessoas tendem a pensar: *Tentei não me preocupar e simplesmente não consigo evitar.* Já pensei assim antes, e descobri que encher minha mente com bons pensamentos é mais fácil do que tentar esvaziá-la dos pensamentos negativos. Se você seguir o programa dos pensamentos poderosos e manter a sua mente cheia de bons pensamentos, não haverá lugar para os maus. Estou muito entusiasmada por você, para que você veja o que vai acontecer na sua vida à medida que mudar o seu modo de pensar. Paulo encorajava os crentes em Cristo a "andarem no Espírito" para não satisfazerem os desejos da carne (ver Gálatas 5:16). Em termos simples, significa que se ficarmos ocupados fazendo o que é certo, não haverá lugar para fazer o que é errado. Como humanos, tendemos a lutar com o negativo em vez de abraçarmos o positivo, mas isso pode mudar facilmente à medida que andamos no Espírito. Diga agora: "Confio em Deus completamente; não há razão para me preocupar!".

Outra coisa que é muito útil para mim é agir rapidamente. Assim que começo a me preocupar com uma situação, digo: "Não, não vou me preocupar, porque não adianta nada". Lembre de resistir ao diabo logo de início. Quanto mais você esperar, mais difícil pode ser. A partir do momento em que um padrão de pensamento errado cria raízes em sua vida, será mais difícil mudá-lo, portanto a "ação" é o segredo do sucesso. Apenas o conhecimento não adianta, precisamos agir e fazer o que sabemos que devemos fazer.

Talvez você esteja se perguntando como "andar no Espírito" na sua vida prática e diária. Deixe-me ajudá-lo oferecendo-lhe quatro conjuntos de escolhas que você pode fazer. Em casa caso, a preocupação representa andar na carne e a outra opção representa andar no Espírito. Se você quer andar no Espírito, precisa fazer uma escolha. Você vai se preocupar ou vai adorar? Você vai se preocupar ou vai colocar a sua fé e confiança em Deus? Você vai se preocupar ou vai obedecer à Palavra de Deus? Você vai se preocupar consigo mesmo pensando: *O que vai acontecer comigo*, ou vai se colocar nas mãos de Deus e ser deliberadamente uma benção para alguém?

## Preocupação ou Adoração?

A preocupação e a adoração são extremos opostos, e seríamos muito mais felizes se aprendêssemos a nos tornarmos adoradores em vez de "preocupadores". A preocupação cria uma oportunidade para o inimigo nos atormentar, mas a adoração (reverência e adoração a Deus) nos leva à Sua presença, onde sempre encontraremos paz, alegria e esperança. Deus nos criou para adorá-lo, e não creio que possamos vencer as pressões e tentações em nossa vida se não nos tornarmos adoradores.

Deus é bom mesmo quando as circunstâncias não são! Ele nem sempre nos concede o desejo do nosso coração imediatamente depois que pedimos, mas sabe o tempo certo para tudo e podemos confiar nele. Ele quer que desenvolvamos um relacionamento profundo e pessoal com Ele e um amor avassalador por Ele — a ponto de entendermos que não podemos viver sem Ele. Esse tipo de relacionamento e amor gera a atitude de adoração que Deus quer que tenhamos. Conhecer a Deus intimamente é mais importante do que conseguir o que queremos imediatamente.

Portanto, pare de se preocupar: entregue as suas preocupações a Deus, e viva na graça. A graça não é apenas favor divino; ela é poder! Não desperdice mais um dia da sua vida se preocupando. Determine qual é a sua responsabilidade, e qual não é. Não tente assumir a responsabilidade de Deus. Quando fazemos o que podemos fazer, Deus entra em cena e faz o que não podemos fazer. Portanto, entregue a si mesmo e as suas preocupações a Deus, adore-o, e comece a desfrutar a vida abundante que Ele tem para você. No instante em que perceber que está se preocupando, você pode interromper o padrão errado de pensamento dizendo "Não vou me preocupar. Eu Te adoro, Senhor. Tu és bom e confio em Ti completamente".

## Pense Nisto

Você é um adorador ou um "preocupador"?

## Preocupação ou Fé?

No passado, os soldados costumavam se proteger com escudos, e em Efésios 6:16, a Bíblia fala do "escudo da fé". Uma vez que os escudos oferecem proteção, a fé precisa ser uma maneira de nos protegermos quando o inimigo ataca. Entretanto, um escudo só é eficaz quando ele é levantado; ele não será útil para o soldado se estiver no chão ou ao seu lado. Ele precisa levantá-lo e usá-lo para se proteger do ataque. Quando o diabo nos ataca com circunstâncias ou pensamentos desagradáveis que fazem com que nos preocupemos e tenhamos medo, devemos imediatamente levantar o escudo da fé. A maneira de fazer isso é decidir imediatamente que confiaremos em Deus em vez de tentarmos abrir caminho para a vitória através da preocupação. É muito útil dizer em voz alta: "Confio em Deus nesta situação!". Diga isso com firmeza e convicção. Jesus respondeu a Satanás dizendo: "Está escrito!" e citando as Escrituras (ver Lucas 4), e nós podemos fazer o mesmo. A Palavra de Deus é poderosa, e ela é eficaz contra tudo que o inimigo tenta fazer em nossa vida.

Ao longo da Bíblia, vemos relatos maravilhosos de homens e mulheres de fé que confiavam totalmente em Deus em situações que pareciam impossíveis de serem resolvidas, e eles experimentaram o poder libertador de Deus. Cada um deles precisou liberar a sua fé e a sua confiança em Deus e se recusar a se preocupar ou a ficar ansioso.

Se você é um cristão que anda sobrecarregado ou abatido o tempo todo, algo está errado. Você pode ter tido fé em Cristo para a salvação, mas isso não significa que você está vivendo por fé. O fardo mais difícil que temos de carregar na vida é o ego. Administrar a nós mesmos, a nossa vida diária, os nossos sentimentos, as nossas emoções, o nosso temperamento e os assuntos internos pode se tornar um fardo pesado se não nos colocarmos inteiramente nas mãos de Deus pela fé.

Em seguida, precisamos colocar de lado o fardo da saúde, da reputação, do trabalho, do lar, dos filhos, e de tudo o mais que nos diz respeito. A Bíblia nos diz que Deus é fiel (ver 1 Tessalonicenses 5:24); essa é uma das Suas principais características. Podemos contar com Ele para vir em nosso socorro, então devemos confiar nele total e completamente. Quando fizermos isso, estaremos prontos para qualquer coisa que surja em nosso caminho.

Sempre haverá situações que são motivo de preocupação, mas com a ajuda de Deus, você pode viver acima de todas elas e desfrutar a vida. Aprenda a dizer com a sua boca e com sinceridade em seu coração: "Deus, confio em Ti completamente; não há razão para me preocupar!".

Certa mulher tinha um fardo pesado que a impedia de dormir, tirava o seu apetite e colocava em risco a sua saúde. Um dia, ela encontrou um folheto evangelístico que contava a história de Ana, uma mulher que também tinha fardos muito pesados em sua vida, mas que finalmente aprendeu a entregar todos eles ao Senhor. Ana disse que finalmente podia entender que não poderia suportar o seu fardo, mas que havia deixado que Deus o carregasse para ela. Ela compartilhou que devemos levar os nossos fardos a Ele, deixá-los, desprender-nos deles, e esquecê-los. Se a preocupação voltar, devemos levá-la a Ele novamente; continuando a fazer isso sem cessar até que finalmente não tenhamos preocupações, mas tenhamos perfeita paz. A perseverança é a chave para derrotar Satanás. Você precisa mostrar a ele que não está brincando. Mantenha o seu escudo da fé erguido em todo o tempo e você terá vitória.

Tive de aprender que Deus não iria operar enquanto eu me preocupasse, mas no instante em que confiei nele, Deus colocou o Seu plano em ação, e através da fé e da paciência, pude sentir a emoção de vê-lo operar milagrosamente em minha vida.

## Pense Nisto

Você vai se preocupar ou vai orar e liberar Deus para entrar em ação?

## PARTE II – Pensamentos Poderosos

Como você pode demonstrar hoje a sua fé em Deus em uma situação com a qual normalmente você se preocuparia?

_____

_____

### Preocupação ou Obediência à Palavra?

Acredito firmemente que, quando temos problemas, não devemos nos preocupar, mas também precisamos continuar a fazer as coisas que sabemos que devemos fazer. Por exemplo, se você tem compromissos, certifique-se de cumpri-los. Geralmente, quando as pessoas estão tendo problemas pessoais, elas se isolam da vida normal e passam todo o tempo tentando resolver o problema. Elas falam sobre seus problemas a qualquer pessoa que as ouça e se preocupam continuamente. Toda essa atividade improdutiva impede que elas façam o que deveria fazer, que é "fazer o bem".

O Salmo 37:3 diz que devemos confiar no Senhor e *fazer o bem,* alimentando-nos da Sua fidelidade. Descobri que se eu continuar o meu estudo da Palavra de Deus, continuar orando, cumprindo com os meus compromissos e ajudando tantas pessoas quantas for possível, verei uma reviravolta na situação muito mais depressa. Ajudar as pessoas enquanto estamos sofrendo é algo muito poderoso. Isso mantém a sua mente fora de si mesmo e do seu problema, e você está semeando uma semente que finalmente trará uma colheita. Mergulhar na autopiedade, preocupar-se, ficar ansioso e falar negativamente impede Deus de nos ajudar, mas confiar nele e continuar a fazer o bem o libera para operar poderosamente.

Podemos saber que é errado se preocupar e ainda assim continuarmos a nos preocupar. Precisamos entender que nenhuma das promessas de Deus funciona até que realmente obedeçamos à Sua Palavra. O conhecimento não é suficiente para resolver os seus problemas; você precisa entrar em ação sendo obediente independentemente de como se sinta. Você pode não sentir vontade de cumprir um compromisso ou de fazer alguma coisa para ajudar alguém, mas faça-o assim mesmo.

Pensamento Poderoso N.º 6

## A Palavra de Deus nos Ensina a Demonstrar Amor em Todo o Tempo

Não devemos usar os nossos problemas pessoais como uma desculpa para sermos ranzinzas e pouco amorosos com as pessoas. Lembre-se sempre de que vencemos o mal com o bem (ver Romanos 12:21). Portanto, meu conselho é: confie em Deus e faça o bem, faça o bem, e faça o bem!

Na Bíblia, Paulo compartilha que, embora estivesse sofrendo, ele tinha certeza absoluta de que Deus cuidaria das coisas que ele havia confiado a Ele. Paulo entregava os seus problemas a Deus e se recusava a se preocupar. Ele encorajava as pessoas a se apegarem ao que haviam aprendido e a protegerem e guardarem a preciosa verdade que lhe havia sido confiada pelo Espírito Santo (ver 2 Timóteo 1:12-14). Em outras palavras, Paulo dizia que devemos confiar em Deus e continuar fazendo o que sabemos que devemos fazer durante os tempos de dificuldades. Uma pessoa obediente sempre tem vitória no fim. A minha fórmula simples para a vitória é confie em Deus, não se preocupe, faça o bem, e continue meditando e confessando a Palavra de Deus, porque ela é a espada do Espírito. Com essa espada, você derrotará Satanás.

Existem muitos recursos disponíveis para ajudá-lo a encontrar as passagens bíblicas nas quais você precisa meditar e que deve confessar, inclusive o meu livro *The Secret Power of Speaking God's Word* (O Poder Secreto de Declarar a Palavra de Deus), e as partes intituladas "A Palavra para a Sua Vida Diária" na *Bíblia de Estudos Joyce Meyer.*

### Pense Nisto

Em que versículos específicos ou passagens da Palavra de Deus você irá meditar para ajudá-lo a parar de se preocupar?

PARTE II – Pensamentos Poderosos

Que compromissos você irá cumprir, embora talvez não sinta vontade?

A quem você pode ajudar a fim de "fazer o bem" durante os seus tempos desafiadores?

## Deus é Digno de Confiança

Confessando e meditando neste pensamento poderoso: "Confio em Deus completamente; não há razão para me preocupar", você finalmente formará uma nova mentalidade que o capacitará a colocar a sua confiança em Deus sem esforço. Você passará a procurar o que é bom habitualmente e a engrandecer essas coisas. A vida é muito prazerosa quando aprendemos a orar por tudo e a não nos preocuparmos com nada.

Quero encorajá-lo a não desanimar se formar uma nova mentalidade parecer difícil no começo. Talvez você tenha de dizer que irá confiar em Deus e não se preocupar mil vezes antes de começar a sentir os efeitos dessa atitude. Apenas lembre-se de que toda vez que você pensa e diz aquilo que está de acordo com Deus, você está progredindo. Satanás tentará implacavelmente fazê-lo desistir, mas se você continuar fazendo implacavelmente o que eu sugiro neste livro, garanto que verá os resultados no devido tempo.

A maioria de nós praticou fazer as coisas da maneira errada durante anos, e não devemos esperar que tudo se transforme em alguns dias ou semanas. Renovar a nossa mente é como reprogramar um computador. Por duas vezes nos últimos dez anos, tivemos de instalar um sistema de computadores completamente novo, e posso lhe dizer que não foi fácil. Era algo crucialmente necessário para podermos progredir como ministério, mas provavelmente foi uma das coisas mais difíceis para os nossos funcionários. Eles tiveram de aprender uma maneira totalmente nova de processar informações e as coisas nem sempre pareciam funcionar imediatamente. Finalmente, o velho esquema se foi e o novo se tornou confortável e era muito, muito melhor — mas todos precisaram ter paciência!

Herdamos as promessas de Deus pela fé e pela paciência (ver Hebreus 10:36). Independentemente de quanto tempo demore para que você renove a sua mente com esses pensamentos poderosos, continue perseverando. Você está treinando a sua mente para trabalhar para você e não contra você. Não esqueça que para onde a mente vai, o homem segue!

## Pense Nisto

Em quais situações específicas você precisa confiar em Deus hoje?

_____

_____

## Palavras de Poder

"Venham a mim, todos os que estão cansados e sobrecarregados, e eu lhes darei descanso".
*Mateus 11:28*

"Por isso digo: vivam pelo Espírito, e de modo nenhum satisfarão os desejos da carne".
*Gálatas 5:16*

"Portanto, humilhem-se debaixo da poderosa mão de Deus, para que ele os exalte no tempo devido. Lancem sobre ele toda a sua ansiedade, porque ele tem cuidado de vocês".
*1 Pedro 5:6,7*

"Quem de vocês, por mais que se preocupe, pode acrescentar uma hora que seja à sua vida?"
*Mateus 6:27*

PENSAMENTO PODEROSO N.º 7

# Sou contente e emocionalmente estável.

*"De fato, a piedade com contentamento é grande fonte de lucro."*

I Timóteo 6:6

Uma das melhores coisas que Deus fez em minha vida foi me ajudar a ser emocionalmente estável e consistentemente contente. Foi uma longa jornada, e admito que não foi fácil, mas nada é mais atormentador do que ser controlada emocionalmente por forças externas. Olho para trás e percebo quanto tempo e energia desperdicei ao longo dos anos ficando irritada com coisas a respeito das quais eu não podia fazer nada.

Dave e eu passamos muitos anos com as finanças bastante limitadas, e toda vez que acontecia alguma coisa inesperada, como a necessidade de consertar um eletrodoméstico ou o carro, uma conta médica, ou uma conta de água ou luz excepcionalmente alta, minha reação era sempre ficar irritada e começar a dizer todo tipo de tolices. Eu dizia coisas do tipo: "Nunca teremos dinheiro algum, porque sempre acontece alguma coisa para roubá-lo", ou "Nada dá certo para nós, então de que adianta tentar?". Dave, o Sr. Constante e Estável, tentava me encorajar, mas eu sempre deixava as emoções me governarem.

Dave dizia coisas do tipo: "Graças a Deus porque tínhamos o dinheiro para pagar esta conta inesperada", ou "Tudo vai ficar bem porque Deus nos ama e tem um bom plano para nós". Bem lá no fundo,

## Pensamento Poderoso N.º 7

eu sabia que ele estava certo e que o meu comportamento era infantil, mas eu tinha hábitos muito ruins que me dominavam nessa área.

Cresci em uma família instável com pessoas que sempre deixavam as circunstâncias controlarem seu humor, mas Dave cresceu com uma mãe temente ao Senhor que permanecia sendo positiva em meio a grandes provações. A mãe de Dave me deu a minha primeira Bíblia e na contracapa escreveu o versículo 5 do Salmo 37: "Entregue o seu caminho ao Senhor; confie nele, e ele agirá". Ela obviamente sabia o valor de se permanecer calmo e deixar Deus trabalhar.

O interessante é que as circunstâncias naturais em minha família eram muito melhores que as circunstâncias que envolviam a família de Dave, mas as nossas atitudes eram muito piores.

Meus pais tinham casa própria, ambos tinham bons empregos, tinham boa saúde, e tinham algumas economias. Em comparação, a situação de Dave era de muita necessidade. A maioria das roupas deles havia sido dada à família pelas pessoas para as quais a mãe de Dave limpava a casa. O pai dele morreu quando ele tinha dezesseis anos e deixou sua mãe com oito filhos para sustentar. Eles viviam em um apartamento de três quartos que tinha um quarto no porão, mas eles conheciam o amor de Deus e sua mãe lhes deixou um tremendo exemplo de contentamento e estabilidade. Não temos de permitir que as nossas circunstâncias controlem o nosso humor a não ser que optemos por isso.

Em todos os aspectos da vida, Jesus é o nosso exemplo — e Jesus era emocionalmente estável. Na verdade, a Bíblia se refere a Ele como "a Rocha", e podemos depender Dele para sermos sólidos, firmes e estáveis — os mesmos o tempo todo, sempre fiéis, leais, maduros e conformados à Sua Palavra. De fato, Hebreus 13:8 nos diz que Ele é o mesmo "ontem, hoje e eternamente". Em outras palavras, Ele não tem um tipo de humor em um dia e no outro "acorda" com um humor diferente. Podemos contar que Ele será hoje o mesmo que foi ontem, e que será amanhã o mesmo que é hoje. Poder depender da estabilidade e consistência de Jesus é parte do que faz com que o relacionamento com Ele nos pareça atraente.

PARTE II – Pensamentos Poderosos

Parte da atração da estabilidade e do contentamento é o fato de que eles nos permitem desfrutar nossa vida. Nenhum de nós realmente gosta de ter momentos ou dias em que as emoções afundam e ficamos cheios de autopiedade e de pensamentos negativos. Não apreciamos a nós mesmos quando estamos neste estado, e ninguém nos aprecia também. Ter um relacionamento próximo com uma pessoa que é descontente, não confiável, e mal-humorada é extremamente difícil. A não ser que entendamos que não estamos ajudando essas pessoas quando alimentamos o seu temperamento, podemos passar todo o nosso tempo tentando fazê-las felizes em vez de sermos livres para desfrutar a nossa própria vida.

Descobri que gosto mais de mim mesma quando sou estável e consistente, e creio que o mesmo acontece com você. Tornar-se estável e consistente emocionalmente é muito importante para ter uma vida poderosa, e à medida que crescer nessas qualidades, você se sentirá fortalecida como nunca.

O caminho para a mudança é a renovação da sua mente. Precisei começar a crer que eu poderia ser contente e estável antes de realmente ver os frutos em minha vida. Estudei sobre o contentamento com frequência e li muito sobre as emoções. Comecei a pensar e a dizer que eu era contente e emocionalmente estável. A Palavra de Deus afirma que podemos e devemos chamar as coisas que não são como se elas já existissem (ver Romanos 4:17). Quando temos fé em nosso coração, nossos pensamentos e palavras são de fé. Vemos as coisas realizadas pela fé antes de as vermos na realidade. Dessa maneira, cooperamos com Deus na esfera espiritual. Entramos na esfera do Espírito com os nossos pensamentos e palavras e extraímos dela as coisas para a esfera em que vivemos.

## Pense Nisto

Em uma escala de 1 a 10, como você classificaria a sua própria estabilidade e contentamento emocional?

Pensamento Poderoso N.º 7

## As Emoções Vieram para Ficar

Todos nós temos emoções, e sempre teremos. Elas fazem parte do ser humano. Se isso é verdade, então creio que a estabilidade emocional deveria ser um dos principais objetivos de todo crente. Devemos buscar a Deus para aprendermos a administrar as nossas emoções e a não permitir que elas nos administrem. Uma citação do *Random House Dictionary* afirma que as emoções são "qualquer dos sentimentos de alegria, tristeza, ódio, amor, etc." Pense nisto: Você saiu para comprar um determinado artigo que necessita. Você assumiu o compromisso de sair das dívidas. Concordou em se disciplinar na área dos gastos e em não comprar coisas que não necessite. Mas enquanto está fazendo compras, descobre que a loja está fazendo uma enorme liquidação — cinquenta por cento de desconto em todas as mercadorias que já estão com preços remarcados. O que você faz? Você fica empolgada. Quando mais olha em volta, mais empolgada você fica. As emoções estão ficando cada vez mais à flor da pele. Elas começam a se mover — porque parte do plano do diabo para arruinar a sua vida é que você siga as suas emoções.

Uma pessoa emocional define-se como "alguém que é facilmente afetado ou abalado pelas emoções; alguém que demonstra emoção; alguém com a tendência de depender das emoções ou de supervalorizá-las; alguém cuja conduta é governada pela emoção e não pela razão". Concordo plenamente com essa definição, e quero acrescentar diversas observações pessoais que fiz sobre pessoas que não são estáveis emocionalmente:

- Uma pessoa que vive segundo as emoções vive sem princípios.
- Você não pode ser espiritual (andar no Espírito) e ser guiado pelas emoções.
- As emoções não irão embora, mas você pode aprender a administrá-las.
- Você pode ter emoções, mas não pode depender sempre delas.

Eu o incentivo a fazer da maturidade emocional uma prioridade em sua vida. Se você não acredita que está fazendo um bom trabalho administrando suas emoções, comece a orar e a buscar a Deus para ter

PARTE II – Pensamentos Poderosos

maturidade emocional. Eu também o encorajo a aprender o que mais o irrita ou o que mais o estimula a se comportar emocionalmente, e a tomar cuidado com essas tentações.

Para ajudá-lo a começar, deixe-me mencionar algumas referências bíblicas:

- Os versículos de Jeremias 17:8 e Salmo 1:3 nos instruem a sermos como árvores firmemente plantadas.
- 1 Pedro 5: 8,9 nos ensina a sermos bem equilibrados e moderados (com domínio próprio) para impedirmos que Satanás nos devore. De acordo com esses versículos, se quisermos resistir a ele, precisamos ser enraizados, firmados, fortes, imutáveis e determinados.
- Filipenses 1:28 nos diz para sermos constantemente destemidos quando Satanás vier contra nós.
- O Salmo 94:13 diz que Deus quer nos dar poder para permanecermos calmos na adversidade.

Todos esses versículos se referem a ser estável, portanto, eu o encorajo a lê-los, a meditar neles e a permitir que eles impregnem seu pensamento.

## Pense Nisto

De que maneiras você pode começar a se tornar mais estável emocionalmente?

---

## Nivele os Seus Altos e Baixos

Estou certa de que você já pode dizer que eu acredito que alguns dos maiores desafios da vida envolvem ou são resultado dos altos e baixos em nossas emoções. Pense nas montanhas-russas. Se você medisse o comprimento dos trilhos de uma montanha-russa, descobriria que a distância que eles cobrem é muito maior que a distância entre o lugar onde você sobe e o lugar onde você desce do carrinho. Quando o passeio termina, você passou muito tempo subindo velozmente a grandes alturas e descendo a grandes profundidades. Na montanha-russa, muitas pessoas acham que isso é diversão, mas se permitirmos que as nossas emoções façam isso conosco na vida diária, posso lhe garantir que será desgastante.

Em vez de andar em uma "montanha-russa emocional", que só nos esgota, precisamos nos tornar pessoas estáveis, sólidas, firmes, perseverantes e determinadas. Renovar a sua mente para pensar e acreditar que você é estável e contente o ajudará a começar. Nunca poderemos desfrutar nenhuma das promessas de Deus até que acreditemos nelas para nós mesmos. No mundo, acreditamos no que vemos, mas no reino de Deus acreditamos e depois vemos.

Se continuarmos a permitir que as nossas emoções governem sobre nós, não há como sermos as pessoas que fomos criadas para ser. Não adianta nada simplesmente *desejar* não ser tão emocional. Uma escolha deve ser feita: mudar e renovar completamente a sua mente. Nenhum de nós jamais ficará totalmente livre das emoções e não precisamos eliminá-las da nossa vida, mas precisamos aprender a administrá-las e controlá-las — e a não permitir que elas nos controlem ou tenham poder sobre nós. As emoções não são de todo más, algumas delas são muito agradáveis, mas elas são muito instáveis. Você pode se sentir de cem maneiras diferentes em trinta dias com relação à mesma coisa.

Os sentimentos podem mudar de um dia para o outro, de uma hora para a outra, e às vezes até de um momento para o outro. Eles não apenas mudam, como também mentem. Por exemplo, você pode estar em uma multidão e *sentir* que todos estão falando de você, mas isso não significa que eles estão realmente fazendo isso. Você pode *sentir* que ninguém o entende, mas isso não significa que eles não entendem. Você pode sentir que não gostam de você, que você não é apreciado, ou até que não é bem tratado, mas isso não significa que é verdade. Se você quer ser uma pessoa madura, disciplinada e equilibrada, precisa estar *determinado* a não andar de acordo com o que *sente*. Se eu estou tendo um dia em que me sinto "hipersensível", posso achar que as pessoas não estão me tratando muito bem, mas na verdade elas não estão me tratando diferente do modo como sempre fazem — simplesmente *eu* estou mais sensível emocionalmente naquele dia e as coisas estão me afetando de uma forma diferente do normal.

As pessoas costumam me perguntar: "Como posso aprender a ser contente e estável?". Na verdade, existem duas respostas a essa pergunta, e as duas vêm diretamente da Bíblia. Quais são elas? Paciência e domínio próprio!

## Paciência

Deus quer que usemos a sabedoria, e a sabedoria encoraja a paciência. A sabedoria diz: "Espere um pouco, até que as emoções se acalmem, antes de fazer ou dizer alguma coisa, e depois verifique se realmente acredita que é a coisa certa a fazer". As emoções nos estimulam a agir apressadamente, dizendo que precisamos fazer alguma coisa e imediatamente! Mas a sabedoria divina nos diz para sermos pacientes e esperarmos até termos uma imagem clara do que devemos fazer e quando devemos fazê-lo. Precisamos ser capazes de recuar diante das situações e vê-las a partir da perspectiva de Deus, e só então tomar as decisões com base no que *sabemos,* e não no que *sentimos.*

## Domínio próprio

Deus nos deu o livre-arbítrio, e isso significa que temos o privilégio de escolher o que faremos e o que não faremos. Como crentes em Jesus Cristo, Deus nos deu uma nova natureza, mas ao mesmo tempo também precisamos lidar com a velha natureza. A Bíblia afirma que devemos nos "despojar" da velha natureza e nos "revestir" da nova natureza. Na verdade, essa é outra maneira de dizer que temos escolhas a fazer. Quando permitimos que a velha natureza governe, seguimos os sentimentos quando na verdade deveríamos agir com domínio próprio. O domínio próprio é um fruto da nossa nova natureza, e tudo que precisamos fazer é desenvolvê-la. Podemos desenvolver o domínio próprio ao usá-lo, assim como podemos desenvolver músculos ao usá-los.

Exercer o domínio próprio é uma forma de liberdade, e não um tipo de cativeiro. Você não precisa fazer o que está com vontade de fazer. Você é livre para fazer o que sabe que é sábio. A disciplina e o domínio próprio o ajudarão a ser o que você diz que quer ser, mas nunca o será sem a ajuda do domínio próprio.

Praticar o domínio próprio o ajudará a se sentir melhor consigo mesmo; você terá mais respeito por si mesmo. Também terá mais energia quando não permitir que as suas emoções o controlem. Quando eu estava passando por muitos altos e baixos, isso me deixava fisicamente cansada. Passar por todo tipo de alterações emocionais requer muita energia. À medida que Deus me ajudou a administrar as minhas emoções, percebi que eu também tinha mais energia. Se você tem andado cansado ultimamente, talvez devesse parar e perguntar ao Senhor se o motivo poderia ser o fato de você permitir que as suas emoções o administrem, em vez de você administrá-las.

Deixe-me compartilhar um exemplo simples e diário sobre a paciência e o domínio próprio em minha vida. Certa vez, eu havia economizado dinheiro para comprar um bom relógio. Eu queria um bom relógio cuja pulseira não mudasse de cor e não deixasse o meu pulso verde. Um dia, Dave e eu fomos ao shopping e por acaso paramos em uma joalheria, onde vi um relógio muito bonito. Quando olhamos para ele, descobrimos que era folheado a ouro. Sabíamos que ele provavelmente acabaria perdendo a cor, mas era bonito e brilhava muito, e realmente gostei dele. Além disso, o balconista fez a oferta de baixar o preço. Então, minhas emoções disseram: "Sim! É exatamente este que eu quero!".

Mas Dave disse: "Bem, você sabe que ele é folheado a ouro, e que vai acabar perdendo a cor".

Eu disse: "Sei disso, mas realmente gosto deste relógio. O que devo fazer?".

PARTE II – Pensamentos Poderosos

"O dinheiro é seu", respondeu ele.

"Vou lhe dizer o que vou fazer", eu disse ao balconista. "Gostaria que você reservasse o relógio para mim enquanto dou uma volta pelo shopping. Se eu quiser o relógio, voltarei para pegá-lo em uma hora".

Então Dave e eu andamos pelo shopping por algum tempo, Quando fizemos isso, passamos por uma loja de vestidos. Como eu precisava de algumas roupas novas, entrei e encontrei um terno muito bonito. Experimentei-o, e ele caiu perfeitamente. Eu o amei.

"Este é um belo terno", Dave observou. "Você devia comprá-lo".

Olhei para a etiqueta com o preço e pensei: *Ele custa muito mais do que pensei que custasse.* Mas eu realmente queria o terno! Na verdade, havia três coisas que eu queria naquele instante. Eu queria o relógio; eu queria o terno; e eu queria *não* ficar "dura". O que fiz? Apliquei a sabedoria e decidi esperar. O relógio — que realmente não tinha a qualidade que eu queria — teria levado todo o dinheiro que eu havia economizado. O terno era lindo, mas novamente eu precisaria usar a maior parte do meu dinheiro. Decidi que a melhor coisa a fazer era guardar o dinheiro e esperar até que eu tivesse certeza do que queria mais. Se eu tivesse tomado uma decisão emocional, teria comprado o relógio quando o vi, em vez de dar tempo ao tempo para pensar na minha compra e exercer o domínio próprio não o comprando impulsivamente. Geralmente o caminho mais sábio é: *quando estiver em dúvida, não faça!* O entusiasmo que você sente no shopping desvanecerá quando do você levar o produto para casa, então é melhor que esta não seja a base da sua decisão quanto a comprá-lo ou não.

Quando você se deparar com decisões a serem tomadas, principalmente decisões grandes ou difíceis, pratique o domínio próprio e espere até ter uma resposta clara antes de dar um passo que você poderá lamentar. Lembre-se de ser conduzido pela paz, e não pelo entusiasmo. As emoções podem ser maravilhosas quando administradas e tratadas de uma forma divina, mas não devemos permitir que elas precedam a sabedoria e o conhecimento. Deixe-me dizer outra vez: "Controle as suas emoções e não permita que elas controlem você". Comece a pensar e dizer: "Sou contente e emocionalmente estável".

## Pense Nisto

Em que área você precisa praticar a paciência e exercer o domínio próprio em sua vida neste instante?

_____

_____

## As Pessoas Estáveis São Promovidas

Muitas pessoas se sentem capazes e qualificadas para fazerem uma determinada coisa e, no entanto, vivem frustradas porque as portas certas nunca parecem estar abertas para elas. As oportunidades nunca chegam. Por quê? Embora não haja uma resposta única e sucinta, quero oferecer algumas percepções sobre o assunto que acredito que Deus me ensinou, e espero que sejam úteis a você.

Creio que muitas pessoas são "capazes, mas não estáveis". Deus lhes deu habilidades, mas elas não fizeram esforço para amadurecer em estabilidade de caráter. Moisés foi um homem de Deus maravilhoso; mas ele tinha um problema com a ira. Finalmente, Deus se recusou a permitir que Ele conduzisse os israelitas a entrarem na Terra Prometida por causa da sua falta de estabilidade nessa área. Portanto, acredito que é justo dizer que a instabilidade de Moisés bloqueou a sua habilidade.

Deus deve poder confiar em nós; e as outras pessoas devem poder depender de nós. Quando somos estáveis e maduros no caráter, fazemos o que dizemos que vamos fazer independentemente de como nos sentimos. Mesmo que nos sintamos irritados, não nos comportamos de uma forma desagradável. Entendemos que descontar nosso mau humor nas pessoas que nos cercam não é uma atitude correta nem madura. Continuamos a agir de acordo com o fruto do Espírito mesmo quando precisamos suportar circunstâncias e pessoas que não são o que gostaríamos que fossem. O apóstolo Paulo disse que aprendeu a estar contente quer estivesse tendo o que queria ou não (ver Filipenses 4:11). Creio que ele aprendeu que ficar irritado e mal-humorado não adiantava, então simplesmente tomava a decisão de confiar em Deus e seguir em frente e desfrutar o dia, independentemente das circunstâncias.

A vida não é isenta de problemas, e nunca será. Você só encontrará um único grupo de pessoas que estão livres de problemas, mas terá de ir até o cemitério mais próximo para encontrá-las. Enquanto estivermos respirando, teremos momentos de abundância e momentos de dificuldades, momentos em que as circunstâncias serão favoráveis e outros em que elas serão desfavoráveis. Deixe que as circunstâncias façam o que quer que seja — e no que diz respeito a você, esteja determinado a permanecer estável.

## Pense Nisto

Existe alguma área de instabilidade que poderia estar impedindo a sua promoção na vida?

---

## Fontes de Descontentamento

Geralmente me pergunto por que tantas pessoas no mundo, principalmente os cristãos, estão descontentes. O descontentamento e a instabilidade emocional andam de mãos dadas. Descobri que se estou descontente, fico irritada com facilidade, mas se optar por estar contente independentemente do que esteja acontecendo, então minhas emoções também ficam equilibradas.

Todos nós temos períodos de contentamento, mas estar *consistentemente* contente é uma questão totalmente diferente. Creio que é seguro dizer que conheço poucas pessoas que eu consideraria como consistentemente pacíficas e alegres e consistentemente contentes. Creio que os nossos pensamentos têm muito a ver com o nosso humor. Alguns pensamentos melhoram o nosso humor e aumentam o nosso grau de contentamento, e outros os fazem descer vertiginosamente, deixando-nos infelizes e descontentes. Podemos nos tornar felizes por meio daquilo que pensamos e nos tornar tristes da mesma forma! Este livro é sobre o poder de meditar em certos pensamentos, portanto, vamos aplicar o princípio do contentamento. A maneira como falamos com nós mesmos afeta definitivamente as nossas emoções, de modo que se falo comigo mesma da forma adequada, posso ficar contente e emocionalmente estável.

Um dos principais padrões de pensamento que gera descontentamento é colocar o foco no que *não* temos e no que as pessoas *não* estão fazendo por nós. Quando pensamos no que não somos e começamos a nos comparar com outras pessoas, também ficamos descontentes. Por outro lado, quando tiramos a nós mesmos e os nossos desejos da nossa mente, a vida sempre fica mais bela.

Precisamos escolher pensar no quanto somos abençoados. Há apenas alguns dias tive uma revelação nova do quanto sou abençoada e de tudo o que Deus fez por mim em minha vida. Se eu estivesse pensando no que eu não tinha, e no que ainda necessito, teria perdido aquele momento de realização.

O apóstolo Tiago escreve sobre outra fonte de descontentamento quando ele afirma que estamos descontentes porque tentamos ter o que queremos para nós mesmos em vez de pedirmos isso a Deus e confiarmos nele completamente. Vemos o que os outros têm e ficamos com inveja, o que gera descontentamento no nosso coração. Devemos apenas querer o que Deus quer que tenhamos e devemos confiar nele o suficiente para acreditar que se pedirmos algo e não o recebermos, o único motivo é porque Ele tem algo melhor em mente para nós. Quando oramos, também precisamos entender que uma demora nem sempre é uma negativa.

O apóstolo Paulo disse a Timóteo que a piedade com contentamento é grande fonte de lucro, algo a ser desejado e buscado (ver 1 Timóteo 6:6). Temo que tenhamos o costume de buscar muitas coisas que não nos fazem nenhum bem duradouro, e que geralmente deixamos

PARTE II – Pensamentos Poderosos

de buscar as coisas que realmente nos satisfarão. A Bíblia diz no Salmo 92:14,15 que os justos darão frutos na velhice — os frutos da confiança, do amor e do contentamento — e que esses frutos serão memoriais vivos para mostrar que o Senhor é justo e fiel. Creio que confiar totalmente em Deus e amar as pessoas é o caminho para o contentamento, de modo que é interessante, a meu ver, encontrar essas duas coisas juntas nesta passagem. Está claro que não confiar em Deus e não amar as pessoas são fontes de descontentamento, e nos farão infelizes.

Vi pessoas que no final de sua vida só tinham a lamentar quanto à maneira como haviam vivido e não sentiam nenhuma satisfação e contentamento, mas creio que é lindo ver uma pessoa idosa que diz: "Minha vida foi boa. Quando chegar a hora de morrer, posso morrer feliz". As pessoas que são descontentes nunca desenvolveram o hábito de serem apreciativas e gratas. Honestamente, apenas ser capaz de andar, ver e ouvir já é uma grande bênção, e é algo que as pessoas que são aleijadas, cegas ou surdas ficariam extremamente contentes em ter. Se você estivesse no hospital, ficaria contente apenas em poder se sentar em sua própria casa em sua cadeira favorita. Sempre pensamos que ficaremos contentes *quando...*, mas por que não escolher estar contente agora mesmo?

Mesmo que você não tenha o que quer ou precisa neste instante, mantenha uma atitude positiva e continue esperançoso. "A esperança que se retarda deixa o coração doente" (Provérbios 13:12), mas aqueles que se recusam a abrir mão da esperança permanecem alegres. Seja contente com o que você tem e recuse-se a colocar o foco no que você não tem; ame as pessoas, e continue esperançoso com relação ao que você quer e precisa.

## Pense Nisto

Quais são as suas bênçãos? Relacione cinco delas.

_____

_____

Pensamento Poderoso N.º 7

De que fatores você tem reclamado ultimamente?

_____

_____

Você sente inveja de alguém ou de alguma coisa que alguém possui?

_____

_____

## Faça uma Lista

Para ajudá-lo a atingir e manter um novo nível de contentamento em sua vida, eu o encorajo a fazer uma lista de todas as coisas que você tem e pelas quais deveria ser grato. Deve ser uma lista longa, que inclua tanto pequenas quanto grandes coisas. Por que ela deve ser longa? Porque todos nós temos *muitas razões* para sermos gratos se tão somente procurarmos.

Há poucos dias, eu estava pensando no meu cotovelo, que tem doído há algum tempo. Pensei no quanto estou cansada da fisioterapia que tive de fazer por causa dele e das visitas médicas relacionadas a esse problema. Mas, então, pensei na minha idade, em como me sinto bem na maior parte do tempo, e em quantas partes do meu corpo não têm absolutamente nada de errado. Pensei em todas as pessoas enfermas de uma forma realmente desesperadora no mundo e em todos os hospitais cheios de pessoas que sentem dor e que estão doentes — e comecei a me sentir realmente muito abençoada. Veja como é simples: quando me concentrei naquilo que doía, senti pena de mim mesma; mas quando coloquei o foco nas partes que funcionam bem e onde não sinto dor alguma, de repente me senti muito melhor. Eu não estava feliz com o problema em meu cotovelo, mas o meu grau de contentamento aumentou radicalmente. Sei que o cotovelo vai ficar bem e que Deus me

PARTE II – Pensamentos Poderosos

dará a capacidade de fazer tudo o que for preciso enquanto isso, porque tenho meditado no pensamento poderoso sugerido neste livro: "Posso fazer tudo o que for preciso fazer na vida".

Deborah Norville conta uma história em seu livro *De Bem Com a Vida* sobre um homem chamado David, que estava desanimado. Ele havia se mudado para Manhattan, na cidade de Nova Iorque, com muitas esperanças de encontrar um emprego que pagasse bem e morar em um belo apartamento, mas terminou com um salário miserável como assistente e morando com um amigo porque não podia se dar ao luxo de pagar por um lugar sozinho.

Certo sábado pela manhã, enquanto estava fora realizando uma tarefa profissional, David decidiu começar a contar as coisas que o deixavam feliz. Ele começou sorrindo quando viu uma mãe andando com o seu bebê, depois percebeu que ver um avião a jato cruzando o céu o deixou feliz. Ele percebeu aromas fantásticos vindos dos cafés por onde passava, e apreciou as cores e a beleza das vitrines. Quando terminou sua tarefa, ele ficou feliz novamente — e estava realmente grato por ter se mudado para Nova Iorque.

Mais de vinte anos depois, David se tornou um empreendedor de sucesso, mas nunca se esqueceu do dia que mudou a sua vida — o dia em que aprendeu sobre o poder da gratidão.[1]

Pegue um pedaço de papel agora mesmo e comece a relacionar as coisas que você tem e pelas quais deve ser grato. Guarde a lista e acrescente coisas a ela frequentemente. Não deixe de pensar nas coisas pelas quais você é grato quando estiver levando seus filhos a alguma atividade ou esperando na fila do correio. Você só poderá aprender o "poder do obrigado" praticando-o. A Bíblia diz que devemos ser gratos e dizer isso. Meditar nas razões que você tem para ser grato todos os dias e verbalizar isso será algo extremamente útil para você. Na próxima vez que você for almoçar ou tomar café com um amigo, proponha-se a falar sobre as coisas pelas quais você é grato em vez de ficar relembrando todos os seus problemas. Ou, se você precisar falar sobre um problema, pelo menos acrescente à conversa algumas coisas pelas quais você é grato. Fazendo isso, você pelo menos manterá as coisas equilibradas de certa forma e na perspectiva correta.

## Pense Nisto

Em que situação específica você precisa começar a praticar o poder do obrigado?

---

---

## Parece Bom, Não é?

Você quer ser estável emocionalmente e estar sempre contente? Se isso lhe parece bom, você pode se convencer disso. Pare de meditar nas coisas erradas, de ficar irritado e depois pensar e falar sobre o quanto você é instável e descontente e repetir essas coisas sem cessar. Comece a pensar e dizer: "Sou emocionalmente estável e estou sempre contente. Independentemente das coisas que estejam acontecendo ao meu redor, posso permanecer calmo e amoroso enquanto confio em Deus para cuidar delas".

Como você se vê? O que você quer ser? Onde você quer estar a esta hora no ano que vem em termos de crescimento espiritual? Tome algumas decisões e comece a dirigir a sua vida em vez de deixar que ela dirija você. Entre em acordo com Deus e a Sua Palavra. Pense o que Ele pensa e diga o que Ele diz. Será fácil? Provavelmente não, mas valerá a pena. Você irá voltar atrás no seu compromisso de pensar e dizer coisas positivas? Sim, provavelmente você fará isso algumas vezes, mas lembre-se sempre de que, quando os bebês estão aprendendo a andar, eles podem cair e chorar, mas sempre se levantam e tentam outra vez. Somos como bebês todas as vezes que tentamos algo novo. Ter os seus próprios pensamentos e escolhê-los cuidadosamente e com um propósito pode ser novo para você. Se esse é o caso, então você está na fase dos bebês. Lembre-se apenas de que, quando cair, tudo que você tem a fazer é se levantar e tentar de novo.

Meditar neste pensamento poderoso durante no mínimo uma semana o ajudará a renovar a sua mente com a ideia de que a estabilidade e o contentamento são importantes e devem ser desejados. Talvez demore mais que uma semana para que este princípio crie raízes em sua vida, mas comece com uma semana e, depois de terminar os doze pensamentos poderosos, volte e repasse-os por diversas vezes até ver que você tem uma nova vida e que a aprecia muito mais que a vida anterior. Primeiramente, entendemos que devemos ser estáveis e contentes, e depois começamos a acreditar que podemos ser, e depois realmente nos tornamos aquilo em que acreditamos.

Pense sobre como será maravilhoso descer da montanha-russa das emoções que nos deixam alegres num dia e de repente roubam a nossa alegria no outro. Subimos em um instante e descemos no outro... para cima e para baixo... para cima e para baixo! Não é assim que Jesus quer que vivamos. Essa não é a vida que Ele morreu para nos dar. Dê passos hoje para abraçar e desfrutar a vida que Ele tem para você — e isso inclui ser contente e emocionalmente estável.

## Pense Nisto

De que maneiras específicas você deseja crescer em estabilidade emocional? Por exemplo, você quer se tornar mais paciente, mais cheio de paz, mais seguro de quem você é? Quer aprender a permanecer calmo e a reagir adequadamente às crises, em vez de reagir de forma exagerada?

## Palavras de Poder

"De fato, a piedade com contentamento é grande fonte de lucro".
*1 Timóteo 6:6*

"Não estou dizendo isso porque esteja necessitado, pois aprendi a adaptar-me a toda e qualquer circunstância".
*Filipenses 4:11*

"Dêem graças em todas as circunstâncias, pois esta é a vontade de Deus para vocês em Cristo Jesus".
*1 Tessalonicenses 5:18*

## PENSAMENTO PODEROSO N.º 8

# Deus supre todas as minhas necessidades em abundância.

*"Amado, oro para que você tenha boa saúde e tudo lhe corra bem, assim como vai bem a sua alma."*

3 João 2

Creio que é importante desenvolver o que chamo de uma mentalidade abundante — uma mentalidade que crê que Deus sempre suprirá tudo o que precisamos em todas as situações. Essa é a promessa de Deus ao longo das Escrituras, e parte da Sua natureza é suprir as necessidades dos Seus filhos. Na verdade, no Antigo Testamento, um dos nomes de Deus em hebraico é *Jeová-Jireh*, que significa "O Senhor, nosso Provedor".

Você e eu somos filhos de Deus. Ele é o nosso Pai, e tem prazer em nos dar coisas assim como os pais naturais têm prazer em ajudar seus filhos. Dave e eu temos quatro filhos. Eles nos amam e nós os amamos, e compartilhamos tudo o que temos com eles. Não poderíamos sequer imaginar deixá-los passando necessidades enquanto desfrutamos abundância — e Deus certamente é muito melhor como Pai do que nós.

Deus é dono de tudo e é capaz de fazer qualquer coisa. O Salmo 24:1 diz: "Do Senhor é a terra e a sua plenitude" (ARCF) e no Salmo 50:10-12, Ele próprio diz: "Pois todos os animais da floresta são meus, como são as cabeças de gado aos milhares nas colinas. Conheço todas as aves dos montes, e cuido das criaturas do campo. Se eu tivesse fome, precisaria dizer a você? Pois o mundo é meu, e tudo o que nele existe". Está claro que todos os recursos do céu e da terra estão à disposição Dele, portanto, não há nada que precisamos que Ele não possa suprir. Deus nos ama e quer cuidar de nós. Se nós o amarmos e fizermos o nosso melhor para aprendermos progressivamente e obedecermos aos Seus caminhos, Ele se certificará de que as nossas necessidades sejam supridas. Na verdade, não há ninguém com quem Ele preferiria compartilhar as Suas bênçãos mais que com os Seus filhos.

## Pense Nisto

Você acredita que Deus o ama e quer suprir as suas necessidades?

_____

_____

Como Ele supriu as suas necessidades no passado?

_____

_____

## Mais que Dinheiro

Paulo prometeu aos crentes que eram parceiros no seu ministério que Deus supriria liberalmente todas as necessidades deles de acordo com as Suas riquezas em glória em Cristo Jesus (ver Filipenses 4:19). Ele não prometeu que Deus daria a eles tudo que quisessem, mas garantiu que Deus supriria todas as suas necessidades.

Muitas vezes, pensamos em necessidades em termos das necessidades básicas da vida — alimento, abrigo, vestimentas e recursos para comprar essas coisas. Essas representam as nossas necessidades físicas, mas creio que Deus nos criou para necessitarmos mais do que essas coisas essenciais. As nossas necessidades são variadas. Não precisamos simplesmente de dinheiro, alimento, um teto sobre nossa cabeça e roupas para vestir. Também precisamos de sabedoria, força, saúde, amigos e entes queridos; e precisamos dos dons, talentos e habilidades para nos ajudar a fazer o que devemos fazer na vida. Precisamos de muitas coisas, e Deus está disposto a suprir *todas* as nossas necessidades à medida que obedecermos a Ele e confiarmos nele. Precisamos crer que Ele quer suprir as nossas necessidades. Devemos desenvolver uma mentalidade de expectativa nessa área.

As pessoas às quais Paulo escreveu em Filipenses eram seus parceiros de ministério e o ajudavam financeiramente. Eles estavam obedecendo à lei de plantar e colher (ver Gálatas 6:7). Não podemos esperar colher onde não semeamos, mas quando plantamos boas sementes, devemos esperar bons resultados. Isso é verdadeiro em todas as áreas da vida, inclusive na saúde, nas finanças, nas nossas habilidades, e em tudo o mais que diz respeito ao nosso bem-estar.

Se plantarmos boas sementes respeitando o nosso corpo físico, alimentando-o com alimentos nutritivos e bebendo muita água, dando a ele bastante sono e eliminando o estresse em excesso, podemos esperar ter uma colheita de boa saúde. Se semearmos misericórdia, vamos colher misericórdia; se semearmos julgamento, vamos colher julgamento. Se perdoarmos, seremos perdoados. Se formos amistosos, teremos amigos. Se formos generosos, receberemos generosidade em troca. A lei da semeadura e da colheita é uma das mais simples de se entender, e é uma lei que gera um grande poder em nossa vida. Apenas pense nisto... se você precisa de amigos, tudo que tem a fazer é ser amistoso!

## O Que é Prosperidade?

John D. Rockefeller Jr. disse certa vez: "Não conheço nada mais desprezível e patético que um homem que dedica todas as horas do dia em que está acordado a ganhar dinheiro por amor ao dinheiro".

A verdade é que uma pessoa nunca é realmente próspera se tudo o que ela tem é muito dinheiro; a verdadeira prosperidade tem a ver com muito mais do que isso. O apóstolo João escreveu: "Amado, oro para que você tenha boa saúde e tudo lhe corra bem, assim como vai bem a sua alma" (3 João 2). Obviamente, João tinha um enfoque abrangente em relação à prosperidade e nós também devemos ter. Ele nem sequer mencionou o dinheiro, mas colocou o foco no corpo e na alma. Quando nossos corpos prosperam, somos fortes e fisicamente saudáveis. Ainda que no momento tenhamos uma indisposição física, podemos orar e esperar a cura, mas precisamos plantar boas sementes cuidando de nós mesmo e não abusando do nosso corpo.

Quando nossas almas prosperam, florescemos por dentro. Estamos em paz, contentes e cheios de alegria; vivemos com uma sensação de destino e propósito. Assim, crescemos espiritualmente e temos relacionamentos fortes e amorosos uns com os outros.

Deus é um Deus de abundância e deseja que vivamos uma vida abundante. Jesus disse que Ele veio para que pudéssemos ter e desfrutar a vida abundante e ao máximo (ver João 10:10).

## É Errado Querer Ter Dinheiro?

Precisamos de dinheiro! Precisamos dele para ter uma casa, roupas, educação, alimentos, automóveis, diversão e muitas outras coisas. Na verdade, quando penso sobre isso, percebo que na maior parte dos lugares que frequento o dinheiro é trocado por alguns produtos ou serviços. Portanto, não é errado querer ter dinheiro. O dinheiro não é mau; é o amor ao dinheiro que é a raiz de todos os males (ver 1 Timóteo 6:10). O dinheiro não apenas supre as nossas necessidades, como também pode ser usado para abençoar outros, principalmente aqueles que têm necessidades e não têm como supri-las. As pessoas contribuem com dinheiro para o nosso ministério, e isso nos capacita a pregar o Evangelho em trinta e oito idiomas em aproximadamente dois terços do mundo. O dinheiro também nos capacita a alimentar os famintos, a fornecer água potável segura, a financiar orfanatos, visitar prisões, e centenas de outras coisas que ajudam as pessoas.

Não é a vontade de Deus que as pessoas más tenham todo o dinheiro do mundo enquanto o Seu povo está em constante necessidade.

PARTE II – Pensamentos Poderosos

Devemos ser bons mordomos do que Deus nos dá, e bons investidores. Creio que devemos respeitar o dinheiro e nunca desperdiçá-lo. O livro de Provérbios diz diversas vezes que devemos ser prudentes, o que significa ser bons administradores.

Há uma história muito conhecida na Bíblia sobre três homens que receberam talentos (dinheiro) de acordo com a sua capacidade para lidar com eles. O homem que recebeu mais talentos recebeu o equivalente a cerca de cinco mil dólares. Ele os investiu e devolveu ao seu senhor os cinco mil dólares iniciais e mais cinco mil. O senhor elogiou-o, dizendo a ele que fizera um bom trabalho e por isso seria colocado a cargo de muito (ver Mateus 25:14-28). Quando leio essa história fica muito óbvio para mim que Deus espera que sejamos investidores sábios e que, se o formos, Ele nos recompensará. Nunca devemos amar o dinheiro ou sermos gananciosos por lucro, mas devemos fazer o máximo possível com o que temos. Use o dinheiro a serviço de Deus e do homem e nunca tente usar Deus ou o homem para conseguir dinheiro! O dinheiro é apenas uma pequena parte da prosperidade, mas precisamos dele e não é errado pedir a Deus para nos suprir de dinheiro em abundância.

## Pense Nisto

Você tem uma atitude saudável e equilibrada com relação à prosperidade?

---

---

## Chega de Mentalidades Miseráveis

Muitas pessoas deixam de desfrutar a abundância que Deus tem para elas porque possuem uma mentalidade miserável. Estão constantemente com medo de não terem o suficiente dos recursos que necessitam, sejam eles quais forem. Elas não acreditam que são fortes o bastante para fazerem o que precisam fazer; não acreditam que terão dinheiro suficiente para atender às suas obrigações financeiras; não acreditam que alguém cuidará delas na sua velhice. Têm medo de perder seus empregos e não conseguirem encontrar outro. Na verdade, a maioria dos pensamentos dessas pessoas pode estar dominada pelo medo. Elas acham que precisam de mais amigos, de mais amor e de mais energia. As pessoas cuja mentalidade é "eu preciso, eu preciso, eu preciso" se sentem desprovidas espiritual, mental, física, financeira e socialmente. Às vezes, as pessoas que são atormentadas por sentimentos de necessidade realmente passaram necessidade em algum ponto de sua vida. Essas experiências fazem com que elas tenham medo da falta ou da perda, e esse medo faz com que pensem que nunca terão o suficiente. Assim, elas podem até começar a viver vidas estreitas e mesquinhas.

A Grande Depressão dos anos 30 produziu toda uma geração de pessoas que sentiam um medo terrível da perda e da falta. Esse período trágico da história deixou uma impressão quase que irreversível em algumas pessoas, que passaram o resto de suas vidas fazendo coisas como economizar pequenos pedaços de folhas de alumínio porque se lembravam dos tempos de escassez assustadora, tempos em que aquilo que elas usavam não podia ser reposto. Quando os dias de prosperidade retornaram, muitas pessoas deixaram de renovar a mentalidade que formaram durante a Depressão. Sempre que enfrentamos um período de falta, é fácil ficar temeroso, mas é durante esses períodos que podemos confiar em Deus para suprir as nossas necessidades. Se você está em um período de depressão econômica neste instante, eu o encorajo firmemente a entender que ele irá passar e você entrará em uma nova fase. Continue confiando em Deus para ajudá-lo e espere com ousadia prosperar em todas as áreas de sua vida. Se você precisa de um emprego, espere que Deus o favoreça quando você sair para procurá-lo.

Algumas pessoas se sentem necessitadas por causa das condições ou atitudes das famílias em que cresceram; outras se sentem necessitadas por causa das experiências que tiveram e lhes fizerem sofrer perdas. Todas essas circunstâncias e outras fazem com que as pessoas tenham medo de não ter o bastante — e não é isso que Deus deseja. Ele não quer que vivamos com medo de perder o que temos ou de ficarmos sem o que necessitamos. Na verdade, creio que agir como se Deus não fosse suprir as nossas necessidades ou não quisesse que tivéssemos as nossas necessidades supridas é algo bastante insultante para Ele. Devemos elogiá-lo crendo que Ele é bom, e esperando que Ele supra as nossas necessidades de acordo com as promessas da Sua Palavra.

Sentir medo de não termos aquilo que precisamos é exatamente o que Satanás deseja. Podemos abrir a porta para a vontade dele através do medo, assim como podemos abrir a porta para a vontade de Deus através da fé.

Durante a minha adolescência e os anos em que eu era uma jovem adulta, tive de cuidar de mim mesma. Não podia pedir aos meus pais nada além do que eu tinha, por causa do abuso sexual que estava sofrendo. Se pedisse alguma coisa a meu pai, havia sempre algum tipo de "pagamento em troca", e então, para evitar essa situação, eu cuidava de mim mesma ou passava sem aquilo que precisava. Esse período da minha vida deixou-me com medo de não ter o suficiente, então, quando eu tinha alguma coisa, tinha medo de usá-la por temer que ela não estivesse ali no caso de alguma verdadeira emergência. Você poderia dizer que eu vivia com muito medo. Eu tinha medo de nunca ter o que precisava e mesmo quando o tinha, tinha medo de perder ou desfrutar aquilo. Chegar ao entendimento de que Deus tinha prazer em suprir as minhas necessidades e desejava que eu desfrutasse o que Ele me dava foi algo fantástico para mim, e devo admitir que levei bastante tempo para desenvolver uma nova mentalidade nessa área.

Lembre-se de que a mente é o campo de batalha e Satanás adora colocar pensamentos errados nela, pensamentos que não estão de acordo com a Palavra de Deus, esperando que meditemos neles por tempo suficiente para que se tornem realidade em nossa vida. Destrua esses pensamentos errados e leve todo pensamento cativo à obediência de Jesus Cristo (ver 2 Coríntios 10:5). Pense em si mesmo como um filho de Deus, uma pessoa a quem Deus ama e cujas necessidades Ele tem prazer em suprir. Plante uma boa semente ajudando as pessoas que têm necessidades, e diga coisas que edifiquem em seu interior a imagem de uma pessoa cujas necessidades são atendidas, em vez da imagem de alguém que está sempre necessitado. Eis uma lista de coisas que você pode pensar e dizer a si mesmo:

- Todas as minhas necessidades são supridas de acordo com as riquezas de Deus em Cristo Jesus (ver Filipenses 4:19).
- Deus me abençoa e faz com que eu seja uma bênção para os outros (ver Gênesis 12:2).
- Dou e me é dado, boa medida, recalcada, sacudida e transbordante (ver Lucas 6:38).
- Deus supre tudo ricamente e incessantemente para a minha satisfação (ver 1 Timóteo 6:17).
- Sirvo a Deus e Ele tem prazer na minha prosperidade (ver Salmo 35:27).

Recebemos de Deus de acordo com a nossa fé, de modo que é crucial para nós desenvolvermos uma mentalidade correta na área da provisão de Deus. Não se contente com a falta em sua vida, em vez disso, tenha uma expectativa de abundância de acordo com a Palavra de Deus.

## Pense Nisto

O fato de ter passado necessidade em algum momento de sua vida desenvolveu em você o medo de nunca ter o suficiente?

## Grandes Expectativas

Gosto do antigo provérbio alemão que diz: "Comece a tecer e Deus dará o fio". Garantir que temos confiança em Deus, eliminar toda mentalidade de "miséria" que possamos ter, desenvolver uma mentali-

PARTE II – Pensamentos Poderosos

dade de abundância e esperar com determinação que Deus seja fiel à Sua natureza e em suprir as nossas necessidades são atitudes que abrem a porta para Deus operar em nossa vida. A Bíblia ensina que Deus está esperando para abençoar as pessoas, mas Ele está procurando alguém que esteja na expectativa de receber o Seu favor (ver Isaías 30:18).

Às vezes não esperamos nada; simplesmente esperamos para ver o que acontece. Outras vezes, podemos cair na armadilha de esperar nos decepcionar porque nos decepcionamos inúmeras vezes no passado e temos medo de esperar alguma coisa de bom. Por causa dos traumas que eu havia sofrido muito cedo na vida, me tornei uma pessoa extremamente negativa quando adulta quanto à minha visão geral da vida. Eu estava sempre esperando o próximo desastre, e esperava que ele acontecesse quando eu virasse a próxima esquina. Fico muito feliz por Deus ter me ensinado a esperar com determinação que coisas boas aconteçam em minha vida. A minha vida não está isenta de desafios, mas desfruto muito mais coisas boas que ruins. Quando eu esperava ter problemas, geralmente era isso que acontecia, mas agora que espero o bem, geralmente é o que recebo. Às vezes até recebo coisas melhores do que esperava porque é assim que Deus é. Ele nos dá infinitamente e abundantemente mais e além do que tudo que podemos esperar, pedir ou pensar (ver Efésios 3:20).

Quero compartilhar com você uma história por meio da qual espero encorajá-lo a crer que Deus pode fazer mais por você do que você pensa. Antes da Guerra Civil, um homem chamado Edmund McIlhenny dirigia um negócio de sal e açúcar em Louisiana, nos Estados Unidos. Uma invasão da União em 1863 obrigou-o a deixar sua casa e seus negócios, e quando ele voltou em 1865, encontrou seus campos de açúcar e suas usinas de sal completamente devastados. Não lhe restava quase nada — exceto algumas pimentas que ainda cresciam no jardim. McIlhenny começou a fazer experiências com as pimentas, para verificar se poderia fazer um molho para dar sabor às comidas insossas que lhe haviam restado para comer. O seu molho hoje é conhecido como *Tabasco®* e, em 2008, o molho que ainda é produzido pela família McIlhenny comemorou o seu 140.° aniversário.

McIlhenny perdeu tudo na guerra; sua vida poderia ter sido arruinada. Mas não foi. Deus cuidou dele, e cuidará de você também se você não desistir.

Comece a meditar neste pensamento e a dizer: "Deus supre todas as minhas necessidades em abundância. Espero que Ele me supra em todas as áreas da minha vida. Ele tem um bom plano para mim e tenho expectativas de um futuro maravilhoso".Veja a si mesmo como alguém que age com sabedoria e tem as respostas necessárias para tomar decisões adequadas na vida.Veja a si mesmo como uma pessoa saudável que é cheia de energia e vitalidade. Creia que você é criativo e tem muitas ideias boas. Espere ser convidado para reuniões sociais e ter muitos bons amigos, assim como uma família amorosa. Deus quer que você espere boas coisas Dele. Em Jeremias 29:11 Ele promete que tem pensamentos e planos a seu respeito que são bons e não maus. Confie no que Deus diz e espere grandes coisas Dele.

## Pense Nisto

Quais são as suas expectativas?

---

---

## Deus Deseja Abençoá-lo

Algumas pessoas foram ensinadas que sofrer e passar necessidade são virtudes da vida cristã. Ser capaz de manter uma boa atitude durante períodos de sofrimento é uma virtude e é muito importante, mas o sofrimento contínuo não é a vontade de Deus para ninguém. O apóstolo Paulo afirmou que vivia tempos de privação e tempos de abundância. Passaremos por dificuldades nesta vida, mas podemos e devemos esperar o livramento de Deus e o retorno a uma vida abundante.

Nunca devemos ver Deus como um Deus sovina que retém qualquer coisa da qual necessitemos. Com certeza, há momentos em que

PARTE II – Pensamentos Poderosos

não temos o que queremos quando queremos, mas se isso acontecer, Deus tem um bom motivo. Talvez não seja a hora certa, ou não sejamos maduros o suficiente para lidar com aquilo ainda, ou Ele tenha algo melhor em mente, algo que não sabemos como pedir — mas nunca é porque Ele não quer que sejamos abençoados. Esse pensamento simplesmente não é compatível com quem Deus é.

Se você tem alguma dúvida ou pergunta sobre o fato de que Deus quer abençoá-lo, quero ajudá-lo nessa área porque desejo que você concorde com Deus sobre essa área de sua vida. A melhor maneira de fazer isso é lhe mostrar o que o próprio Deus diz. As palavras Dele são ungidas para trazer transformação ao seu modo de pensar e mudança à sua vida, portanto, observe-as e peça a Deus para usá-las a fim de conduzi-lo a um lugar de completa confiança no Seu desejo de suprir as suas necessidades e de abençoar você com abundância.

- "Não deixe de falar as palavras deste Livro da Lei e de meditar nelas de dia e de noite, para que você cumpra fielmente tudo o que nele está escrito. Só então os seus caminhos prosperarão e você será bem-sucedido" (Josué 1:8).
- "Como é feliz aquele que não segue o conselho dos ímpios, não imita a conduta dos pecadores, nem se assenta na roda dos zombadores! Ao contrário, sua satisfação está na lei do Senhor, e nessa lei medita dia e noite. É como árvore plantada à beira de águas correntes: Dá fruto no tempo certo e suas folhas não murcham. Tudo o que ele faz prospera!" (Salmo 1:1-3).
- "O Senhor é o meu pastor; de nada terei falta" (Salmo 23:1).
- "Os leões podem passar necessidade e fome, mas os que buscam o Senhor de nada têm falta" (Salmo 34:10).
- "O Senhor seja engrandecido! Ele tem prazer no bem-estar do seu servo" (Salmo 35:27).
- "Ele abençoará os que temem o Senhor, do menor ao maior" (Salmo 115:13).
- "Por que vocês se preocupam com roupas? Vejam como crescem os lírios do campo. Eles não trabalham nem tecem. Con-

tudo, eu lhes digo que nem Salomão, em todo o seu esplendor, vestiu-se como um deles. Se Deus veste assim a erva do campo, que hoje existe e amanhã é lançada ao fogo, não vestirá muito mais a vocês, homens de pequena fé?" (Mateus 6:28-30).

- "O ladrão vem apenas para furtar, matar e destruir; eu vim para que tenham vida, e a tenham plenamente" (João 10:10).

## Pense Nisto

Qual das passagens bíblicas anteriores fala mais ao seu coração ou parece mais apropriada para você neste instante?

_____

_____

Eu o encorajo a memorizá-la e meditar nela.

## Aprendi uma Lição

Conheço em primeira mão o poder da Palavra de Deus e das Escrituras como as mencionadas anteriormente para transformar completamente a nossa maneira de pensar. Como muitas outras pessoas, eu precisava que a Palavra de Deus fizesse uma imensa obra no meu modo de pensar na área das bênçãos e da provisão. Antes de entender o poder dos pensamentos, palavras e atos, eu tinha o que chamo de um "espírito mesquinho". Sempre pagava o menor preço possível por tudo o que comprava. Costumava comprar em liquidações de bugigangas, lojas de descontos, e até inspecionava a cesta de latas amassadas na mercearia, esperando ter algum desconto e boas barganhas. Eu comprava pão dormido e marcas inferiores. *Então você era econômica. O que há de errado com isto?* A resposta é: Absolutamente nada. O problema é que eu ia muito além da economia. Eu me via como alguém que nunca poderia se dar ao luxo de comprar coisas boas. Eu vivia com medo de que se gastasse o dinheiro que tinha, ficaríamos sem ele e não teríamos o bastante.

Meu marido, por outro lado, via a situação de um ponto de vista inteiramente oposto. Ele não gastava o dinheiro que não tinha, mas se o tivesse, certamente não tinha medo de comprar o que precisava e sempre acreditava que deveria ficar com a melhor qualidade que pudesse pagar, em vez de comprar a coisa mais barata que pudesse encontrar. Tínhamos muitas discussões sobre esse tema em particular. Um dia, quando estava frustrado comigo, ele disse: "Deus nunca vai poder nos abençoar de verdade até você se livrar desta atitude mesquinha". O que ele disse me deixou zangada, mas ele estava certo! Deus não pode nos dar em abundância se não tivermos visão para recebê-la.

Em outra ocasião, tivemos uma experiência que me ensinou mais uma lição valiosa. Precisávamos de um carro novo. Eu queria um determinado tipo, mas quando fomos comprá-lo, fiquei com medo de comprar o que eu realmente queria. Em vez disso, disse que achava que deveríamos comprar um modelo mais barato. Dave teve uma forte impressão de que eu deveria ficar com o carro que realmente queria, porque podíamos pagar por ele. Argumentei que, embora pudéssemos pagar por ele, teríamos mais dinheiro sobrando se eu me contentasse com o carro do qual não gostava tanto quanto o outro, mas com o qual eu poderia "me virar".

O pagamento pelo carro que eu realmente queria representava cerca de cinquenta dólares mensais a mais do que aquele com o qual eu teria me contentado em ficar, e finalmente Dave venceu e ficamos com o modelo mais caro. Amei o carro e me sentia muito bem dirigindo-o. Para minha surpresa, cerca de duas semanas depois de o comprarmos, recebi um aumento de salário inesperado, e o que recebi líquido depois de deduzidos os impostos era quase exatamente cinquenta dólares por mês.

A atitude "mesquinha" que descrevi nessa história afetava todas as áreas da minha vida. Eu pensava da maneira que pensei na loja de automóveis o tempo todo — constantemente racionalizando e me convencendo a comprar ou levar menos do que eu queria e podia pagar. O resultado era que eu sempre me sentia privada, mas, na verdade, eu estava privando a mim mesma. Acredito que Deus usou essa situação para me ajudar a quebrar o meu padrão de pensamento pouco saudável. Agora, acredito firmemente que, se eu tivesse me contentado com o carro como o qual achei que poderia "me virar", nunca teria tido o aumento que recebi. Frequentemente Deus quer nos dar um dos desejos do nosso coração e Ele não pode fazer isso porque nós nos recusamos a recebê-lo. Achamos que é bom demais para nós ou tentamos tanto nos esforçar para cuidar do nosso futuro que vivemos com medo e não usamos o que Deus nos deu para desfrutarmos no presente.

Deixe-me ser clara: Não estou sugerindo que procurar uma promoção seja algo ruim ou que ir a uma liquidação ou brechó signifique que eu tenho uma atitude sovina. Gosto de uma boa liquidação tanto quanto qualquer pessoa, mas não mais permito que isso governe todas as minhas compras. Tenho uma boa amiga que frequenta liquidações apenas por hobby. Ela e sua mãe passam a maior parte do dia indo de um lugar ao outro e os preços que elas conseguem me deixam impressionada. Elas se divertem e gostam disso; elas não vão por medo como eu fazia.

Também quero deixar claro que não estou sugerindo que as pessoas gastem um dinheiro que não têm ou façam dívidas para comprar coisas que não podem se dar ao luxo de pagar. Com relação às nossas finanças, devemos sempre economizar um pouco, dar um pouco, e gastar um pouco. Nunca gaste tudo o que tem, mas não tenha medo de gastar o que precisa a fim de ter algumas coisas que você apreciará. Ore quando for fazer compras grandes, e se você tem o dinheiro e acredita que Deus aprova o produto que você planeja comprar, então faça isso sem medo ou sem se sentir culpado.

Incentivo firmemente qualquer pessoa que tenha o mesmo problema que eu tinha a começar a se ver de uma nova maneira. Você é valioso e deve ter coisas boas. Deus quer abençoá-lo, mas você precisa ter uma autoimagem saudável. Veja-se a si mesmo com as suas necessidades supridas; diga que Deus as supre; e prepare-se para subir a um novo nível de abundância em sua vida.

PARTE II – Pensamentos Poderosos

## Pense Nisto

Você tem uma atitude mesquinha?

_____

_____

Como você pode começar a desenvolver uma mentalidade de abundância?

_____

_____

## Prepare-se para Suprir Necessidades

Quando falo sobre prosperidade, gosto de dizer que precisamos ter "prosperidade com um propósito". Como escrevi no Pensamento Poderoso N.º 5, Deus nos abençoa para que possamos abençoar outros. Ele não quer que sejamos miseráveis, ao contrário, deseja que estejamos preparados para ajudar as pessoas necessitadas, e não podemos fazer isso se tudo que estivermos vivenciando for falta. Quando não temos o suficiente para suprir as nossas próprias necessidades e as necessidades da nossa família ou de outros por quem somos responsáveis, então é muito difícil ajudar outras pessoas necessitadas. Essa é uma das razões pelas quais Deus promete suprir as nossas necessidades, e promete fazer isso com abundância.

Para ajudar outras pessoas, precisamos de força, boa saúde e clareza de mente. Precisamos de dinheiro para ajudar pessoas que estão em dificuldades financeiras. Precisamos de roupas para poder compartilhar com pessoas que precisam delas. Em 2 Coríntios 9:8, Paulo nos ensina que "Deus é poderoso para fazer que lhes seja acrescentada toda a graça, para que em todas as coisas, em todo o tempo, tendo tudo o que é necessário, vocês transbordem em toda boa obra". Os seguintes versículos dizem que Deus dá sementes a uma pessoa que esteja disposta a semear (ver 2 Coríntios 9:9,10). Isso significa que se você estiver disposto a compartilhar com outros e a suprir as necessidades deles, Deus não apenas suprirá as suas necessidades, como também lhe dará uma abundância de recursos para que você possa dar.

Eu o encorajo a desenvolver a mentalidade de que você é alguém que dá com generosidade. Procure maneiras de dar e pessoas necessitadas a quem você possa dar. Quanto mais estender a mão aos outros, mais feliz você será. Jesus disse que sempre teríamos os pobres conosco (ver Mateus 26:11), e a Bíblia tem mais de dois mil versículos que tratam da nossa responsabilidade para com os pobres e necessitados. Estude o que a Bíblia diz sobre a provisão de Deus e veja a si mesmo como alguém que supre necessidades em vez de alguém que é necessitado.

Viva com uma atitude de expectativa. O Rei Davi disse: "Apesar disso, esta certeza eu tenho: viverei até ver a bondade do Senhor na terra" (Salmo 27:13). Viver com expectativa não é o mesmo que viver com uma sensação de ter direito a tudo, que é a atitude de que merecemos tudo sem fazer nada. Não merecemos nada de Deus, mas na Sua misericórdia Ele quer que vivamos com uma expectativa santa para podermos receber o Seu melhor.

Espere por liquidações, mas não se contente com algo de que você não gosta realmente só para conseguir comprar por menos se você pode pagar mais e ter o que realmente deseja. Eis um exemplo: lembro-me de ter saído para comprar um par de sapatos, e de ter encontrado o que eu realmente gostava na primeira loja, mas por não estarem em liquidação, passei várias horas indo de loja em loja tentando encontrá-los a um preço mais barato. Quando finamente vi o que estava fazendo, ficou aparente que a minha atitude era uma tolice, porque mesmo que eu encontrasse os mesmos sapatos por um preço menor, já havia gasto o que economizaria em tempo e gasolina procurando o que eu entendia ser uma "pechincha". Além disso, dificilmente gostaria de outro sapato tanto quanto do primeiro par e acabaria me sentindo privada. Ainda que você tenha passado necessidades a vida inteira, isso pode mudar se você fizer a sua parte. A sua parte é obedecer a Deus, plantar boas sementes, ter uma visão de abundância e pensar e dizer coisas certas que

## PARTE II – Pensamentos Poderosos

concordem com a Palavra de Deus — e ser perseverante. Faça o que você precisa fazer neste instante porque você não pode gastar o que não tem, mas não pense que você está preso a essa situação para sempre.

Creio que essa é uma área importante na qual Satanás combate arduamente para manter as pessoas enganadas. Ele quer que nos sintamos privados porque isso gera autopiedade, ciúmes, inveja e um sentimento geral de descontentamento. Você precisa estar pronto para ser perseverante em desenvolver uma nova mentalidade nessa área. Medite neste pensamento e confesse-o: "Deus supre todas as minhas necessidades com abundância". À medida que continuar a fazer isso, você desenvolverá uma mentalidade saudável que o capacitará a prosperar em todas as áreas.

Quero encerrar este capítulo com uma passagem da Bíblia para você meditar, uma passagem que transmite de forma clara e poderosa a ideia do que Deus quer fazer por você. Eu o incentivo a lê-la e a vê-la como uma mensagem pessoal de Deus para sua vida. Permita que ela mergulhe no seu coração e mude o seu modo de pensar. Se você conseguir desenvolver uma mentalidade baseada nas verdades deste versículo, será mais abençoado do que nunca pensou ser possível.

> Contudo, o Senhor espera o momento de ser bondoso com vocês; ele ainda se levantará para mostrar-lhes compaixão. Pois o Senhor é Deus de justiça. Como são felizes todos os que nele esperam!
> — Isaías 30:18

## Pense Nisto

Você acredita que Deus o abençoará e fará de você uma benção para outros? O que você tem neste instante que pode compartilhar com alguém necessitado?

## Palavras de Poder

"O meu Deus suprirá todas as necessidades de vocês, de acordo com as suas gloriosas riquezas em Cristo Jesus".
*Filipenses 4:19*

"Cantem de alegria e regozijo todos os que desejam ver provada a minha inocência, e sempre repitam:'O Senhor seja engrandecido! Ele tem prazer no bem-estar do seu servo'".
*Salmo 35:27*

"E Deus é poderoso para fazer que lhes seja acrescentada toda a graça, para que em todas as coisas, em todo o tempo, tendo tudo o que é necessário, vocês transbordem em toda boa obra".
*2 Coríntios 9:8*

"Farei de você um grande povo, e o abençoarei. Tornarei famoso o seu nome, e você será uma bênção".
*Gênesis 12:2*

PENSAMENTO PODEROSO N.º 9

# Busco a paz com Deus, comigo mesmo e com os outros.

*"Busque a paz com perseverança."*
SALMO 34:14

### Um Legado de Paz

Estar em paz com Deus começa quando reconhecemos que somos pecadores que necessitam de um Salvador e pedimos a Ele para nos perdoar. Precisamos simplesmente crer que Jesus morreu pelos nossos pecados, tornou-se o nosso substituto e levou a punição que nós merecíamos. Em seguida, precisamos recebê-lo em nosso coração. Esteja disposto a se afastar de um estilo de vida pecaminoso e aprenda a viver da maneira que Deus pede que vivamos.

A paz com Deus é mantida quando não tentamos esconder o pecado. Devemos sempre nos manter puros diante de Deus e preservar a boa comunicação aberta entre nós. Quando cometemos erros, nunca devemos nos afastar Dele, mas devemos nos aproximar porque só Ele pode nos restaurar. Arrepender-se significa se afastar do pecado e voltar ao lugar altíssimo. Deus não se surpreende com as nossas fraquezas e fracassos. Na verdade, Ele sabia dos erros que cometeríamos antes que os cometêssemos. Tudo que precisamos fazer é admiti-los, pois Ele é fiel para nos perdoar continuamente de todo pecado (ver 1 João 1:9).

Para estar em paz com Deus precisamos tentar obedecer-lhe da melhor maneira que pudermos. Não chegaremos à perfeição enquanto estivermos em corpos carnais, mas podemos ter um coração perfeito perante Deus e tentar ao máximo todos os dias agradar a Ele. Gosto de dizer: "Faça o seu melhor e Deus fará o resto".

## Pense Nisto

Você está em paz com Deus?

---

---

## Você Está Pronto para Tomar um Atalho?

Cometo erros todos os dias, mas não os cometo deliberadamente. Ainda não cheguei aonde preciso chegar, mas dou graças a Deus porque não estou onde estava antes. Estou crescendo e vendo boas mudanças em mim o tempo todo. Levei muitos anos para conseguir fazer essa afirmação, e espero poder ajudar você a tomar um atalho que eu não sabia que existia.

Eu me concentrava por tempo demais naquilo que havia de errado comigo, mas finalmente aprendi que colocar o foco nos meus erros só os aumentava. Precisei aprender a colocar o foco em Jesus e no que Ele havia feito por mim, e tive de realmente crer que Ele me amava incondicionalmente e que me perdoaria continuamente quando me atraiu para ter um relacionamento com Ele. Nós nos sairíamos muito melhor nos nossos relacionamentos pessoais se entendêssemos que de tempos em tempos precisaremos perdoar. Podemos planejar perdoar antecipadamente em vez de esperar a perfeição das pessoas e ficar decepcionados quando não a encontramos. Isso nos permitiria não pressionar as pessoas, assim como Deus não nos pressiona! Quando nos sentimos pressionados, isso vem de Satanás, e não de Deus. Deus nos direciona, guia, estimula e incentiva, mas não nos pressiona.

PARTE II – Pensamentos Poderosos

Se você tem um relacionamento saudável consigo mesmo, pode tomar um atalho e evitar anos de agonia que são completamente inúteis. Lembro-me do dia em que Deus sussurrou ao meu coração e disse: "Joyce, não há problema no fato de você ter fraquezas". Eu tentava com todas as forças ser forte em todas as áreas e ficava constantemente frustrada porque estava tentando fazer algo que não podia fazer. A intenção de Deus certamente não era me dizer que eu podia fazer tudo que tivesse vontade e que isso não importava. Ele estava simplesmente me mostrando que se eu fizesse o meu melhor e ainda assim manifestasse fraquezas (o que sempre acontecia) Ele sabia tudo a meu respeito e me compreendia, portanto, eu não precisava ter medo. Paulo disse que ele era forte no Senhor, mas também disse que era fraco nele (ver 2 Coríntios 13:4). Quer sejamos fracos ou fortes, ainda estamos em Cristo e nada muda isso. Deus não nos recebe e depois nos rejeita todas as vezes que manifestamos fraquezas. Ser capaz de compreender essa verdade irá ajudá-lo não apenas a tornar a sua jornada com Deus mais rápida, mas também a apreciá-la mais.

Não tenha expectativas irrealistas quanto a si mesmo ou aos outros. Descobri ao longo dos anos que o que espero de mim mesma é o que geralmente espero das outras pessoas. Em outras palavras, se recebo a misericórdia de Deus, serei capaz de dar misericórdia aos outros, mas se sou exigente e nunca estou satisfeita comigo mesma, agirei da mesma maneira com os outros. A maneira como tratamos a nós mesmos geralmente é a forma como tratamos os outros. Acredito que precisamos aprender a ser bons para nós mesmos, porém sem sermos egocêntricos. Devemos respeitar e valorizar a nós mesmos. Devemos saber aquilo no qual somos bons e aquilo no qual não somos bons, e compreender que a força de Deus se aperfeiçoa nas nossas fraquezas (ver 2 Coríntios 12:9). Ficamos estressados por causa dos nossos defeitos quando, na verdade, todas as pessoas os têm. Se não tivéssemos defeitos, não precisaríamos de Jesus.

Você pode desfrutar a paz consigo mesmo, mas terá de buscá-la. Lembre que você convive consigo mesmo o tempo todo, portanto, tome a decisão de gostar de si mesmo. Deus o criou, e Ele não faz coisas ruins! Portanto, comece a ver os seus pontos fortes e pare de olhar para as suas fraquezas.

Acredito que grande parte do estresse que abrigamos em nosso interior abre caminho para fora de nós e se transforma em estresse externo. Em outras palavras, se estivermos irritados interiormente, é muito mais provável que demonstremos irritação quando as circunstâncias externas forem problemáticas. Se você não gosta de si mesmo, não gostará de quase nada. Se pudermos relaxar com relação a nós mesmos, então geralmente poderemos relaxar com relação à vida em geral. Todos nós temos um relacionamento com nós mesmos. É importante perguntar a si mesmo que tipo de relacionamento você tem com *você*! Você gosta de passar tempo a sós? Você consegue suportar ficar consigo mesmo ou precisa sempre de pessoas e de barulho para distraí-lo do modo como você se sente por dentro? Você é capaz de perdoar a si mesmo (receber o perdão de Deus) quando comete erros? Você é paciente consigo mesmo enquanto Deus está desafiando você? Quanto tempo você perde se sentindo culpado e condenado por coisas do passado? Você se compara com outras pessoas e se esforça tentando ser como elas? Você sente necessidade de competir com os outros e tenta ser bom naquilo que eles são? Você permite que o padrão do mundo relativo à aparência e à imagem corporal se torne o seu padrão? Ou você é capaz de ser livremente o indivíduo precioso que Deus o criou para ser?

Somente quando fazemos essas perguntas e as respondemos sinceramente podemos começar a entender que tipo de relacionamento temos com nós mesmos.

Comece a meditar neste pensamento poderoso: "Busco a paz com Deus, comigo mesmo e com os outros".

## Pense Nisto

Você está em paz *consigo mesmo*?

PARTE II – Pensamentos Poderosos

# Relacionamentos Livres de Estresse

Existe algum relacionamento totalmente livre de estresse? Duvido que haja, mas definitivamente existem passos que podemos dar a fim de melhorar todos os nossos relacionamentos e nos permitir viver em paz com as pessoas. Quero compartilhar quatro passos com você que acredito que o ajudarão a atingir o objetivo de desfrutar a paz com as pessoas.

## Passo 1

Desenvolva e mantenha a paz com Deus e consigo mesmo. Então, e somente então, você começará a desenvolver uma mentalidade que lhe permite ter paz com todos os tipos de pessoas. A maioria de nós pode ter paz com as pessoas que se comportam como queremos que elas se comportem, mas como tenho certeza de que você sabe, não existem muitas pessoas desse tipo em nossa vida. Parece que Deus nos cerca propositalmente de pessoas que não são de modo algum como gostaríamos que fossem. Além do mais, parece que Ele tem prazer em fazer isso!

Costumamos nos casar com pessoas que são o oposto de nós, e depois passamos anos tentando mudá-las, o que nunca funciona e apenas nos frustra. Do mesmo modo, escolhemos amigos que não são como nós e depois temos problemas com eles. Dizemos a Deus que queremos amar a todos, mas quando Ele nos cerca de todo tipo de pessoas, queremos que Ele faça com que aqueles que nos frustram desapareçam ou que os transforme no que gostaríamos que eles fossem.

Se conseguirmos ter expectativas equilibradas, poderemos aumentar o nosso nível de paz com as pessoas. Assim, o primeiro passo é garantir que você não tenha expectativas irrealistas.

## Passo 2

Não espere que as pessoas sejam perfeitas, porque elas não serão. As pessoas que têm tendências perfeccionistas possuem um verdadeiro problema nessa área. Parece que a única maneira de ficarem satisfeitas com alguma coisa — inclusive com elas mesmas — é quando tudo está perfeito. Quando foi a última vez que tudo esteve perfeito na sua vida? Obviamente essas pessoas estão destinadas a ficarem frustradas e descontentes na maior parte do tempo. Não desperdice a sua vida tentando tornar o impossível possível. As pessoas têm defeitos e não há como impedir isso! Independentemente de com quem você esteja se relacionando, haverá momentos em que as pessoas irão decepcioná-lo, portanto prepare-se para perdoar com frequência.

## Pense Nisto

Você tem expectativas irrealistas e acaba se decepcionando por causa delas?

---

As pessoas apreciarão muito mais a sua companhia se você não as pressionar a serem algo que elas não podem ser. Gosto de estar com pessoas que me conhecem — e me amam mesmo assim. Elas dizem que o amor é cego e acredito que, até certo ponto, ele é mesmo. Meu marido realmente acha que algumas das minhas fraquezas são *bonitinhas*. Por exemplo, às vezes posso ser um pouco rude, e em vez de ficar irritado, ele apenas diz: "Aí está aquela chama que me fez casar com você". Em outras palavras, a minha natureza agressiva foi uma das coisas que o atraíram a mim, então, por que se preocupar com ela agora? Recentemente ele me deu um cartão musical no Dia dos Namorados. Quando eu o abri, Johnny Cash estava cantando: "Caí em um anel de fogo ardente". Nós dois demos boas risadas!

Como a maioria dos homens, Dave quase nunca está errado, e durante anos achei que a minha missão na vida era fazê-lo admitir que estava. Agora ele realmente ri disso. Ele sabe, e eu também, que é impossível alguém estar certo o tempo todo. A tendência dele em não admitir seus erros é apenas uma das suas "características". Parece ser "coisa de homem". Pelo que minhas amigas me contam, os maridos

PARTE II – Pensamentos Poderosos

delas são iguais. Tenho muitas "características" que precisam ser tratadas, e todo mundo também tem. Então, por que não relaxar e parar de ser excessivamente meticuloso, exigindo algo que provavelmente nunca conseguiremos?

Dave é um excelente motorista, mas é bastante impaciente com outras pessoas que cometem erros quando dirigem, principalmente comigo. Quando tento dirigir e ele está no carro, ele me corrige pelo menos três vezes antes de sairmos da entrada da garagem. Durante anos eu fiquei irritada com isso e esse foi o motivo de muitas discussões e de viagens desagradáveis.

Agora, simplesmente não dirijo quando ele está comigo, a não ser que não tenha outra escolha. Dave sempre garante que está apenas tentando me ajudar, e eu garanto a ele que consigo chegar aos lugares o tempo todo sem a "ajuda" dele. Estou certa de que você reconhece esse tipo de conversa, mas a boa notícia é que embora eu preferisse que ele não fizesse isso, não deixo que isso roube a minha paz simplesmente porque sei que é assim que ele é, e provavelmente não irá mudar. É uma das "características" dele. Mas, como eu disse, eu também tenho muitas "características" só minhas.

Se você quiser ter paz, precisará buscá-la. Ela não irá cair em cima de você como mangas maduras caem de uma árvore. Você precisa ser "deliberadamente pacífico".

## Passo 3

Não espere que todos sejam como você... porque eles não são. Descobrir que cada um de nós nasceu com um temperamento que nos foi dado por Deus, e que todos somos exclusivamente diferentes foi uma tremenda abertura de olhos para mim. Até então eu simplesmente esperava que todos pensassem e agissem como eu. Agora, sei que isso parece bastante arrogante, mas eu simplesmente não sabia agir de um modo melhor. Lembro-me claramente de ter lido dois livros diferentes sobre tipos de personalidade, e de descobrir por meio deles que a nossa personalidade é uma combinação do temperamento que recebemos ao nascer, somada aos acontecimentos da nossa vida. Por exemplo, recebi um temperamento categórico, forte e direto. Tenho as qualidades de um líder, quero estar no comando, tomo decisões rápidas, sou impaciente e sempre tenho opiniões definidas sobre o que quero fazer.

Quando me casei com Dave, eu não conseguia entender o que havia de errado com ele. Dave é mais tranquilo, leva mais tempo para tomar decisões, é muito paciente, não precisa estar no comando, se satisfaz com facilidade e muitas coisas simplesmente não importam para ele. Sem entender que ele havia sido projetado por Deus para ser do jeito que é, eu ficava tentando fazer com que ele mudasse e fosse mais como eu. Naturalmente, minha atitude gerou muitos problemas para nós. Ele se sentia pressionado e eu ficava furiosa na maior parte do tempo. Deus havia me dado exatamente o que eu precisava, mas eu não sabia disso. Dave era forte onde eu era fraca, e eu era forte onde ele era fraco, então nós dois formávamos uma grande equipe. Mas até que eu parasse de tentar transformá-lo no que achava que ele deveria ser, nós dois fomos infelizes.

Somos o que somos, e embora Deus continue nos refinando para nos ajudar a sermos melhores, ainda somos nós mesmos! No dia em que percebi que eu precisava aceitar e apreciar Dave por quem ele é, toda a atmosfera do nosso lar e do nosso relacionamento mudou.

Lido literalmente com milhares de pessoas, e se eu não tivesse aprendido que todos nós somos diferentes, acho que estaria louca a esta altura dos acontecimentos. No mínimo teria ficado frustrada por toda a vida e teria tido êxito em fazer com que a maioria das pessoas que fazem parte do meu mundo se sentisse rejeitada por mim.

Recomendo firmemente que você pergunte a si mesmo com que facilidade aceita as pessoas como elas são. Naturalmente, todos nós precisamos mudar e melhorar em certas áreas, mas a verdade é que somente Deus pode mudar as pessoas de dentro para fora. Quando tentamos mudar uns aos outros, isso nunca funciona. Mesmo que alguém realmente tente mudar porque estou insistindo que ele mude, essa pessoa termina ficando ressentida comigo e se sentindo pressionada. A melhor política é ver os pontos fortes em cada pessoa e o benefício que elas representam para você, e deixar o resto com Deus. Entender que todos nós temos fraquezas também é útil. Simplesmente não existem pessoas

PARTE II – Pensamentos Poderosos

perfeitas! Vamos aprender a celebrar as nossas diferenças em vez de permitir que elas sejam um ponto de discórdia e rejeição.

Temos quatro filhos e todos eles são diferentes. Cada um tem características específicas que amo e características das quais eu abriria mão facilmente, mas todos são maravilhosos. Eu costumava querer que todos fossem semelhantes a mim, até que tive dois filhos que são exatamente como eu sou. Então percebi que isso também gera tensão. Nós três queríamos ser o chefe e, como sabemos, isso tampouco funciona. Todos na nossa família têm opiniões muito fortes e tendemos a achar que estamos certos, então, isso pode gerar um pouco mais de tensão. Em outras palavras, a nossa família é simplesmente como qualquer outra e, no entanto, nós nos damos muito bem, não porque seja fácil, mas porque decidimos viver assim. Você pode fazer o mesmo, mas terá de aceitar cada pessoa como um indivíduo projetado especificamente por Deus, e precisa dar a cada um deles a liberdade de ser quem são. Sem isso, a paz com as pessoas é quase impossível.

## Passo 4

Seja um encorajador — e não um desencorajador. Todos amam estar com pessoas que celebram e observam os seus pontos fortes e optam por ignorar suas fraquezas. Todos nós amamos ser encorajados e levados a nos sentir realmente bem com nós mesmos, e detestamos estar cercados de pessoas negativas e desanimadoras que tentem a procurar defeitos nos outros.

Eu costumava ser o tipo de pessoa que queria pelo menos *mencionar* as coisas que eu via como defeitos ou erros. Eu me orgulhava de pensar que era generosa o bastante para perdoar, mas queria me certificar de que as pessoas pelo menos soubessem por que eu as estava perdoando. Por exemplo, poderia dizer a Dave: "Apaguei a luz do seu closet outra vez". Na verdade, eu ainda estava sendo desencorajadora por lembrar a ele que ele não tinha feito o que eu queria que fizesse, e que eu tive de fazer por ele. Precisei aprender que a melhor política era simplesmente não dizer nada, a não ser que fosse realmente necessário. É melhor simplesmente apagar a luz e esperar que alguém faça o mesmo por mim quando eu deixar a luz acesa. Entendo que precisamos treinar nossos filhos para fazer as coisas de determinada maneira, e não estou sugerindo que todo treinamento é desencorajador, mas quando o treinamento se transforma em implicância, atravessamos uma linha que passa a ser um problema no relacionamento. O espírito de uma pessoa pode ser quebrantado ou ferido quando mencionamos excessivamente os seus erros.

Quanto mais incentivamos as pessoas, melhor elas se comportam. Na verdade, os elogios realmente ajudam as pessoas a terem um desempenho melhor, ao passo que a implicância faz com que elas se comportem de forma pior. Escolha uma pessoa com quem você gostaria de ter um relacionamento melhor e comece a encorajá-la e elogiá-la com determinação. Creio que você ficará impressionado ao ver o quanto ela reagirá melhor a você. A sua primeira preocupação pode ser: "Se eu ignorar os erros dela, será que ela não vai tirar vantagem de mim?". Isso, naturalmente, pode acontecer, mas geralmente não acontece. O que frequentemente acontece é que a pessoa que está sendo encorajada tem seu coração transformado e passa a se esforçar mais do que nunca para agradá-lo. Ela passa a agir assim porque quer, e não porque você está tentando obrigá-la.

Ser encorajador faz parte de ser uma pessoa mais positiva. Tome cuidado com os seus pensamentos sobre as pessoas. Se tivermos pensamentos não elogiosos ou desencorajadores, eles sairão da nossa boca sem querer. Procure e amplie o bem em cada pessoa. A Bíblia nos ensina a fazer aos outros aquilo que queremos que eles nos façam, portanto, tudo que precisamos fazer é pensar no que queremos e começar a dar isso aos outros. Se você quer ser encorajado, comece a encorajar!

## Paz - Paz - Paz

Cheguei a um ponto em que não acredito que vale a pena viver a vida sem paz, e isso me impulsiona a buscá-la em todas as áreas. Passei muitos anos frustrada e tendo problemas no meu relacionamento com Deus, comigo mesma e com as outras pessoas, e recuso-me a viver assim por mais tempo. Para que as coisas mudem em nossa vida precisamos orar, mas também precisamos estar dispostos a mudar. Não podemos esperar que primeiro tudo e todos ao nosso redor mudem, para depois podermos nos sentir confortáveis enquanto somos passivos e não fazemos nada.

A Bíblia diz que se quisermos viver em harmonia com os outros precisamos nos adaptar às pessoas e às circunstâncias. Posso lhe garantir que eu não tinha interesse em me adaptar a nada nem a ninguém. Eu queria que eles se adaptassem a mim, mas no meu orgulho nem sequer considerava a hipótese de que eu precisava mudar, e assim minha vida e meus relacionamentos permaneciam no caos. Depois de muitos anos, finalmente passei a estar disposta a fazer o que fosse preciso para ter paz, e aprender a me adaptar era o item número 1 da lista de Deus para mim. Descobri que conseguir as coisas do meu jeito o tempo todo não é realmente tão importante quanto eu achava que era. Agora, realmente desfruto a liberdade de não precisar conseguir as coisas do meu jeito. Sim, eu disse *a liberdade de não precisar conseguir as coisas do meu jeito*. A minha carne pode se sentir desconfortável por um curto período quando me adapto a alguém ou a alguma coisa e aquilo não é realmente o que "eu" queria, mas me sinto ótima interiormente porque sei que segui a lei do amor e fiz a minha parte para buscar a paz.

Adaptar-se aos outros não significa que deixamos que eles nos controlem ou que nos tornamos um "capacho" para o mundo pisar. Há momentos em que precisamos ficar firmes independentemente de quem fique irado, mas também há muitas vezes na vida em que fazemos uma tempestade em copo d'água e abrimos mão da nossa paz por coisas mínimas. Você está disposto a assumir o compromisso de ser alguém que faz e mantém a paz? Você está disposto a examinar todos os seus relacionamentos — com Deus, com você mesmo e com os outros — e fazer todo o possível para viver em paz?

Para mim, o ponto mais importante é que precisamos *buscar* a paz. A maioria das pessoas quer paz, mas não quer o que precisa fazer para tê-la. O primeiro passo é adquirir uma mentalidade disposta a buscar a paz com Deus, consigo mesmo e com os outros. À medida que medita neste pensamento de poder e o declara sucessivamente, você verá que está se tornando cada vez mais insatisfeito com as confusões. Você buscará a paz! Pense nisto: O que você pode fazer para trazer mais paz aos seus relacionamentos?

## Palavras de Poder

"Afaste-se do mal e faça o bem; busque a paz com perseverança".
*Salmo 34:14*

"Eu lhes disse essas coisas para que em mim vocês tenham paz. Neste mundo vocês terão aflições; contudo, tenham ânimo! Eu venci o mundo".
*João 16:33*

"Façam todo o possível para viver em paz com todos".
*Romanos 12:18*

## PENSAMENTO PODEROSO N.º 10

# Vivo no presente e desfruto cada momento.

*"Este é o dia em que o Senhor agiu; alegremo-nos
e exultemos neste dia".*

SALMO 118:24

Há um ditado que amo que diz assim: "O ontem é história. O amanhã é um mistério. O hoje é um presente; é por isso que ele se chama presente". Precisamos desfrutar cada momento de nossa vida e permanecermos focados no presente. Não podemos viver no passado ou olharmos para muito longe no futuro, mas precisamos entender que o momento presente é um dom de Deus para nós neste instante, então precisamos viver plenamente nele e desfrutá-lo.

Uma amiga minha não se casou até os quarenta e cinco anos. O casamento dela foi tão maravilhoso e pleno que ela costumava dizer que seu marido era um presente de Deus para ela. Um dia, seu marido internou-se para uma cirurgia de rotina, mas devido a uma infecção inesperada ele nunca voltou para casa. A morte dele foi um terrível choque e uma decepção devastadora, mas ela está muito feliz por ter desfrutado a vida com seu marido durante os anos em que eles estiveram juntos. Fico muito feliz por ela não estar vivendo com a dor da perda somada a um grande arrependimento. É comum as pessoas ficarem tão ocupadas que costumam deixar para depois a oportunidade de desfrutar suas famílias e amigos, e depois, quando é tarde demais, lamentam não ter feito escolhas melhores.

A única maneira de evitar o arrependimento é fazer boas escolhas e desfrutar o presente. Cada momento é um dom de Deus. Esforço-me para colocar o foco em cada momento da vida e desfrutá-lo, mas aprender a fazer isso foi uma jornada longa e difícil para mim. Tive realmente de trabalhar nisso porque sou uma planejadora, e se não tomar cuidado, começo a planejar a próxima coisa que farei enquanto ainda estou fazendo algo, o que, naturalmente, rouba o momento presente. Embora ser focada seja algo bom, posso ficar tão focada facilmente em meu trabalho que deixo de desfrutar a mágica do momento. Por exemplo, eu geralmente estava trabalhando quando meus filhos eram pequenos e achava difícil tirar até mesmo um instante para parar e apreciar as gracinhas que elas faziam ou diziam. Perdi muitos desses momentos e nunca os terei de volta. Deveríamos celebrar a vida e as pessoas que Deus colocou no nosso caminho. A vida é para ser apreciada, e não temida ou lamentada.

Por ter crescido em um lar disfuncional onde certamente não desfrutávamos a vida, eu me transformei em uma viciada em trabalho, tentando encontrar o meu valor e minha dignidade no *que eu fazia*, e não em *quem eu era*. Pelo fato de parecer que meus pais estavam mais satisfeitos comigo quando eu estava fazendo alguma coisa e sendo produtiva do que quando não estava, eu achava que Deus também ficava mais satisfeito comigo quando eu estava agindo e produzindo.

A atmosfera em minha casa durante minha fase de crescimento era muito intensa e eu passei por muito medo. Eu não me divertia muito durante a minha infância, e quando tinha cerca de vinte anos, não conseguia me lembrar de *alguma vez* ter sido realmente feliz ou de estar completamente relaxada. Por causa do abuso, minha infância foi roubada. Tornei-me adulta, mas não havia uma criança em mim, nenhuma infantilidade em absoluto — e isso não é saudável. Todo adulto saudável precisa ter uma criança saudável dentro dele. Precisamos saber como trabalhar e ser responsáveis, mas também precisamos saber como brincar e nos divertir. Nunca devemos perder uma oportunidade de rir porque o riso é como um remédio. Ele nos ajuda de muitas maneiras, inclusive na nossa saúde física. E ser alegre torna até o nosso trabalho mais agradável e satisfatório.

Este pensamento de poder — vivo no presente e desfruto cada momento — pode transformar a sua vida porque, se você realmente permitir que ele mude o seu modo de pensar, começará a desfrutar a vida de maneiras totalmente novas. Mesmo que você se considere uma pessoa "séria", extremamente focada ou muito responsável, você ainda assim deve separar tempo para desfrutar o que está fazendo. Nunca esteja ocupado demais para desfrutar cada aspecto da vida.

## Pense Nisto

Quanto você realmente desfruta e vive o momento presente?
Muito _____

Um pouco _____

Quase nada _____

Quanto você desfruta a companhia das pessoas que fazem parte da sua vida?

_____

_____

## Deus Quer Que Você Desfrute a Vida

Você acredita que Deus quer que você desfrute a vida? É claro que Ele quer. Na verdade, parte da vontade de Deus é que você desfrute todos os momentos dela. Como eu posso ter tanta certeza? Porque a Palavra dele diz isso em muitas ocasiões. O Rei Salomão, considerado um grande sábio, escreveu em Eclesiastes 2:24: "Para o homem, não existe nada melhor do que comer, beber e encontrar prazer em seu trabalho. E vi que isso também vem da mão de Deus". Salomão disse que você deve encontrar prazer em seu trabalho. Isso soa como algo que precisamos fazer como um ato da nossa vontade. Não quer dizer que toda a vida passa a ser uma enorme festa ou um grande período de férias, mas significa que por meio do poder de Deus podemos aprender a desfrutar tudo na vida, até as coisas que os outros considerariam comuns e monótonas. Creio que muitas pessoas têm a mentalidade de simplesmente tentar "tolerar" uma grande parte de sua vida, mas acredito que é trágico viver e não desfrutar cada momento. Admito que algumas coisas são mais agradáveis para as nossas emoções do que outras, mas podemos aprender a desfrutar a presença de Deus em tudo o que fazemos. Tente lembrar a si mesmo ao longo do dia que Deus está com você, e que o momento que você tem agora é um presente Dele.

Eu tinha dificuldades para assimilar este conceito de "desfrutar a vida", até que fiz um estudo sobre o que o Senhor tinha a dizer sobre isso; agora sei que é uma coisa que é da vontade Dele e à qual não apenas tenho direito, como também realmente necessito. Preciso desfrutar a vida para mim mesma, mas também para Jesus. Que pagou um preço muito alto para que eu pudesse fazer isso.

O próprio Jesus, quando afirmou porque veio à Terra, disse: "Eu vim para que tenham vida, e a tenham plenamente" (João 10:10). Ele também disse: "Tenho lhes dito estas palavras para que a minha alegria esteja em vocês e a alegria de vocês seja completa" (João 15:11), e "Peçam e receberão, para que a alegria de vocês seja completa" (João 16:24). Quando Ele orou ao Pai em João 17:13, na verdade estava orando para que tivéssemos alegria: "Agora vou para ti, mas digo estas coisas enquanto ainda estou no mundo, para que eles tenham a plenitude da minha alegria". Com o próprio Jesus dizendo e orando palavras tão poderosas sobre o Seu desejo de que tivéssemos alegria, como poderíamos duvidar de que Deus quer que sejamos felizes e desfrutemos a vida? Se é o desejo de Deus que a desfrutemos, então por que tantas pessoas são infelizes e miseráveis? Talvez seja porque deixamos de nos dispor a desfrutá-la. Podemos facilmente cair em um padrão no qual nos limitamos a sobreviver e tolerar a vida em vez de desfrutá-la. Mas uma nova mentalidade irá liberar você para começar a desfrutar a vida

PARTE II – Pensamentos Poderosos

como nunca. Quanto mais aproveitá-la, mais agradável você será, portanto, comece hoje e não demore. Medite neste pensamento e diga repetidamente: "Vivo no presente e desfruto cada momento".

Uma coisa que faço e que me ajuda a saborear cada dia é reservar um tempo à noite para recordar mentalmente tudo o que fiz naquele dia. É impressionante o que realizamos e as coisas com as quais nos envolvemos durante um dia, mas costumamos passar pelos nossos dias tão depressa e com nosso foco tão dividido que mal nos lembramos delas, se é que nos lembramos de alguma coisa. Medite no seu dia todas as noites e agradeça a Deus por tudo que Ele lhe permitiu viver e fazer. Se você cometeu erros, pode aprender com eles, e se teve grandes vitórias, lembrar-se delas permitirá que você as desfrute mais uma vez.

## Pense Nisto

O seu dia costuma passar como um sopro, ou você realmente o desfruta?

---

# Não Há Nada de Errado em Se Divertir um Pouco

Quando comecei a entender João 10:10, fiquei furiosa porque percebi que o inimigo havia me enganado me fazendo pensar que desfrutar as coisas não era importante. Sob a influência do diabo, que é o Enganador, eu havia acreditado — falsamente, é claro — que se estivesse me divertindo, alguma coisa estava errada: eu não devia estar trabalhando duro o bastante! Nunca vi meu pai desfrutar a vida e ele parecia ficar exasperado quando os outros se divertiam, então eu simplesmente cresci pensando que devia haver algo de errado com a diversão. Lembro-me de que me diziam para ficar quieta quando eu ria alto.

Talvez você se identifique com isso; talvez você tenha passado por alguns dos mesmos problemas em sua infância, ou tenha passado por outras coisas que o deixaram sério demais. Toda vez que você tenta descansar, toda vez que você tenta fazer alguma coisa recreativa, toda vez que você faz qualquer coisa além de trabalho, tem um vago sentimento de culpa, como se algo estivesse errado. Entendo que algumas pessoas possam não entender essa dificuldade, mas muitas, muitas entendem.

Creio que essa mentalidade de trabalho excessivo é um dos motivos pelos quais as pessoas costumam se desviar de seu relacionamento com Deus. Elas tentam erroneamente servir a Deus como um emprego ou como um "trabalho", e não desfrutam a Sua presença. A escritora francesa do século XVII, Madame Guyon, disse que o mais alto chamado para todo filho de Deus é desfrutar Deus. Lembro-me do pesado fardo que foi retirado de mim na primeira vez que li isso. Naquela época eu estava trabalhando tão arduamente tentando agradar a Deus que o pensamento de simplesmente desfrutá-lo não havia absolutamente me ocorrido. Eu nunca havia ouvido falar sobre algo semelhante! Creio que o mais triste é o fato de eu ter sido membro de uma igreja comprometida por mais de vinte anos até aprender que Deus queria que eu o desfrutasse e desfrutasse a vida que Ele havia me dado.

Deus criou todas as coisas para a nossa satisfação, e ela começa quando desfrutamos a Sua presença. Ele também deseja que desfrutemos uns aos outros e a nós mesmos.

Na próxima vez que você tiver o desejo de fazer um breve intervalo em seu trabalho e dar um passeio no parque, ou ver uma criança brincar, vá em frente e faça isso sem se sentir culpado ou não espiritual. O seu trabalho ainda vai estar lá quando você voltar. Não estou encorajando-o a ser irresponsável, mas realmente quero que você dê os passos adequados para desfrutar a vida enquanto está realizando grandes coisas. Se você tem trabalhado duro e sente que precisa de um dia de folga, faça isso. Você será mais frutífero se separar um tempo para se renovar. Vivemos em meio a uma sociedade impulsionada à ação, mas podemos mudar se escolhermos fazer isso. Se você não quer terminar velho e com todo tipo de arrependimentos por coisas que gostaria de ter feito, comece hoje a fazer com que cada momento valha a pena.

## Pense Nisto

O que você pode fazer para se divertir um pouco hoje, até mesmo enquanto está trabalhando?

Escolha uma coisa a cada dia que você gostaria de fazer apenas pela alegria de fazê-la.

## Estabeleça um Novo Objetivo

Quando iniciei minha jornada para aprender a desfrutar a vida, estabeleci o objetivo de desfrutar deliberadamente tudo que fizesse, mesmo as coisas que eu normalmente fazia apenas para vê-las terminadas ou para eliminá-las da minha lista. Por exemplo, em vez de me apressar para me arrumar de manhã e começar o dia, propus-me a desfrutar todo o processo. Coisas como escolher a roupa que vou usar naquele dia, fazer a maquiagem e arrumar o cabelo. Embora eu fizesse essas coisas diariamente, nunca me ocorreu que elas faziam parte de todos os dias da minha vida e que eu devia desfrutar o ato de realizá-las. Eu dizia a mim mesma: "Estou desfrutando este momento em minha vida e a tarefa que tenho nas mãos". Tento fazer para a glória de Deus aquilo que eu fazia normalmente como rotina, e sem nenhum propósito a não ser terminar a tarefa.

O monge carmelita chamado Irmão Lawrence, que escreveu o clássico espiritual *Praticando a Presença de Deus*, aprendeu a fazer a mesma coisa. Ele descobriu que o trabalho de cozinha era desagradável, mas aprendeu que se o realizasse por amor a Deus, poderia praticar a presença de Deus em meio ao trabalho. Esse mesmo princípio era aplicado a cada aspecto de sua vida, e essa prática o capacitou a desfrutar a vida de uma forma superior. Ele transformou o que poderia ter sido uma existência monótona, mundana e miserável em uma existência que era admirada e desejada por muitos. As pessoas queriam ter a sua simplicidade, a sua alegria, a sua paz e a sua profunda capacidade de conversar com Deus enquanto realizava suas atividades.

Há dúzias de coisas que dizem respeito à vida comum diária, e podemos desfrutar todas elas se apenas tomarmos a decisão de fazer isso. Coisas como se vestir, dirigir até o trabalho, ir ao mercado, realizar tarefas, manter as coisas organizadas, e centenas de outras coisas. Afinal, essas são as coisas das quais a vida é feita. Comece a fazer essas coisas por amor a Deus e perceba que através do Espírito Santo, você pode desfrutar absolutamente tudo o que faz. A alegria não vem simplesmente quando nos divertimos, mas vem de uma decisão de apreciar cada momento que lhe é dado como um presente raro e precioso de Deus.

## Chaves para Desfrutar o Momento Presente

Por favor, lembre-se de que um único dia que você perde é um dia que você nunca terá de volta. Certifique-se de que todos os dias que você viva valham a pena! Quero compartilhar algumas chaves específicas que descobri para me ajudar a aprender a viver no momento presente e desfrutar a vida. Acredito que se você as colocar em prática na sua própria vida, elas o ajudarão também.

### Entregue-se ao que Você Está Fazendo

Quando o termo *multitarefas* se tornou popular, todos pareciam querer fazer isso. Muitas descrições de cargo de repente incluíam frases do tipo "precisa ser capaz de exercer multitarefas", e ainda incluem. Embora haja certos momentos em que uma pessoa precisa fazer malabarismo com as suas responsabilidades e lidar com mais de uma coisa de cada vez, não estou certa de que exercer multitarefas nos sirva bem na vida

PARTE II – Pensamentos Poderosos

diária, e não creio que essa deva ser a nossa maneira normal de viver. Na verdade, creio que tentar fazer muitas coisas de uma vez gera estresse e nos impede de desfrutar qualquer uma delas. Algumas pessoas são capazes de fazer várias coisas de uma vez e ainda permanecerem calmas e focadas, mas até elas têm o seu limite e os limites devem sempre ser respeitados. Sejam quais forem as suas habilidades e hábitos de trabalho, precisamos estar cientes de que o estresse, a confusão, e a frustração não são a maneira de desfrutar o momento.

Quero desafiá-lo a parar de tentar exercer multitarefas de uma forma excessiva e aprender a se entregar ao que você está fazendo. Comprometa-se em fazer uma coisa de cada vez e decida-se a desfrutar o que faz. Com certeza é bom ler um livro enquanto você está sentado em uma sala de espera antes de um compromisso, mas comece a resistir ao impulso de fazer simultaneamente mais de uma coisa que exija esforço intelectual ou a sua atenção total. Por exemplo, não fale ao telefone enquanto tenta pagar suas contas online. Não faça uma lista de projetos de melhoria para sua casa enquanto deveria estar prestando atenção a uma reunião de negócios. Não se maquie enquanto dirige. Não responda a emails ou a mensagens de texto enquanto dirige.

A possibilidade de recebermos emails e mensagens de texto a qualquer hora certamente é conveniente e nos permite uma comunicação muito mais rápida, mas se permitirmos que cada bip do celular ou de uma mensagem que anuncie que recebemos um novo email seja o fator controlador em nossa vida, terminaremos frustrados e frequentemente daremos a impressão de ser rudes.

Ouvir exige a sua atenção e fingir ouvir quando na verdade a sua mente está em dez outras coisas não apenas é rude, como também não ajuda em nada na construção de relacionamentos.

A versão *Amplified Bible* da Bíblia explica Eclesiastes 5:1 desta forma: "Dedique a sua mente àquilo que você está fazendo". Em outras palavras, treine a si mesmo para focar toda a sua atenção naquilo em que você está envolvido no momento. Depois termine o que você está fazendo antes de começar outra coisa. Esse tipo de concentração requer disciplina, mas vale a pena porque poder ser uma pessoa focada o ajuda a desfrutar o momento presente. Recentemente, fiz progressos nessa área quando decidi que de agora em diante, se eu estiver fazendo alguma coisa importante, não atenderei ao telefone. Geralmente atendo ao telefone independentemente do que eu esteja fazendo e acabo descobrindo que isso me frustra e faz com que eu perca o foco. Verifico quem está me ligando para me certificar de que não é uma emergência, e realmente retorno as minhas ligações, mas não vou permitir que elas me controlem.

Não desfrutaremos o momento presente e os presentes que ele contém se não tivermos atitudes equilibradas com relação ao trabalho. Lucas 10:38-42 conta a história da visita de Jesus à casa de duas irmãs, Maria e Marta. Marta estava "excessivamente ocupada e atarefada demais" (ver Lucas 10:40). Mas Maria sentou-se aos pés de Jesus e ouvia o que Ele tinha a dizer. Marta estava distraída no afã de servir; Maria estava decidida a não perder a beleza do momento presente. E Jesus disse que Maria havia feito uma escolha melhor do que Marta. Jesus não disse a Marta para não trabalhar, Ele disse a ela para não ficar frustrada e ter uma atitude negativa enquanto trabalhava. Jesus quer que trabalhemos com afinco, mas Ele também quer que sejamos sábios o bastante para perceber quando devemos parar toda a atividade e não perder o milagre do momento.

Quebrar o mau hábito de exercer multitarefas em excesso pode parecer fácil, mas na verdade é bastante difícil na nossa sociedade, portanto, esteja determinado a formar hábitos novos e equilibrados nessa área. Este livro é sobre aprender a controlar o seu modo de pensar, e a arte de se concentrar no que você está fazendo é uma parte vital desse objetivo.

Em que "armadilhas" você costuma cair com relação a exercer multitarefas? Os pensamentos que ficam voando pela sua mente fazem com que você sinta como se ela fosse uma rodovia na hora do rush? Respire fundo, desacelere, e decida-se a só fazer o que puder fazer com paz e satisfação.

## Ao Se Aproximar de Deus, Torne-se como uma Criança

Agir como um adulto geralmente é considerado algo bom, e na maioria dos casos é mesmo. Mas devemos nos aproximar de Deus como criancinhas — não sendo *infantis*, mas sendo *como crianças*. Uma coisa é certa: as crianças pequenas conseguem encontrar facilmente uma maneira de desfrutar qualquer coisa que estejam fazendo. Nosso filho mais novo, Daniel, sempre teve a mentalidade de "vamos aproveitar a vida", e lembro-me de quando era pequeno como ele apreciava completamente tudo na vida. Lembro-me de que um dia eu disse a ele para varrer o pátio e percebi alguns minutos depois que ele estava dançando com a vassoura. Em outra ocasião fiz com que ele ficasse de pé em um canto para corrigi-lo por algo que ele havia feito de errado e logo percebi que ele estava brincando com as flores do papel de parede. Acho que podemos aprender muito observando as criancinhas. Elas encontram uma maneira de desfrutar tudo — até deveres ou castigos. Elas são rápidas em perdoar qualquer ofensa e confiar nas pessoas é fácil para elas.

Aproxime-se de Deus com a confiança de uma criança que nem sempre precisa entender o "porquê" por trás de tudo. A maioria dos pais fica muito cansada de ouvir seus filhos perguntarem "por que" cem vezes ao dia, e creio que Deus também se cansa disso.

Tenha uma fé simples; faça orações simples; seja rápido em se arrepender; e seja rápido em receber a ajuda de Deus. Creia que Deus é bom. Se você precisa de perdão, peça-o a Deus, receba-o pela fé, e não desperdice o seu tempo se sentindo culpado e condenado. Com esse tipo de simplicidade no seu relacionamento com Deus, você descobrirá que está crescendo espiritualmente e desfrutando cada vez mais a Sua presença. Lembre, desfrutar Deus em todo o tempo, em qualquer atividade que estejamos fazendo, é o nosso objetivo!

## Pense Nisto

Quais são as características de uma criança que você poderia praticar no seu relacionamento com Deus?

## Aprecie as Pessoas

Certamente não poderemos desfrutar o momento presente se não aprendermos a apreciar todos os diferentes tipos de pessoas, porque muitos dos nossos momentos incluem pessoas. Recentemente, li que grande parte da nossa infelicidade é causada por pessoas que não são o que queremos que elas sejam e que não fazem o que queremos que elas façam, e concordo plenamente. Então, qual é a solução? Como posso desfrutar o dia se vou ter de lidar com pessoas chatas? Descobri que é mais útil entender que, embora elas possam me chatear, Deus as ama muito e não aprecia o fato de que eu tenha uma atitude negativa em relação a ninguém.

Não posso apreciar ninguém que estou julgando de forma crítica, então costumo dizer a mim mesma: "Joyce, a maneira como esta pessoa age não é assunto seu". Ter uma atitude de misericórdia para com os outros realmente me ajuda a desfrutar minha vida e recomendo que você aja assim também. Recentemente fui atendida por uma balconista em uma sapataria que falava no telefone celular o tempo todo em que estive na loja, mesmo quando eu precisava de ajuda para encontrar um sapato no tamanho certo. Percebi que ela queria que eu me apressasse para que ela pudesse voltar à sua conversa. Ela estava falando espanhol, por isso não consegui entendê-la, mas à medida que minha irritação aumentava, optei por pensar: *Talvez ela esteja tratando de algum tipo de emergência ou esteja tratando de alguma coisa muito importante para ela.* Eu estava a ponto de perder minha alegria, mas decidi ser misericordiosa e continuar feliz. Recomendo firmemente que você faça o mesmo!

Deus criou todo tipo de pessoas com muitos temperamentos e personalidades diferentes, e acredito realmente que Ele aprecia todas elas. A variedade parecer ser algo em que Deus realmente tem prazer. Se você nunca pensou nisso, separe um tempo e olhe a sua volta. Deus criou a variedade e diz que tudo o que Ele criou é bom, portanto eu o incentivo a aceitar aqueles que são diferentes de você e aprender a apreciá-los como Deus os aprecia.

Encontramos muitas pessoas. Alguns desses encontros acontecem por escolha nossa, mas muitas das pessoas que encontramos apenas terminam fazendo parte da nossa vida à medida que atravessarmos o dia. Você não irá desfrutar muitos dos seus "momentos presentes" a não ser que decida também encontrar uma forma de apreciar as pessoas que invadem esses momentos.

## Pense Nisto

Com que frequência você deixa de desfrutar o seu dia porque uma pessoa não é o que você quer que ela seja?

---

---

### Desfrute uma Vida Equilibrada

Uma porta de oportunidade é aberta para Satanás trazer destruição às vidas daqueles que vivem em desequilíbrio (ver 1 Pedro 5:8). Qualquer coisa em exagero é um problema, mesmo se estivermos exagerando em uma coisa boa. Por exemplo: o trabalho é bom, mas trabalhar exageradamente gera estresse, que pode resultar em doenças, ressentimento, depressão e na ruptura de relacionamentos. Alimentos são bons, mas como a maioria de nós sabe, comer exageradamente não é bom. É bom ser organizado, mas se nos tornarmos perfeccionistas podemos enlouquecer e levar todos à nossa volta a enlouquecer também. O sono é vital e se não dormimos o suficiente, não nos sentimos bem, mas no outro dia eu estava falando com alguém que disse: "Descobri que se eu dormir muito, não me sinto bem". Qualquer área que esteja em desequilíbrio gera confusão e sofrimento em nossa vida e rouba a alegria do momento presente.

Realmente creio que manter uma vida equilibrada é provavelmente um dos maiores desafios que temos. Encorajo você a examinar regularmente sua vida e a se perguntar sinceramente se você permitiu que alguma área entrasse em desequilíbrio. Você está fazendo alguma coisa demais ou de menos? A falta de equilíbrio pode ser a causa de não desfrutarmos a vida.

Nem sempre vivi uma vida equilibrada, mas agradeço a Deus por me ajudar a chegar ao ponto em que agora permaneço equilibrada — pelo menos na maior parte do tempo. Eu o encorajo a fazer o mesmo. Equilibre as suas atividades e varie a sua rotina. Não faça as mesmas coisas o tempo todo nem exagere em nada. Faça todas as coisas com moderação. Assim, você evitará um esgotamento e poderá desfrutar todas as coisas.

## Pense Nisto

Você tem uma vida equilibrada?

_____

_____

Onde você precisa melhorar e como você pode se sair melhor?

_____

_____

### Deixe o Passado para Trás

O seu passado pode ser um fardo insuportavelmente pesado quando você tenta trazê-lo para o presente. A maneira de deixá-lo para trás é parar de pensar nele. Tire-o de sua mente e das suas conversas. Satanás vai lembrar a você o seu passado porque ele quer que você fique preso nele, mas lembre-se de que você pode escolher os seus próprios pensamentos. Você não tem de pensar em tudo que vem à sua mente. Você tem a capacidade de escolher seus pensamentos. Não há dúvidas de que agarrar-se ao seu passado impedirá que você desfrute o seu presente e

PARTE II – Pensamentos Poderosos

aguarde com expectativa o seu futuro. Se você tem problemas com a culpa, a condenação, a vergonha, ou lamenta o seu passado, Deus o perdoará e o libertará se você simplesmente pedir a Ele. Se você se sente decepcionado devido aos erros do passado, é hora de sacudir tudo isso e se redirecionar. No seu futuro não existe lugar para o passado! Escrevi recentemente em meu diário que eu estava eliminando a marcha a ré da minha vida, e realmente fiz isso, para que eu nunca mais perca tempo com aquilo que foi ou que poderia ter sido.

O apóstolo Paulo estava determinado a viver no momento presente. Em Filipenses 3:13,14, ele escreve: "Irmãos, não penso que eu mesmo já o tenha alcançado, mas uma coisa faço: esquecendo-me das coisas que ficaram para trás e avançando para as que estão adiante, prossigo para o alvo, a fim de ganhar o prêmio do chamado celestial de Deus em Cristo Jesus". Use todas as chaves que eu lhe apresentei e continue acrescentando as suas próprias à medida que você for avançando na sua nova vida de satisfação. E acima de tudo, continue meditando neste pensamento de poder e confessando-o: "Vivo no presente e desfruto cada momento".

## Pense Nisto

Quando você lê Filipenses 3:13,14, que trata sobre esquecer o passado, que situação lhe vem à mente?

_____

_____

### Escolha as Suas Batalhas

Creio que uma das melhores formas de desfrutar o momento presente e evitar o estresse indevido é recusar-se a permitir que cada pequena coisa nos irrite. Em outras palavras, escolha as suas batalhas, e não faça uma tempestade em copo d'água. Antes de dedicar tempo, energia e emoção a um problema ou situação, faça duas perguntas a si mesmo. Em primeiro lugar, pergunte a si mesmo o quanto aquilo é importante; e em segundo, pergunte a si mesmo quanto do seu tempo, energia e esforço você realmente deve empregar nisso. Saiba o que realmente importa na vida, e se concentre nessas coisas. Aprenda a discernir a diferença entre os problemas mais importantes e os menores.

Em Êxodo 18:13-23, Jetro, o sogro de Moisés, deu a ele um conselho excelente. Moisés estava ficando exausto porque tratava pessoalmente de todas as situações, litígios e crises que surgiam entre os israelitas. Talvez ele achasse que tinha de fazer isso, uma vez que ele era o líder da nação. Jetro lhe disse, em essência: "Cuide das coisas grandes, e deixe as pequenas com outra pessoa". Ele seguiu em frente dizendo: "Se você assim fizer, e se assim Deus ordenar, você será capaz de suportar as dificuldades, e todo este povo voltará para casa satisfeito" (Êxodo 18:23).

Estou certa de que sua vida já tem bastante tensão sem que seja necessário acrescentar nada. Quando você for tentado a assumir uma "batalha", primeiramente recue e decida se o que ela exigirá de você vale a pena.

## Pense Nisto

Pense nas suas batalhas atuais. De quais delas você precisa se afastar e por quais vale a pena lutar?

---

### Entenda que Você Não Pode Atender às Expectativas de Todos

Todos nós temos muitos relacionamentos diferentes e a maioria das pessoas espera algo de nós. Moisés disse a seu sogro que ele estava julgando todas as questões, pequenas e grandes, porque as pessoas iam até ele. Obviamente, elas o procuravam com a expectativa de que Moisés as ajudasse. Ele não queria decepcioná-las, então, ele se esgotava diariamente. Quando fazemos isso, estamos agradando às pessoas em vez de agradar a Deus, e nos tornamos ineficazes. Todos nós queremos que as pessoas fiquem satisfeitas conosco, mas precisamos entender também que elas costumam ter expectativas irrealistas e egoístas. Não podemos desfrutar o momento se estivermos desobedecendo a Deus.

## Pense Nisto

Você se sente exausto na maior parte do tempo por tentar fazer com que todos fiquem felizes?

---

### Não Espere para Se Divertir!

Nosso ministério patrocina uma série de conferências todos os anos, e costumo falar e ensinar muito em cada uma delas. Eu costumava encarar esses eventos como trabalho, como parte da minha função. Todas as vezes que fazia uma conferência, eu pensava: *Este é o meu trabalho, e quando o trabalho terminar, vou me divertir.* Depois de vários anos, comecei a pensar em quanto tempo passo no púlpito, e percebi que se eu não desfrutar estar ali, não me restará muito tempo para desfrutar nada. Então decidi me divertir enquanto trabalho. Essa é uma maneira que encontrei de desfrutar cada momento.

Você terá de encontrar maneiras de desfrutar o momento presente em sua vida. Certamente, aprender a ser feliz enquanto trabalha pode ser uma maneira, mas existem muitas outras. Comece agora a pensar no que você pode fazer para ter mais alegria em cada experiência da vida. O momento presente é tudo que temos garantido, portanto, não espere até mais tarde — até você se casar, se aposentar, sair de férias, até seus filhos terminarem a faculdade — para desfrutar a vida. Ninguém sabe o que vai acontecer em seguida na vida deles ou no mundo. Você está vivo *agora,* portanto maximize, abrace e comemore este momento.

Deixe-me encerrar este capítulo com as palavras de um anônimo que têm estado entre nós há anos, encorajando milhões de pessoas a desfrutarem cada dia e a apreciarem cada momento. Que elas o inspirem a fazer o mesmo.

Se eu pudesse novamente viver a minha vida, tentaria cometer mais erros da próxima vez. Não tentaria ser tão perfeito, relaxaria mais, seria mais tolo do que tenho sido. Na verdade, bem poucas coisas levaria a sério. Seria mais louco Seria menos higiênico. Correria mais riscos. Viajaria mais. Escalaria mais montanhas, nadaria em mais rios, contemplaria mais entardeceres. Eu andaria mais. Eu tomaria mais sorvete e comeria menos feijão. Teria mais problemas reais e menos problemas imaginários. Fui uma dessas pessoas que viveu sensata e profundamente cada minuto de sua vida; hora após hora, dia após dia. Claro que tive momentos de alegria. Mas se pudesse fazer tudo de novo, eu teria mais desses momentos. Na verdade, tentaria não ter outra coisa além deles. Apenas momentos, um após o outro, em vez de viver tantos anos à frente todos os dias. Fui uma dessas pessoas que nunca vão a lugar algum sem um termômetro, um saco de água quente, uma capa de chuva, e um paraquedas. Se pudesse fazer tudo de novo, eu iria a mais lugares, faria mais coisas e viajaria mais leve. Se eu pudesse voltar a viver, andaria descalço no começo da primavera e ficaria assim até o fim do outono. Eu mataria mais aulas. Eu não tiraria notas tão boas, a não ser por acaso. Eu andaria mais de carrossel. Eu colheria mais margaridas.[1]

Embora eu não esteja sugerindo que vivamos desordenadamente, acredito que essa pequena história deixa claro o ponto de vista que pretendo provar. Vamos ser sérios o suficiente para realizar os nossos objetivos na vida, mas não tão sérios a ponto de matar nossa espontaneidade criativa.

PARTE II – Pensamentos Poderosos

## Pense Nisto

O que você está esperando? Ocupe-se e desfrute sua vida!

## Palavras de Poder

"Este é o dia em que o Senhor agiu; alegremo-nos e exultemos neste dia".
*Salmo 118:24*

"O ladrão vem apenas para furtar, matar e destruir; eu vim para que tenham vida, e a tenham plenamente".
*João 10:10*

"Tenho lhes dito estas palavras para que a minha alegria esteja em vocês e a alegria de vocês seja completa".
*João 15:11*

# PENSAMENTO PODEROSO N.º 11

## Sou disciplinado e tenho domínio próprio.

*"Nenhuma disciplina parece ser motivo de alegria no momento, mas sim de tristeza. Mais tarde, porém, produz fruto de justiça e paz para aqueles que por ela foram exercitados."*

HEBREUS 12:11

Muitas pessoas gostam de assistir aos eventos esportivos como Olimpíadas, Campeonatos de Futebol, ou Copas do Mundo. Até aqueles que não se consideram fãs dos esportes costumam prestar atenção nessas competições quando um prêmio como uma medalha de ouro ou o título de um campeonato está em jogo. Creio que a razão para isso é que todos nós gostamos de ver pessoas que trabalham e recebem recompensas por seus esforços. Também apreciamos esse princípio em nível pessoal; gostamos de saber que o nosso treinamento, o nosso trabalho e o nosso sacrifício trazem benefícios à nossa vida. Costumo ficar com os olhos cheios de lágrimas quando vejo alguém cruzar a linha de chegada em uma corrida. Por que eu choro quando nem sequer conheço aquela pessoa? Porque sei o que é necessário para se vencer!

Thomas Paine disse: "Quanto mais árduo o conflito, mais glorioso o triunfo. O que obtemos com muita facilidade, apreciamos muito pouco". Antes de podermos receber um prêmio ou desfrutar uma recompensa,

PARTE II – Pensamentos Poderosos

precisamos fazer o trabalho necessário para alcançá-los. Na verdade, o investimento de tempo, energia e dedicação é o que torna a recompensa doce. Quanto mais trabalhamos para atingir um objetivo, mais apreciamos o fato de finalmente alcançá-lo. Tudo que mencionei até agora — o trabalho árduo, o treinamento, os sacrifícios, os investimentos de tempo, energia e dedicação — está inserido na categoria da "disciplina".

Realmente creio que uma vida disciplinada é uma vida poderosa. Aprender a ser disciplinado e a praticar o domínio próprio impedirá que você se torne preguiçoso e incorra em excessos, e o ajudará a permanecer focado e produtivo. Isso exigirá que você se esforce, mas a recompensa valerá todo o trabalho. Uma vida disciplinada começa com uma mente disciplinada. Precisamos ser capazes de ajustar a nossa mente e mantê-la ajustada com relação aos nossos desejos e objetivos.

## Pense Nisto

Você aprecia ver pessoas que trabalham duro receber recompensas?

_____

_____

Você está disposto a fazer o que for preciso a fim de ter o que você diz que deseja?

_____

_____

## Liberdade com Limites

O apóstolo Paulo entendia de disciplina e escreveu sobre ela em várias de suas cartas. Em 1 Coríntios 6:12, ele observou: "Tudo me é permitido, mas nem tudo convém. Tudo me é permitido, *mas eu não deixarei que nada domine*" (ênfase da autora).

A disciplina é o preço da liberdade. É a porta para a libertação. Quando não somos disciplinados, nos tornamos escravos; caímos sob o poder de coisas que não deveriam nos dominar. Por exemplo, quando não nos disciplinamos para comer de forma saudável, nos tornamos escravos de gorduras, açúcares e outras substâncias que são prejudiciais à nossa saúde física. Conheço muitas pessoas que sabem que comer muito açúcar faz com que elas se sintam cansadas e até doentes, mas elas comem assim mesmo. Elas "gostariam" de não desejar as comidas pouco saudáveis, mas não estão dispostas a se disciplinar para fazer escolhas melhores. Quando não praticamos o domínio próprio em relação às nossas finanças, caímos sob o poder das dívidas, e o nosso endividamento pode literalmente nos impedir de fazer o que queremos ou precisamos fazer na vida. A dívida opressora costuma ser a causa da ansiedade, das doenças e de graves problemas conjugais. Quando não nos disciplinamos para descansar o suficiente, nos tornamos escravos da fadiga, que nos deixa aborrecidos, propensos a erros e cansados quando precisamos de energia. A fadiga é um dos maiores ladrões da criatividade, de modo que precisamos evitá-la tanto quanto possível. Parece-me que todos atualmente andam cansados, e estou certa de que essa não é a vontade de Deus para as pessoas.

Paulo compartilhou um sentimento semelhante em 1 Coríntios 10:23 quando escreveu: "Todas as coisas são legítimas [permissíveis — e somos livres para fazer qualquer coisa que quisermos], mas nem todas as coisas são úteis (oportunas, proveitosas, e benéficas). Todas as coisas são legítimas, mas *nem todas as coisas são construtivas [para o caráter] e edificantes [para a vida espiritual]*" (AMP, ênfase da autora). Observe que neste versículo Paulo afirma mais uma vez que ele é tecnicamente livre para fazer qualquer coisa que deseje, mas que ele se contém, para não fazer coisas que não edificam o caráter ou o espírito. A Bíblia diz: "Discipline-se visando a piedade" (1 Timóteo 4:7, NASB). Tomar decisões com base na análise dos benefícios que a decisão trará ou não ao seu caráter ou se irá ajudá-lo espiritualmente ou não é um enfoque sábio da prática da disciplina.

Devemos praticar a disciplina naquilo que nos permitimos ver e ouvir. Nossos olhos e ouvidos são portas de entrada para a nossa alma

PARTE II – Pensamentos Poderosos

e espírito, e como tal, eles devem ser protegidos com toda a diligência. Por exemplo, se você recebe uma revista em sua casa, e enquanto a folheia percebe que as modelos estão vestidas de forma inadequada e com pouca roupa, a melhor opção é simplesmente jogá-la fora. Se você está procurando canais na televisão, precisa se disciplinar quanto ao que escolhe assistir. Outro exemplo seria escolher não fazer fofoca ou revelar os segredos das pessoas independentemente do quanto você seja tentado a fazer isso. A vida e a morte estão no poder da língua, e devemos usar de muita precaução, disciplina e domínio próprio com relação a ela.

## Pense Nisto

Você se tornou "escravo" de alguma coisa, ou alguma coisa domina você?_____ Em caso afirmativo, o que é? _____
Você tem se disciplinado regularmente na fidelidade a Deus?

_____

_____

## Precisamos Ser Ensinados

É impossível imaginar a possibilidade de se tornar um médico ou um advogado de sucesso sem educação. Gostaria que os cristãos tivessem a mesma compreensão quanto ao crescimento espiritual. Tornar-se cristão começa com a entrega e a decisão de crer que Jesus é Deus e que Ele realmente morreu pelos nossos pecados. Ele tomou a punição que nós merecíamos, pagou a dívida que nós devíamos como pecadores, ressuscitou dos mortos e subiu aos céus para sentar-se à direita de Deus. Ele está vivo hoje e enviou o Seu Espírito para habitar no coração daqueles que o recebem por fé. Esse é o princípio da nossa fé e da nossa experiência cristã, mas está longe do fim.

Precisamos ser educados com relação ao que nos pertence como resultado do nosso relacionamento com Jesus, a como viver a nova vida que Ele nos dá, e a como alinhar o nosso modo de pensar à verdade da Sua Palavra. Precisamos aprender a pensar e depois nos comportarmos de acordo com a nova natureza que recebemos, em lugar da velha natureza que oficialmente foi pregada na cruz com Jesus. É muito importante entender no início da nossa jornada que o sucesso vai exigir tempo e esforço — provavelmente mais do que gostaríamos! Pensar que esse tipo de mudança radical acontecerá rapidamente e sem esforço é pura tolice. Precisamos ser disciplinados a respeito disso. Deus nos dá uma grande liberdade; Ele permite que escolhamos o que queremos pensar, dizer e fazer. Se formos sábios o bastante para colocarmos bons limites na nossa liberdade, veremos grandes resultados. A mente precisa ser renovada. Precisamos aprender a pensar como Deus pensa se quisermos ter o que Ele quer que tenhamos.

## Deus nos Deu Espírito de Disciplina e Domínio Próprio

Frequentemente ouço as pessoas dizerem: "Simplesmente não sou uma pessoa disciplinada", ou "Simplesmente não tenho domínio próprio", e elas citam uma determinada área como alimentação, exercício ou organização. Se você é uma dessas pessoas que acreditam que não são disciplinadas, então quero que você mude o seu modo de pensar. O apóstolo Paulo afirmou que Deus não nos deu espírito de medo, mas de poder, amor e moderação, e um espírito de disciplina e domínio próprio (ver 2 Timóteo 1:7, AMP). É hora de começar a renovar a sua mente meditando neste pensamento de poder: "Sou disciplinado e tenho domínio próprio". Você nunca subirá acima do que acredita, e enquanto acreditar que não é uma pessoa disciplinada, você nunca será.

## Vencendo a Batalha na Mente

O poeta romano Horácio escreveu: "Governe a sua mente ou ela governará você", e acredito que isso é verdade. Precisamos entender que

PARTE II – Pensamentos Poderosos

o inimigo quer a nossa mente; ele deseja controlar ou influenciar ao máximo possível o nosso pensamento, mas não precisamos permitir que ele faça isso. Assim como temos de ser educados em como pensar como Deus quer que pensemos, também devemos aprender a resistir ao inimigo enquanto ele tenta influenciar nossos pensamentos. A chave para vencê-lo é aprender a nos disciplinarmos no que se refere aos nossos pensamentos, e este é o começo: nos disciplinarmos para acreditar que somos disciplinados.

Esta manhã, eu estava falando sobre disciplina com meu filho. Falamos sobre oração, leitura da Bíblia, silêncio e ficar a sós com Deus. Meu filho disse: "A disciplina é uma disciplina". Eu nunca havia pensado dessa maneira, mas é uma afirmação bem verdadeira.

Ensinei sobre os benefícios da disciplina muitas vezes e, ainda assim, ninguém parece ficar entusiasmado quando menciono essa palavra. Creio que se realmente entendêssemos o poder, a liberdade, a alegria, e a vitória que a disciplina traz a nossa vida, nós a abraçaríamos ansiosamente. Em muitas áreas, principalmente na nossa maneira de pensar, ela faz a diferença entre uma vida feliz e uma vida infeliz, uma vida de escravidão ao inimigo ou uma vida de liberdade em Deus. Lembre-se sempre de que a disciplina é sua amiga, algo a ser abraçado e usado diariamente. A disciplina é uma ferramenta dada por Deus para ajudá-lo a atingir os seus objetivos. Comece a pensar e a dizer: "Sou uma pessoa disciplinada e tenho domínio próprio". Em seguida aplique essa disciplina e domínio próprio a todos os seus padrões de pensamento.

Um motivo pelo qual disciplinar a nossa mente é tão importante é porque o estado da nossa mente pode mudar rapidamente. Um dia, você pode estar calmo, pacífico, seguro de si mesmo, e confiante em Deus. No outro dia, você pode estar ansioso, preocupado, inseguro e cheio de dúvidas. Certamente passei por esse tipo de altos e baixos algumas vezes em minha vida e a raiz deles está sempre na minha maneira de pensar. Nosso modo de pensar afeta diretamente as nossas emoções.

Lembro-me de vezes em que eu era capaz de tomar uma decisão rapidamente e me manter nela com facilidade. Também me lembro

Pensamento Poderoso N.º 11

de ocasiões em que eu não conseguia chegar a decisão alguma, por mais que tentasse, ou pior ainda, eu tomava uma decisão mas ficava mudando de ideia. A dúvida, o medo e a incerteza me assombravam sem misericórdia enquanto eu ficava me criticando e simplesmente não conseguia me decidir em uma situação. Quando nos permitimos abrigar a insegurança e a indecisão, estamos convidando a confusão e a infelicidade. Muitas pessoas têm problemas com essa falta de capacidade de se concentrar e de tomar decisões. Quando é necessário tomar uma decisão, principalmente uma decisão importante, falta-lhes a confiança. O medo penetra em seu pensamento e controla todos os seus atos.

Você pode renovar a sua mente com pensamentos do tipo: *Ouço a voz de Deus e sou dirigido pelo Espírito Santo. Recuso-me a viver com medo e a ser indeciso.* Podemos facilmente nos sentir sobrecarregados por todas as decisões que precisamos tomar diariamente a não ser que tenhamos confiança para crer que temos a capacidade de fazer as escolhas certas. Nunca diga outra vez: "Tenho dificuldade de tomar decisões", porque quando você pensa e fala assim, está se preparando para ficar confuso. Em vez disso, você pode acreditar que quando precisar tomar uma decisão, saberá o que fazer. Mesmo que você tenha tido dificuldade para fazer isso no passado, este é um novo dia e você está no comando dos seus pensamentos; eles não estão mais comandando você! Lembre-se: você é uma pessoa disciplinada e com domínio próprio segundo a Palavra de Deus.

Aprendi que quando Satanás teve êxito em construir uma fortaleza na nossa mente, ele não desiste do seu território facilmente. Precisamos estar dispostos não apenas a começar a pensar corretamente, mas também devemos nos manter assim até termos a vitória. Se você passou anos permitindo que a sua mente vacilasse em toda sorte de direções, será necessário tempo para treiná-la de novo, mas o esforço que você investir lhe renderá lucros tremendos. Muitas pessoas têm problemas de indecisão e desafios semelhantes em suas mentes porque não se disciplinaram com relação aos seus pensamentos. As pessoas que não conseguem se concentrar por tempo suficiente para tomar uma decisão costumam se perguntar se existe algo errado com suas mentes. Entretanto, a incapacidade de se con-

PARTE II – Pensamentos Poderosos

centrar e de tomar uma decisão pode ser o resultado de anos permitindo que a mente fizesse tudo o que ela queria fazer em vez de discipliná-la. Como eu disse, isso geralmente é o sinal e o resultado de uma fortaleza que o inimigo construiu na mente de uma pessoa. Para mim, derrubar essas fortalezas mentais levou algum tempo, mas aconteceu, e pode acontecer com você. Não foi fácil para mim, portanto não desanime se levar tempo e exigir esforço da sua parte. Sinto que isso é tão importante que escrevi um livro chamado *Nunca Desista!*, que é totalmente dedicado à perseverança. Perseverança é o que o apóstolo Paulo chamou de "prosseguir". Você pode prosseguir indo muito além de onde pensa que a sua capacidade termina. Quando a nossa própria força se esgota, Deus está pronto para nos dar a Dele se pedirmos.

Às vezes, ainda tenho recaídas nessa área da concentração, e quando estou tentando concluir um projeto, de repente percebo que minha mente ficou vagueando em outra coisa que absolutamente não tinha nada a ver com o assunto em questão. Ainda não cheguei ao ponto de ter uma concentração perfeita, mas pelo menos entendo o quanto é importante não permitir que minha mente vá para onde quer que ela deseje, sempre que ela quer. Já decidi que nunca vou desistir de aprender a pensar adequadamente e incentivo você a fazer o mesmo. Não cheguei aonde quero chegar, mas estou progredindo!

## Pense Nisto

Sua mente vagueia? Em caso positivo, você está pronto a discipliná-la?

---

---

Você tomou a decisão de nunca desistir até ter a vitória completa?

---

---

Pensamento Poderoso N.º 11

## É Preciso Prática

Treinar a nossa mente a ser disciplinada requer prática. Aprendi que uma maneira de fazer isso é impedir que minha mente vagueie durante as conversas. Há vezes em que Dave está falando comigo e ouço por algum tempo; então, de repente, percebo que não ouvi uma palavra que ele me disse porque permiti que minha mente vagueasse e pensasse em outra coisa. Meu corpo está de pé ali perto dele e muitas vezes meu rosto está até voltado para ele, mas na minha mente não estou ouvindo nada do que ele diz. Durante muitos anos, quando esse tipo de coisa acontecia, eu fingia saber exatamente o que Dave estava dizendo. Agora, simplesmente paro e pergunto: "Você poderia voltar e repetir isto? Deixei a minha mente se dispersar, e não ouvi uma palavra do que você disse". Deste modo, estou lidando com o problema. Estou disciplinando minha mente para permanecer focada. Confrontar esses problemas é a única maneira de vencê-los.

Também descobri que todos nós temos muito do que chamo de "tempo de dispersão mental" — o tempo em que não estamos ocupados com nada específico e nossa mente está livre para vaguear e escolher alguma coisa para pensar. Pode ser o tempo em que estamos dirigindo, ou no chuveiro, os momentos antes de adormecermos, ou outras ocasiões semelhantes. Precisamos tomar cuidado para usar esse tempo de forma produtiva e assegurar que pensemos em coisas que edificam nosso caráter e nos ajudam a crescer espiritualmente. Esses podem ser os melhores momentos para meditar nos pensamentos poderosos que você está aprendendo neste livro. Enquanto adormece, à noite, faça isso repassando estes pensamentos na sua mente várias vezes:

- Posso fazer tudo o que for preciso na vida através de Cristo.
- Deus me ama incondicionalmente.
- Não viverei com medo.
- Sou uma pessoa que não se ofende facilmente.
- Amo as pessoas e tenho prazer em ajudá-las.
- Confio em Deus completamente; não há razão para me preocupar!

- Sou contente e emocionalmente estável.
- Deus supre todas as minhas necessidades em abundância.
- Busco a paz com Deus, comigo mesmo e com os outros.
- Vivo no presente e desfruto cada momento.
- Sou disciplinado e tenho domínio próprio.
- Coloco Deus em primeiro lugar em tudo.

Lembre, a mente é o campo de batalha. Ela é o lugar onde vencemos ou perdemos as batalhas na vida. A indecisão, a incerteza, o medo, e os pensamentos que vagueiam aleatoriamente são simplesmente o resultado de não disciplinarmos a mente. Essa falta de disciplina pode ser frustrante e fazê-lo pensar *O que há de errado comigo? Por que não consigo fixar minha mente no que estou fazendo?* Mas a verdade é que a mente precisa ser disciplinada e treinada para ter seu foco direcionado. Você tem um espírito de disciplina e domínio próprio, e é hora de começar a desenvolvê-lo.

Peça a Deus para ajudá-lo, e depois recuse-se a permitir que a sua mente pense em tudo que ela desejar. Comece hoje a controlar seus pensamentos e a manter a sua mente no que você está fazendo, dizendo ou ouvindo. Você precisará praticar por algum tempo; quebrar velhos hábitos e formar outros novos sempre leva tempo. Desenvolver a disciplina nunca é fácil, mas sempre vale a pena no final. Quando você vencer a batalha pela sua mente, será uma pessoa muito mais decidida, mais confiante e mais focada. Então, você também será uma pessoa mais eficaz e produtiva.

## Pense Nisto

Você é capaz de manter a sua mente focada no que está fazendo?

## Quando Você Não Consegue Tirar Algo da Cabeça

Não conseguir manter a nossa mente focada naquilo que queremos é uma coisa, mas não conseguir tirar alguma coisa da nossa mente é outra. Podemos nos preocupar com uma situação, ou ficar remoendo aquilo em nossa mente sem parar para encontrar uma solução. Queremos tirar o problema da nossa mente e ter paz, mas parece que ele fixou residência permanente nela.

Isso lhe soa familiar? Você já passou por momentos em que sabe que uma determinada linha de pensamento o está deixando infeliz e não está adiantando nada, mas você simplesmente não consegue parar? Todos nós passamos por isso, mas podemos aprender a disciplinar a nossa mente para permitir que outros pensamentos entrem, e não colocar o foco tão completamente em um problema ou situação. A maneira de parar de pensar em alguma coisa na qual você não quer pensar é simplesmente pensar em outra coisa. Até o fato de entrar em uma atmosfera diferente ajuda. Se você está preocupado, não fique sentado em casa se preocupando — saia e vá fazer alguma coisa! Coloque a sua mente em algo que dê bons frutos porque a preocupação não faz bem algum. Descobri que, mesmo quando me sinto mal fisicamente, fazer algo que desvie meus pensamentos faz com que eu me sinta melhor.

Recentemente, passei um bom tempo com uma amiga que estava passando por uma tremenda batalha mental cujas raízes estavam no medo de desagradar uma figura de autoridade em sua vida. Ela pensava na situação — e não parava de pensar nela o tempo todo. Em dado momento, ela perguntou: "Por que não consigo tirar isso da minha mente?". O seu pensamento limitado fez com que ela ficasse presa ao medo que sentia da situação com aquela figura de autoridade.

Entretanto, logo percebi que quando nos envolvíamos em alguma atividade ministerial juntas, o brilho dela retornava e ela não mencionava mais a sua batalha mental. Quando perguntei a ela mais tarde naquele dia como ela estava, ela disse: "Fico bem quando me envolvo no que Deus me chamou para fazer".

O que aprendemos com essa história sobre minha amiga é a resposta para a pergunta: "O que posso fazer quando não consigo tirar algo da minha mente e sei que aquilo está me deixando infeliz e provavelmente está desagradando a Deus?". A resposta é: Envolva-se em algo que lhe dê alegria, algo que o obrigue a tirar sua mente das circunstâncias perturbadoras e colocá-la em algo positivo e que valha a pena.

Satanás estava atacando minha amiga em seu ponto fraco. Ela havia sido abandonada por sua mãe biológica e sofrido abuso quando criança, o que fez com que ela lutasse contra uma necessidade excessiva de ser aceita por figuras de autoridade. Eu também tinha problemas de insegurança e a necessidade de ser aceita pelas figuras de autoridade na minha vida. Essas áreas eram "portas abertas" para o inimigo em minha vida (lugares onde ele podia facilmente levar vantagem sobre mim e me influenciar). À medida que Deus trabalha continuamente em mim, essas portas estão diminuindo de tamanho e está ficando cada vez mais difícil para o inimigo passar por elas. O que um dia foi uma larga porta de oportunidade para o diabo hoje é uma entrada quase completamente fechada.

Satanás costuma trabalhar através das nossas fraquezas ou tirar vantagem delas no exato momento em que Deus está tentando nos promover ou nos direcionar a dar um passo de fé que promoverá o avanço do Seu Reino, além de nos levar para mais perto de cumprirmos o nosso destino. Creio que isso foi o que aconteceu com minha amiga, e sei que foi o caso em minha vida e na vida de muitos outros também.

Lembro-me bem de ocasiões em que Deus estava tentando me levar a tomar uma decisão que me capacitaria a fazer mais no Seu Reino, mas o medo do que as pessoas pensariam me manteve cativa e me imobilizou. Quando você estiver preso em um padrão de pensamento prejudicial — um tipo de padrão que fica tocando sem parar como um disco quebrado na sua mente — ocupe-se fazendo algo que Deus o chamou para fazer ou algo que abençoará alguém. Não seja passivo nem fique meramente desejando poder tirar aquilo da mente. Seja decidido e se recuse a emprestar a sua mente ao diabo para que ele exerça as suas atividades. Lembre-se de que os maus pensamentos levam ao mau humor e às más decisões, por isso não desperdice o seu tempo em nada que não acrescente qualidade à sua vida.

## Pense Nisto

O que você considera ser o ponto fraco (ou pontos fracos) por meio do qual Satanás poderia levar vantagem sobre você?

---

## Faça uma Escolha

Em Deuteronômio 30:19, Deus diz: "Coloquei diante de vocês a vida e a morte, a bênção e a maldição. Agora escolham a vida". Ele nos dá opções, mas deseja que nós façamos a escolha. Uma escolha significa que podemos seguir o caminho fácil ou o caminho difícil. Podemos seguir o caminho que sentimos vontade de seguir ou podemos seguir o caminho que sabemos que é certo. Fazer uma escolha certa e sábia significa que provavelmente teremos de nos disciplinar para fazer algo que não sentimos vontade de fazer, mas que sabemos que é melhor.

Como a Bíblia afirma, a disciplina não traz alegria imediata, mas traz uma alegria duradoura depois. O inimigo está sempre tentando nos destruir, e costuma fazer isso nos influenciando a fazer más escolhas — para escolhermos fazer o que é agradável ou fácil agora, em vez do que será benéfico em longo prazo. Essas escolhas podem satisfazer temporariamente a carne, mas elas não agradam a Deus nem nos satisfazem permanentemente. Devemos nos disciplinar para fazer boas escolhas que honrem a Deus e à Sua Palavra. Deus encoraja os Seus filhos a andarem no Espírito, e para fazer isso devemos escolher fazer o que sabemos que é certo, mesmo que não seja agradável. Se sabemos fazer o que é certo e não fazemos, pecamos (ver Tiago 4:17). Quando Dave e eu temos um desentendimento e há muita tensão no ar, posso optar por pedir desculpas e fazer o que irá restaurar a paz, ou posso optar por ficar zangada e esperar que ele se desculpe comigo. Para mim, é mais importante estar certa ou estar em paz? Sei que o certo é procurar fazer

PARTE II – Pensamentos Poderosos

a paz, e se não faço isso, então estou pecando. Deus é o nosso Vingador, e se for necessário provar que eu estava certa, Ele cuidará disso, mas a minha parte é honrá-lo fazendo o que sei que é certo de acordo com a Sua Palavra. Deus pode resolver todos os detalhes, mas precisamos ser pessoas que fazem a paz e a mantêm (ver Mateus 5:9).

Na semana passada, ocorreu uma situação entre mim e uma pessoa que estava agindo muito mal. Ela estava reclamando, não demonstrando nenhum reconhecimento, e estava sendo extremamente difícil me entender com ela. Trocamos algumas palavras acaloradas e eu saí. Esperava que ela telefonasse e se desculpasse porque na verdade ela estava errada, mas ela não ligou. Lembrei-me que Mateus 5:23-24 diz: "Portanto, se você estiver apresentando sua oferta diante do altar e ali se lembrar de que seu irmão tem algo contra você, deixe sua oferta ali, diante do altar, e vá primeiro reconciliar-se com seu irmão; depois volte e apresente sua oferta". Quando o Senhor trouxe essa passagem à minha mente, entendi que Ele estava me pedindo para fazer o que era certo, mesmo se a outra pessoa não o fizesse. Liguei para ela e perguntei como ela estava indo e conversamos um pouco. Não pedi perdão porque eu não havia feito nada de errado, mas procurei por ela como uma maneira de dizer que eu não estava zangada. A minha paz voltou e tive a satisfação de saber que eu havia obedecido a Deus, e o resto era com Ele.

Agora entendo mais do que nunca que fazer as escolhas certas é a chave para uma vida feliz, e manter a nossa mente nas coisas certas é outra escolha. Não deixe que a sua mente vagueie por aí e faça o que quer que lhe agrade. Lembre-se de que você tem um espírito de disciplina e domínio próprio. Você recebeu uma mente sadia.

Às vezes, quando estou no carro olhando pela janela do passageiro enquanto meu marido dirige, percebo que minha mente vagueou ou perambulou em direção a coisas inúteis e que aquilo não irá gerar nada de bom em minha vida. Isso não me torna uma pessoa má; apenas significa que tenho uma escolha a fazer. Vou ser preguiçosa e deixar minha mente ser levada, ou me disciplinar mais uma vez para parar de ter aquele pensamento errado e encontrar algo de bom e nobre para pensar?

Mencionei que a minha mente às vezes se dispersa quando converso com Dave, mas isso também acontece quando outras pessoas estão falan-

Pensamento Poderoso N.º 11

do comigo e o que elas estão dizendo não é muito interessante para mim. Parece importante para elas, mas não é para mim. Então, minha mente começa a se dispersar e pensar: *Espero que isto termine logo; tenho coisas mais importantes a fazer.* Ou: *Isto é tão maçante! Ficarei feliz quando puder sair daqui.* Então, de repente, lembro-me de uma mensagem que costumo pregar sobre o amor — a mensagem sobre como uma maneira de demonstrar amor é ouvir alguém e fazer com que ele ou ela se sinta valioso. Assim, deparo-me com uma escolha: vou andar em amor e demonstrar respeito pela pessoa que está falando comigo, ou vou apenas continuar fingindo ouvir enquanto tenho pensamentos nada amorosos?

Você está surpreso em saber que este tipo de coisa acontece comigo? Vou lhe contar um segredo: elas acontecem com todos nós. Não somos pessoas más porque temos pensamentos ruins, mas se não resistirmos a eles, poderemos nos tornar aquilo em que escolhermos focar nossos pensamentos.

A Bíblia ensina que precisamos procurar fazer o bem (ver Tessalonicenses 5:15, ênfase da autora). Procurar significa "fazer uma tentativa". Também temos de procurar ter pensamentos corretos. É necessário disciplina e treinamento, mas podemos fazer isso. Decida-se hoje a ajustar a sua mente às coisas certas e a disciplinar-se para mantê-la ajustada, e você desfrutará a vida maravilhosa e poderosa que Deus tem em mente para você.

## Pense Nisto

O que você fará no futuro quando a sua mente começar a se dispersar?

## Controle-se

O domínio próprio está intimamente ligado à disciplina. Se você tem um, terá o outro. Gosto de dizer que o domínio próprio e a disciplina

PARTE II – Pensamentos Poderosos

são amigos que o ajudarão a fazer o que você não quer, a fim de que você possa ter o que diz que deseja. É óbvio que Deus nos deu o fruto do domínio próprio porque Ele espera que nós nos controlemos. É errado uma pessoa dizer: "Não consigo me controlar". A verdade é que ela poderia se quisesse. As pessoas não podem mudar a não ser que encarem a verdade sobre quem são, portanto, todas as desculpas devem cessar e elas precisam assumir a responsabilidade nessas áreas que estamos abordando. Comece a pensar e dizer: "Sou uma pessoa disciplinada e tenho domínio próprio".

O apóstolo Pedro escreveu sobre várias qualidades positivas que precisamos desenvolver, inclusive a diligência, a fé, a virtude e o conhecimento (ver 2 Pedro 1:5). Então ele prosseguiu nos incentivando: "Com o conhecimento, o domínio próprio; com o domínio próprio, a perseverança; com a perseverança, a piedade; com a piedade, a fraternidade; com a fraternidade, o amor" (2 Pedro 1:6,7). Demonstrar amor pelas pessoas é a vontade de Deus e deve ser o objetivo de todo cristão. Fica aparente naquilo que a Bíblia diz que o exercício do domínio próprio é necessário para atingirmos esse objetivo.

Viver com domínio próprio significa exercer restrição. A restrição nem sempre é agradável, mas a Bíblia a apresenta como algo admirável de se fazer. Em Provérbios 1:15, quando o Rei Salomão escreve a seu filho sobre como viver com pecadores à sua volta, ele aconselha simplesmente: "Filho meu, não te ponhas a caminho com eles; *guarda* das suas veredas os pés" (ARA, ênfase da autora). Obviamente, esse é um bom conselho para os jovens. Provérbios 10:19 indica: "Quando são muitas as palavras o pecado está presente, mas quem *controla* a língua é sensato" (ênfase da autora). Assim, vemos que impor restrições a nós mesmos é ser sábio. Também é ter bom senso, como vemos em Provérbios 19:11: "A prudência do homem faz *reter* a sua ira, e é glória sua o passar por cima da transgressão" (ênfase da autora). Obviamente, a restrição tem muitos benefícios e aprender a praticá-la nos servirá bem em todos os aspectos da vida.

Precisamos ensinar nossos filhos a exercerem restrições sobre suas vidas, pois se não o fizermos, sempre teremos problemas. Eli, o sacerdote do Antigo Testamento, permitia que seus filhos fizessem o que queriam — e as coisas que eles queriam fazer eram pecaminosas. O resultado foi que Deus fez este pronunciamento contra a família de Eli: "Pois eu lhe disse que julgaria sua família para sempre, por causa do pecado dos seus filhos, do qual ele tinha consciência; seus filhos se fizeram desprezíveis, e ele não os repreendeu" (1 Samuel 3:13). Por Eli não ter refreado seus filhos que estavam pecando, uma maldição veio sobre a sua casa para sempre. Este é um alto preço a ser pago, e Eli poderia tê-lo evitado e ter recebido bênçãos sobre sua casa se tivesse disciplinado seus filhos.

Muitas vezes deixamos de disciplinar nossos filhos porque nós mesmos não somos disciplinados. Somente um pai e uma mãe disciplinados farão o que é necessário para disciplinar seus filhos adequadamente. Não espere até que seus filhos sejam adolescentes e depois fique desejando que eles fossem disciplinados. Nunca conseguimos o que queremos apenas desejando; temos de praticar as disciplinas necessárias a fim de obter o que queremos. É impressionante a diferença entre as crianças que foram disciplinadas regular e adequadamente e as crianças que não foram. É realmente desagradável estar com crianças indisciplinadas por muito tempo. É preciso dizer a elas inúmeras vezes o que fazer e o que não fazer. Crianças indisciplinadas interrompem quando as pessoas estão conversando; elas fazem bagunça para os outros arrumarem, e geralmente têm um comportamento insuportável. Como pais, seríamos sábios se fizéssemos o trabalho que precisamos fazer ao criarmos nossos filhos para podermos desfrutar a companhia deles por muitos e muitos anos.

Como líder de uma grande organização, às vezes fico cansada de corrigir sem parar as pessoas que estão sob a minha autoridade. Em geral, simplesmente esquecer ou negligenciar um assunto seria muito mais fácil do que lidar com ele. Mas eu me disciplino para disciplinar os outros, porque sei que eles não podem aprender a ser disciplinados de outra forma — e sei que a disciplina não apenas resolverá o meu problema naquele momento, como também trará uma boa colheita na vida daqueles que a estão recebendo, se eles fizerem isso com uma atitude positiva. É claro que sempre haverá ocasiões em que devemos ser misericordiosos e simplesmente ignorar os erros, mas se a origem dos erros foi a negligência ou se ocorrerem seguidamente, geralmente significa que é hora de partir para o confronto.

Muitas pessoas não estão interessadas em fazer restrições ou em ter domínio próprio; e a disciplina com certeza não é um conceito popular. As pessoas tendem a preferir viver segundo o lema: "Se é agradável, faça". O problema é que isso simplesmente não funciona! Não acredito que eu esteja exagerando ao dizer que, neste momento, o mundo está na pior situação que jamais esteve, e as pessoas têm mais "liberdade" (supostamente) que em nenhuma outra época da história. Os direitos humanos e a verdadeira liberdade segundo Deus é algo maravilhoso, mas pensar que "liberdade" significa que podemos fazer tudo que desejamos sempre que quisermos é convidar o desastre a entrar em nossa vida. Creio que Deus sabia do que estava falando quando nos encorajou a sermos disciplinados. A disciplina é boa. Aumente a disciplina em sua vida, e você verá o que quero dizer. Pense nas áreas de sua vida nas quais você deseja ver melhorias, seja nas finanças, na saúde, na organização de sua vida, em sua maneira de pensar ou naquilo que você fala, ou em uma série de outras áreas. Agora diga: "Sou uma pessoa disciplinada e tenho domínio próprio e farei a minha parte para colocar a minha vida em ordem".

## Pense Nisto

Você acredita que exerce domínio próprio da forma adequada? Em que área você precisa melhorar a sua capacidade de se restringir ou de se disciplinar?

## Palavras de Poder

"Nenhuma disciplina parece ser motivo de alegria no momento, mas sim de tristeza. Mais tarde, porém, produz fruto de justiça e paz para aqueles que por ela foram exercitados".
*Hebreus 12:11*

"Tudo me é permitido, mas nem tudo convém. Tudo me é permitido, mas eu não deixarei que nada domine".
*1 Coríntios 6:12*

"E [ao exercitarem] o conhecimento, [desenvolvam] o domínio próprio; e [ao exercitarem] o domínio próprio, [desenvolvam] a perseverança (a paciência, a tolerância), e [ao exercitarem] a perseverança [desenvolvam]... o amor cristão".
*2 Pedro 1:6,7, AMP*

"Disciplinem-se visando a piedade".
*1 Timóteo 4:7, NASB*

PENSAMENTO PODEROSO N.º12

# Coloco Deus em primeiro lugar em minha vida.

*"Não terás outros deuses além de mim".*
ÊXODO 20:3

Não coloquei este pensamento de poder por último na nossa lista por ser ele menos importante, porque, na verdade, ele é o mais importante. Coloquei-o aqui porque eu queria deixar você com o que considero ser a coisa mais importante em nossa vida, que é simplesmente colocar Deus em primeiro lugar em tudo. Devemos colocá-lo em primeiro lugar em todos os nossos pensamentos, palavras e decisões. A Bíblia diz que Deus é um Deus ciumento. Isso significa que ele não está disposto a ficar em segundo lugar em nenhuma área. Ele nos ama e quer que tenhamos a melhor vida possível. Ele sabe que, para que isso aconteça, precisamos tê-lo, assim como as Suas instruções, como nossa prioridade número 1 em todo o tempo. Creio que o seguinte versículo diz tudo:

Porque Dele, e por Ele e para Ele são todas as coisas [Porque todas as coisas têm origem nele e vêm Dele; todas as coisas vivem através Dele, e todas as coisas estão centralizadas nele e tendem a se consumar e terminar nele]. A Ele seja a glória para sempre! Amém (assim seja).
— Romanos 11:36, AMP

Amo meditar nesse versículo porque ele me ajuda a voltar à realidade de que a vida se resume a Deus. Quando a nossa vida aqui termina, tudo que resta é Deus, e esse é um pensamento sério sobre o qual devemos meditar (ver Romanos 14:12). Creio que cada um de nós deve tomar cuidado com a maneira como vive e aprender a manter Deus em primeiro lugar em todas as coisas.

Tudo que Deus nos pede que façamos é para o nosso bem. Todas as Suas instruções se destinam a nos mostrar o caminho para a justiça, a paz e a alegria. Jesus não morreu por nós para que pudéssemos ter uma religião, mas para que pudéssemos ter um relacionamento profundo e íntimo com Deus por meio Dele. Ele quer que vivamos com Ele, por Ele e para Ele. Deus nos criou para termos comunhão com Ele. É uma tragédia que as pessoas vivam ignorando a Deus, exceto quando têm algum tipo de emergência e pedem que Ele as ajude. Em Jeremias, Deus disse que o Seu povo o havia esquecido por dias sem fim, e isso é realmente triste (ver Jeremias 2:32). Se Deus é tudo, como podemos esquecê-lo?

Infelizmente, a maioria das pessoas desperdiça muito tempo de sua vida, se não toda ela, antes que perceba que ter um relacionamento correto com Deus é a coisa mais importante da vida. O mundo se esforça para encontrar paz e alegria em todos os lugares errados e a verdade é que Ele (Deus) é a nossa paz e a nossa alegria. Ele também é tudo o mais que alguém pode verdadeiramente necessitar. Deus tem prazer em nos suprir e em nos ajudar, mas Ele se recusa a ser tratado como um tipo de "Papai Noel" espiritual. Ou seja, alguém a quem só procuramos quando queremos ou precisamos de alguma coisa.

Deus disse que não devemos ter outros deuses além Dele. O que você adora? O que você coloca em primeiro lugar em sua vida? Em que você pensa, sobre o que você fala, e o que você passa a maior parte do tempo fazendo? Se formos sinceros com nós mesmos, não demorará muito até que localizemos o que ou quem ocupa o primeiro lugar em nossa vida. Temos a tendência de ser egocêntricos, e o nosso objetivo número 1 geralmente é conseguir o que queremos. O que muitas pessoas não percebem é que nunca poderão se sentir realizadas ou ter a satisfação que desejam separadas de Deus. Ele nos criou para o Seu prazer e deleite. Ele nos deu o livre-arbítrio para que possamos escolhê-lo ou

PARTE II – Pensamentos Poderosos

rejeitá-lo porque não tem prazer em um coração que não o serve por escolha própria. Ele nos dá a vida como um presente, e quando a oferecermos de volta a Ele livremente, então e somente então, poderemos vivê-la plenamente e alegremente. Entretanto, se tentarmos mantê-la para nós mesmos, nós a perderemos. Podemos viver muitos anos, mas serão anos de frustração e infelicidade.

Recentemente compreendi que é possível receber Jesus Cristo como Senhor e, no entanto, nunca nos entregarmos a Ele. Queremos Jesus e aquilo que Ele oferece, mas relutamos em nos entregar a Ele para o Seu uso e vontade. Devemos viver uma vida dedicada e consagrada onde Deus e a Sua vontade sejam a nossa prioridade número 1. Qualquer pessoa que não faça isso jamais estará verdadeiramente contente e satisfeita.

As pessoas me perguntam frequentemente como mantenho as minhas prioridades em linha reta. A resposta é que preciso endireitá-las continuamente. Assim como a maioria das coisas na vida, o fato de que as nossas prioridades estão em linha hoje não significa que elas vão permanecer assim. Na nossa vida ocupada, temos muitas coisas que gritam exigindo o nosso tempo e atenção e entendo que é fácil sair dos trilhos. Mas podemos estabelecer novamente a cada dia quais serão as nossas prioridades. Podemos olhar diariamente para a nossa vida e nos certificar de sermos frutíferos, e não apenas estarmos ocupados fazendo coisas que exigem tempo e acabam nos atraindo cada vez mais para longe de Deus. Podemos desenvolver disciplinas espirituais em nossa vida que nos ajudem a manter Deus como o centro de tudo o que fazemos. A leitura da Bíblia e seu estudo, a oração, o silêncio e o tempo a sós com Deus, servir, dar, e muitas outras coisas devem ser praticadas regularmente.

## Tudo

Para se tornar um cristão, tudo que uma pessoa precisa fazer é crer que Jesus Cristo é o Filho de Deus, que Ele morreu por nossos pecados, ressuscitou dos mortos e nos oferece vida eterna. Mas receber a salvação não garante que alguém terá um relacionamento íntimo, crescente

## Pensamento Poderoso N.º 12

e pessoal com Deus — e ir à igreja também não. Amar a Deus verdadeiramente, ter Jesus como Senhor da nossa vida e segui-lo de todo o coração requer mais do que orar o que geralmente chamamos de "A Oração do Pecador", frequentar a igreja aos domingos, ou até mesmo cercar-nos de amigos cristãos.

Deus ama você. Ele ama tudo a seu respeito, e se importa com tudo que diz respeito a você. Ele quer estar envolvido em cada aspecto da sua vida. Pense nisto: Um homem é altamente educado e treinado como o CEO de uma próspera empresa. Ele é cristão; ele ora antes das refeições em casa com sua família. E ele auxilia no comitê financeiro de sua igreja. Ele raramente perde um culto, joga futebol com os homens de sua turma da Escola Dominical e contribui generosamente para um fundo de caridade. Mas nos negócios, esse homem é conhecido por sua total falta de integridade e de honestidade. De algum modo, ele separou na sua mente a parte de sua vida ligada aos negócios do seu relacionamento com Deus. Quando ele sente a convicção de Deus sobre uma decisão profissional comprometedora, rapidamente diz a si mesmo: "Este é o mundo dos negócios".

O problema é que ele nunca ora sobre seus empreendimentos profissionais. Ele nunca leu a Bíblia para avaliar o que ela diz sobre trabalho, finanças, administrar pessoas, tomar decisões ou qualquer outra coisa relativa a negócios. Ele respeita a Palavra de Deus em algumas áreas de sua vida, mas não a busca para ter direção em sua carreira. Ele mantém Deus na sua "caixa para Deus", claramente separado da sua vida diária comum. Quando dividimos a vida entre sagrado e secular, estamos embarcando em problemas. Deus não deve ser separado de nenhum aspecto da nossa vida, ao contrário, Ele deve estar no centro de tudo o que fazemos. Quando o homem de quem estamos falando entra em seu escritório todas as manhãs, ele coloca toda a sua confiança no seu treinamento, na sua experiência e nos seus instintos, e não em Deus. Afinal, ele passou anos aprendendo a dirigir uma corporação lucrativa, então, por que não tomar decisões com base em teorias comprovadas e no conhecimento sólido da indústria onde ele trabalha? No que se refere às "pequenas mentiras" que ele conta para fechar um negócio, ele pondera que todo mundo faz isso e que não é lá grande coisa.

PARTE II – Pensamentos Poderosos

Agora, digamos que este homem de repente sofra uma queda drástica e inesperada no mercado em que sua empresa atua. Esse declínio econômico resulta na demissão de muitos de seus empregados leais e afeta até mesmo a sua própria renda. Todas as pessoas afetadas precisam lidar com dificuldades e pressão que não enfrentavam antes. É uma situação terrível, e o CEO desesperado se pergunta todos os dias: *Como é possível que isto tenha acontecido?* Ele está nervoso, ansioso e preocupado. Ele fica desanimado e deprimido. Ele pede a Deus que o ajude com o problema. Ele quer que Deus o solucione para que ele possa ser feliz novamente e simplesmente viva sua vida.

Embora haja toda espécie de motivos para mudanças na atmosfera dos negócios, sabemos, com base na história deste homem, que ele é um cristão, mas que não convidou Deus para entrar no seu trabalho. Talvez, se ele tivesse entendido a sabedoria das Escrituras no que diz respeito a negócios e finanças, teria podido tomar decisões para prevenir o desastre. Se Deus tivesse ocupado o primeiro lugar em toda a sua vida, talvez ele tivesse sentido a mudança se aproximando sobre o mercado e pudesse ter tomado decisões para evitar suas consequências. Talvez, se ele tivesse orado e pedido a Deus que o ajudasse nos negócios, as pessoas e as famílias afetadas pelas demissões pudessem ter continuado a prosperar. Talvez o homem pudesse ter evitado o estresse de tentar resgatar um "navio corporativo" que estava afundando, se simplesmente tivesse permitido que a verdade e os ensinamentos de Deus o direcionassem, em vez de confiar nas informações e teorias do mercado. E, com toda certeza, se o homem tivesse mantido Jesus no centro de sua vida em todo o tempo, ele poderia ter evitado as emoções negativas que viveu quando sua situação mudou. A sua confiança em Deus teria lhe dado a segurança de que ele estava sendo bem cuidado, independentemente do que acontecesse no mercado ou no mundo dos negócios.

Não estou dizendo que devemos ignorar todas as informações que recebemos a partir de meios naturais, mas não podemos depender inteiramente delas. Estou dizendo que ignorar Deus, ou limitar o seu tempo com Ele a uma visita rápida à igreja no domingo pela manhã, é uma grande tolice.

Deixe-me ser rápida em dizer que aplaudo todos aqueles que trabalham e estudam para se preparar para uma carreira. Sou a favor de se adquirir todo o conhecimento, educação e treinamento disponíveis. Mas não sou a favor de se *confiar* nessas coisas. Sou a favor de se confiar em Deus. As teorias e os livros podem falhar, mas Deus pode dar a uma pessoa que o busca uma ideia criativa que fará com que um negócio tenha êxito. Embora precisemos estar equipados com o conhecimento natural, a nossa maior necessidade é saber como buscar e aplicar a sabedoria de Deus. Quando colocamos Deus em primeiro lugar, Ele triunfa sobre tudo o mais.

Deus não apenas quer estar envolvido nos nossos negócios e carreiras, como também quer estar envolvido em todos os demais aspectos da nossa vida — nossos pensamentos, nossas conversas, a maneira como criamos nossos filhos, a maneira como administramos o nosso tempo, a maneira como gastamos o nosso dinheiro, a maneira como nos vestimos, o que comemos e bebemos, como nos divertimos, o que assistimos e ouvimos, e quem são os nossos amigos. Se o colocarmos em primeiro lugar, nós estaremos lhe dando as boas-vindas em todas essas áreas. Estudaremos a Sua Palavra para aprender a Sua verdade sobre essas coisas, e seremos diligentes em obedecer aos apelos do Seu Espírito.

## Você é Esquecido?

Creio que Jeremias 2:32 talvez seja o versículo mais triste da Bíblia: "Será que uma jovem se esquece das suas jóias, ou uma noiva, de seus enfeites nupciais? Contudo, o meu povo esqueceu-se de mim, por dias sem fim". Isso é triste, não é? Basicamente, Deus está dizendo nesse versículo: "O meu povo simplesmente se esquece de tudo a meu respeito". As pessoas passam dias sem falar com Deus, então de repente elas têm um problema e se lembram de Deus, e vão correndo até Ele em busca de ajuda.

Preciso enfatizar isso com toda força: *Precisamos* aprender a deixar de ignorar Deus quando nossa vida está indo bem e de buscá-lo somente quando precisamos de alguma coisa. Devemos buscá-lo *em todo o tempo*.

PARTE II – Pensamentos Poderosos

Certamente precisamos Dele o tempo todo, mas devido ao orgulho, à obstinação e à autoconfiança, nem sempre queremos que Ele esteja envolvido em tudo. Essa é a natureza humana, mas como cristãos recebemos uma nova natureza. A natureza de Deus vem habitar no nosso espírito, e é por isso que precisamos aprender a andar segundo o Espírito, e não segundo a carne.

Quando não estamos enfrentando crises ou tendo problemas, temos a tendência de pensar que podemos lidar com as coisas por nós mesmos. Mas no instante em que temos um problema que não podemos resolver, de repente percebemos que precisamos de Deus. Vamos honrar a Deus colocando-o em primeiro lugar em tudo — não apenas quando estamos em situações com as quais não podemos lidar sozinhos.

## Você Está Ocupado Demais?

Creio que a maioria das pessoas gostaria de ter um relacionamento maravilhoso com Deus, mas não entende que isso depende do tempo que elas estão dispostas a investir em conhecê-lo. Algumas pessoas não acreditam que é possível ter intimidade com Deus; muitas estão simplesmente ocupadas demais com outras coisas e permitem que o seu relacionamento com Ele ocupe uma posição secundária depois de todas as outras coisas na vida. A verdade é que se acreditamos que estamos ocupados demais para fazer do tempo com Deus uma prioridade, então estamos simplesmente ocupados demais. É tolice nunca ter tempo para a coisa mais importante da vida.

Certa vez li que alguém calculou como a pessoa comum gasta o tempo normal de sua vida ao longo de setenta anos. Eis a estimativa: se você viver até os setenta anos, é muito provável que passe vinte e três anos dormindo, dezesseis anos trabalhando, oito anos assistindo televisão, seis anos comendo, seis anos viajando, quatro anos e meio em atividades de lazer, quatro anos doente, e dois anos se vestindo. As pessoas passam em média seis meses de sua vida em atividades espirituais. Se você somar os números, terá um total de setenta anos — e então a vida termina. Você quer passar um tempo quatro vezes maior de sua vida se vestindo do que o tempo que gasta falando com Deus, lendo a Sua Palavra e adorando-o? Eu não!

Certa vez li que um pastor ora em média quatro minutos por dia. Entendo que existem alguns que oram muito mais do que isso, mas se quatro minutos é a média, não é de admirar que muitas pessoas vão à igreja e não sentem que estejam se beneficiando por estarem ali. Descobri há anos que o poder que vem do púlpito quando ministro a outros depende de como vivo a minha vida privada. Creio que o sucesso de qualquer pessoa nos negócios, no ministério ou na vida diária está diretamente ligado ao lugar de importância que ela dá a Deus em sua vida diária.

## De Todo o Seu Coração

Quando pensamos sobre quanto tempo as pessoas realmente dão a Deus, podemos entender por que a Bíblia nos encoraja tão fortemente a buscá-lo. O fato é que estamos perdendo a coisa mais maravilhosa da vida se nunca realmente chegarmos a conhecer Deus pessoalmente. Precisamos buscá-lo diariamente. O apóstolo Paulo disse que o seu propósito determinado era conhecer a Deus e o poder que fluía da Sua ressurreição (ver Filipenses 3:10). A palavra *buscar* é uma palavra muito forte. No seu idioma original, significa "desejar ardentemente; perseguir; ir atrás com toda a sua força". Em Jeremias 29:13, o próprio Deus promete: "Vocês me procurarão e me acharão quando me procurarem de todo o coração".

Jesus nos disse claramente qual deve ser o nosso objetivo número 1 e a nossa prioridade. Quando os fariseus perguntaram a Ele qual era o mandamento mais importante de todos, Ele respondeu: "Ame o Senhor, o seu Deus de todo o seu coração, de toda a sua alma e de todo o seu entendimento" (Mateus 22:37). Em outras palavras, não podemos amar a Deus somente quando precisamos que Ele nos ajude; não podemos amá-lo somente quando é conveniente para nós ou quando é popular; não devemos apenas prestar atenção a Ele quando estamos na igreja ou porque achamos que Ele pode nos punir se não fizermos isso. Não! Devemos amá-lo de todo o nosso coração — não por medo ou

PARTE II – Pensamentos Poderosos

obrigação. E devemos amá-lo apaixonadamente. É isso que significa "de todo o seu coração".

Ele é um Deus maravilhoso. Ele é digno de ser amado! Ele é digno de toda a sua paixão e devoção. Portanto, não espere até estar em uma situação desesperadora. Decida-se a buscar e amar a Deus *de todo o seu coração* deste momento em diante.

## E Se Você Não Quiser?

Mais do que qualquer outra coisa, quero ajudá-lo a ter a melhor vida possível. Algumas vezes, isso significa responder a perguntas sinceras e honestas, do tipo: "E se eu não quiser buscar a Deus de todo o meu coração? E se eu não tiver nenhum desejo de colocá-lo em primeiro lugar em minha vida?".

Na maior parte do tempo, as pessoas que têm a coragem de fazer essas perguntas realmente *querem* querer buscar a Deus. O fato de elas não ansiarem profundamente pela presença de Deus geralmente faz com que se sintam culpadas ou constrangidas, mas creio que é bom que elas sejam sinceras. Se você gostaria de desejar buscar a Deus, mas o pensamento de orar e ler a Bíblia não o emociona realmente, deixe-me ajudá-lo.

### Peça

Primeiramente, peça a Deus que lhe dê o desejo que você precisa. Se você não tem um desejo genuíno de conhecer a Deus e de buscar os Seus caminhos, você vai se esgotar tentando. Você *precisa* ter esse desejo, porque o desejo é o combustível que o capacita a seguir em frente à medida que você cresce em Deus. Ele faz com que você deseje estar na presença de Deus, e ele o ajuda a permanecer focado enquanto ora e lê a Palavra de Deus. Deus é Aquele que nos dá a vontade e o desejo de trabalhar para o Seu bom prazer (ver Filipenses 2:13), portanto, peça.

A oração é a maneira pela qual pedimos o que precisamos de Deus, e quando oramos, Ele ouve e responde. Se você não tem o desejo de crescer no seu relacionamento com Deus, não tente convencer ninguém (inclusive a si mesmo e a Deus) que você tem. Admita que você não quer realmente fazer isso, e depois peça a Ele para ajudá-lo a "querer querer". Afinal, Deus conhece o seu coração; Ele sabe quando você realmente não quer buscá-lo, mas Ele também sabe quando você deseja *querer* fazer isso. Ele quer lhe dar esse desejo, portanto peça a Ele, e Ele o fará. Se você sabe que outras coisas são importantes demais para você e que você precisa de uma mudança de coração, comece a orar sobre isso e Deus trabalhará em você para mudar os seus desejos. No Salmo 38:9, Davi disse a Deus que todo o seu desejo estava diante Dele. Deus pode nos dar desejos que são bons e retos e tirar aqueles que são destrutivos, portanto, peça!

Já ouvi pessoas dizerem: "Eu gostaria de sentir como você se sente a respeito de Deus, mas simplesmente não sinto". Elas talvez não entendam que eu nem sempre tive a paixão por Deus que tenho hoje. Precisei fazer as mesmas coisas que estou encorajando-o a fazer. Orei para querer orar mais, para querer estudar mais, e para querer dar e servir mais. Oro o tempo todo para não ser egoísta e egocêntrica. Não temos porque não pedimos (ver Tiago 4:2), portanto, comece a pedir!

## Seja Disciplinado

Em segundo lugar, você terá de exercitar disciplinas espirituais. Você leu muitas coisas sobre disciplina no Pensamento Poderoso N.º 11, e ela se aplica à sua vida espiritual tanto quanto a outras áreas da vida. Deixe-me dar-lhe um exemplo.

Você não quer estar fisicamente faminto por muito tempo, quer? É claro que não. Então você pensa no que gostaria de comer; você vai à loja e compra essas coisas; você as leva para casa; você as prepara; você as come; então, depois você limpa tudo. Você pode passar duas horas preparando uma refeição que leva dez minutos para ser comida. Apesar disso, você precisa fazer um esforço se não quiser passar fome.

Você precisa se alimentar espiritualmente de forma semelhante. O seu ser espiritual realmente quer e precisa passar tempo de qualidade com Deus, mas a sua carne precisa ser disciplinada. Ela precisa criar novos hábitos. Oração é falar com Deus sobre todo tipo de coisas. Você

PARTE II – Pensamentos Poderosos

nunca esperaria ter um bom relacionamento com alguém se nunca falou com essa pessoa ou nunca reservou tempo para ouvi-la, não é? Então, por que você acharia que pode desfrutar um relacionamento crescente com Deus se nunca falou com Ele e jamais o ouviu?

Passar tempo com a Palavra de Deus e em oração são disciplinas espirituais que nos ajudam a conhecê-lo. A adoração e o louvor são outra forma de se conectar com Deus. Quando adora a Deus, você coloca o foco em quem Ele é; você magnífica todas as coisas que são tão maravilhosas a respeito Dele e agradece a Ele por toda a Sua bondade em sua vida. Isso faz com que a Sua fé cresça e o atrai para mais perto Dele. Servir e dar com a motivação correta também nos aproxima de Deus. Todas essas disciplinas espirituais impedem que você fique espiritualmente faminto. Faça o esforço de se exercitar nelas, e você verá o que quero dizer.

### Instrua-se

Outra maneira de buscar a Deus é instruir-se com relação aos caminhos e propósitos de Deus. Você certamente colocou em seu coração a disposição de buscar a Deus, mas também investiu a sua mente nisso e precisa aprender coisas que talvez não saiba ainda. Encontre uma igreja boa e sólida, fundamentada na Bíblia, e envolva-se com ela. Leia livros; ouça sermões e ensinos; assista a aulas ou frequente estudos bíblicos; assista a conferências e seminários; encontre pessoas que são mais maduras e experientes em Deus que você e faça perguntas. Se você está realmente buscando a Deus, você terá de se esforçar. Investir tempo e dinheiro para conseguir os recursos que você precisa para crescer é um investimento valioso que gera lucros maravilhosos.

Se você fosse a uma faculdade, esperaria ter de comprar livros e teria uma expectativa de tempo para adquirir o conhecimento que deseja. Por que aprender sobre Deus deveria ser diferente?

### Prove

No Pensamento Poderoso N.º 5, mencionei que amor é mais que bons sentimentos; o verdadeiro amor inclui ação. Se dissermos que amamos a Deus e que queremos colocá-lo em primeiro lugar em nossa vida, precisamos agir — e agir de acordo com o nosso amor obedecendo a Ele. Poucos de nós diríamos: "Não vou obedecer a Deus". Em vez disso, damos desculpas. Lembro-me de muitas vezes em que eu me irava com facilidade e era uma pessoa difícil de conviver, e depois desculpava meu comportamento dizendo: "Estou cansada e não estou me sentindo bem". Pode ser mais difícil ser gentil com os outros quando estamos cansados, mas precisamos evitar a todo custo dar desculpas porque elas nos enganam e nos dão permissão para continuarmos desobedecendo. Não estamos colocando Deus em primeiro lugar se desobedecemos a Ele.

Se realmente desejamos obedecer a Deus, cresceremos firmemente aprendendo a ouvir a Sua voz e a escolher o caminho que Ele está nos pedindo para seguir. Ore diariamente para que você receba a graça de Deus para obedecer a Ele. Não tente apenas... ore!

## Obediência Imediata

Em Êxodo 24, Deus falou com Moisés, e Moisés registrou o que Ele disse. Quando ele leu essas palavras para o povo de Deus, eles responderam: "Faremos fielmente tudo o que o Senhor ordenou" (Êxodo 24:7). Obviamente, eles não trataram a Palavra de Deus superficialmente. Eles entenderam que não podiam simplesmente ouvir o que Deus dissera, eles também tinham de obedecer. Quando leio essa passagem, tenho a impressão de que as pessoas haviam ido ouvir a Palavra já tendo decidido que queriam aprender o que deveriam fazer e como deveriam viver. A atitude deles parecia ser: "Não importa o que Deus diga, nós o faremos". Meditar no pensamento poderoso "Coloco Deus em primeiro lugar em minha vida" o ajudará a desenvolver uma nova mentalidade. A sua atitude mudará, passando a ser uma atitude de obediência imediata e não uma atitude de procrastinação e desculpas.

Em Tiago 1:22 lemos: "Sejam praticantes da palavra, e não apenas ouvintes, enganando-se a si mesmos". Coisas maravilhosas aconteceriam se nos decidíssemos a fazer o que ouvimos na Palavra de Deus, em vez de meramente ouvirmos essas coisas.

PARTE II – Pensamentos Poderosos

Na cultura dos nossos dias, às vezes ouvimos ensinamentos baseados na Bíblia para adquirirmos conhecimento. Embora o conhecimento seja importante, ele não mudará nossa vida a não ser que ajamos com base nele. Muitas pessoas me disseram ao longo dos anos: "Joyce, tenho todos os seus livros e fitas, e assisto a você na TV todos os dias". Aprecio tais comentários, mas realmente tenho vontade de responder dizendo: "Isso é ótimo, mas você está aplicando o que tem aprendido? Você está obedecendo à Palavra de Deus quando a ouve?". Falei neste livro sobre o poder de uma mentalidade apropriada. Se ajustarmos a nossa mente antecipadamente para obedecer às instruções de Deus, será muito mais fácil fazer isso. Quanto do que você sabe você está aplicando? Comece a confessar: "Coloco Deus e a Sua vontade em primeiro lugar em todo o tempo". Isso renovará a sua mente e logo você descobrirá que está sendo mais obediente com menos esforço. Lembre-se de que para onde a mente vai, o homem segue. Nós nos tornamos aquilo que pensamos (ver Provérbios 23:7).

Não devemos permitir que venhamos meramente a nos sentir bem pelo fato de irmos à igreja, de podermos citar as Escrituras, ou de termos uma casa cheia de artigos cristãos, a não ser que também estejamos fazendo todos os esforços para alinhar o nosso comportamento com o que aprendemos. Entendo que estamos em uma jornada que durará toda uma vida e que nenhum de nós chegou lá, mas precisamos nos certificar de que estamos prosseguindo diariamente para o alvo de sermos semelhantes a Cristo.

Uma grande quantidade de cristãos vive com ira, amargura, ressentimento e falta de perdão, mas eles sabem que Deus nos instrui firmemente a perdoar e a fazer isso depressa. Por que então agem assim? Eles o fazem porque a obediência requer uma decisão da vontade que vai além das emoções. Seguimos demais os nossos sentimentos. Devemos possuir as nossas emoções e não permitir que elas nos possuam. Uma pessoa pode saber que realmente precisa sair das dívidas, mas continuar adiando essa decisão. Ela pretende fazer isso, mas não percebe que boas intenções não é obediência. Se simplesmente ouvirmos e não obedecermos, isso realmente não nos ajuda nem glorifica a Deus.

Colocar Deus em primeiro lugar significa que escolhemos o que lhe agrada e não o que nos agrada. Tente aprender na sua experiência o que é agradável a Deus e decida-se a fazer essas coisas.

## Não Sirva Sobras

Eu não poderia escrever sobre colocar Deus em primeiro lugar sem mencionar Mateus 6:33: "Busquem, pois, em primeiro lugar o Reino de Deus e a Sua justiça, e todas essas coisas lhes serão acrescentadas". Em outras palavras, se colocarmos Deus em primeiro lugar, todas as nossas necessidades serão atendidas; tudo o mais se arranjará.

A ideia de colocar Deus em primeiro lugar aparece ao longo de toda a Bíblia. No Antigo Testamento, o povo de Deus dava o que era chamado de "oferta das primícias", o que significava que eles davam a Deus as primícias de tudo que tinham — sua produção, os primogênitos dos seus animais, seus filhos primogênitos, seu ouro e prata — tudo. Assim, se um homem trabalhava como fazendeiro, ele dava as primeiras colheitas que apareciam no seu campo ao Senhor como oferta.

Quando damos a Deus as nossas primícias, estamos dizendo: "Senhor, quero dar isto a Ti antes de fazer qualquer outra coisa. Confio que Tu cuidarás de mim e suprirás todas as minhas necessidades, e quero Te honrar com a primeira evidência da minha provisão e aumento. Não quero dar-Te as minhas sobras; quero dar-Te as minhas 'primícias', para mostrar que Tu estás em primeiro lugar em minha vida. Estou dando a Ti meus primeiros frutos, e confio que Tu trarás mais". Se dermos a Deus as primícias de tudo que vier às nossas mãos, o restante será abençoado.

Veja bem, Deus é um criador, e não um consumidor. Tudo que temos vem Dele; Ele simplesmente pede a primeira parte disso de volta — não porque precise, mas porque nós precisamos entregá-lo para nos mantermos atentos ao fato de que Ele tem proeminência em nossa vida. Nada que oferecemos a Ele se perde; em vez disso, pode ser multiplicado porque o colocamos em Suas mãos.

PARTE II – Pensamentos Poderosos

Eu o incentivo a colocar Deus em primeiro lugar dando a Ele as suas primícias. Dê a Ele parte de todos os dias passando tempo com Ele antes de fazer qualquer outra coisa. Comece a programar o seu dia em torno de Deus em vez de tentar encaixar Deus no seu dia. Se dermos a Ele a primeira parte, Ele tornará o resto extremamente produtivo. Dê a Deus a primeira parte das suas finanças não esperando para ver o que sobrou para Ele depois de pagar suas contas. Dê a Deus as primícias da sua atenção, voltando-se para Ele para ter direção antes de correr para os seus amigos ou para a Internet em busca de conselhos.

Deus é grande e Ele é o nosso Deus! Ele é capaz e está disposto a fazer mais por nós do que poderíamos pedir ou pensar (ver Efésios 3:20). Ele deseja aumentar a sua fé e Ele quer que você desfrute não apenas a sua vida, mas a presença Dele. Você desfruta a presença de Deus? Você tem um relacionamento íntimo com Ele? Ele está em primeiro lugar em sua vida? Não tenha medo de responder a essas perguntas sinceramente porque Deus ama a sinceridade. Houve um tempo em minha vida em que Deus não estava em primeiro lugar; eu ia à igreja, mas não desfrutava Deus nem tinha uma comunhão íntima com Ele. Tudo isso mudou em minha vida e pode mudar na sua também. Comece a praticar o pensamento poderoso: "Coloco Deus em primeiro lugar em minha vida". Quanto mais pensar nisso, mais você o fará.

Colocar Deus em primeiro lugar é uma escolha. Você precisa fazer isso deliberadamente. Mas é uma escolha que traz bênçãos maiores do que você poderia imaginar — paz em seu coração, alegria, realização na vida, provisão para cada necessidade e todas as outras coisas boas. Coloque Deus em primeiro lugar em sua vida hoje e todos os dias. E observe para ver o que Ele fará!

## Pense Nisto

Quero que você seja inteiramente sincero consigo mesmo e se pergunte se permitiu que alguma coisa passasse a frente de Deus. Se você fez isso, faça um ajuste.

Pensamento Poderoso N.º 12

## Palavras de Poder

"Vocês me procurarão e me acharão quando me procurarem de todo o coração".
*Jeremias 29:13*

"Ame o Senhor, o seu Deus de todo o seu coração, de toda a sua alma e de todo o seu entendimento".
*Mateus 22:37*

"Busquem, pois, em primeiro lugar o Reino de Deus e a sua justiça, e todas essas coisas lhes serão acrescentadas".
*Mateus 6:33*

# Armado e Pronto para a Batalha

Tanto o leão quanto a gazela precisam ficar vigilantes e ativos para continuarem vivos. O mesmo acontece com você e comigo. Realmente acredito que a qualidade da sua vida está em jogo, e se você quer ter a melhor vida possível, precisa ser irredutível quanto a ter os pensamentos corretos. Você precisa pensar deliberadamente; precisa disciplinar a sua mente e garantir que os seus pensamentos estejam de acordo com a Palavra de Deus em cada área de sua vida. Espero que este livro tenha edificado em você o desejo e a determinação para fazer isso.

Tive o privilégio de escrever um livro em 2002 que vendeu mais de dois milhões de cópias e foi traduzido para muitos idiomas. Ele se chama *Campo de Batalha da Mente*. O livro ensina a importância dos pensamentos e como controlá-los. Este livro, *Pensamentos Poderosos*, é um passo à frente além do *Campo de Batalha da Mente*. Creio que este é um estudo claro de como manter a nossa mente renovada diariamente e de como desfrutar a vida que Deus pretende que desfrutemos. Meditar na Palavra de Deus, remoer as Escrituras sem parar na nossa mente e pronunciá-las verbalmente é crucial para renovar a mente. Creio que posso dizer com precisão que essa é a chave para renovar a sua mente. Quanto mais pensamos sobre um versículo da Bíblia, mais ele deixa de ser simples *informação* para se transformar em *revelação*, e é disso que precisamos. Quando alguma coisa passa a ser uma revelação para nós ela está viva em nós, exercendo um impacto muito maior do que a simples informação. Foi por isso que Jesus disse que a medida de reflexão e estudo que dedicamos à verdade que ouvimos é a medida de virtude (poder) e conhecimento que retorna para nós (ver Marcos 4:24).

A mente é definitivamente o campo de batalha onde guerreamos contra Satanás e os seus pensamentos malignos e enganadores. Se não

Pensamentos Poderosos

guerrearmos contra eles, eles se transformarão em ações e nossa vida será arruinada. A Palavra de Deus é a nossa arma e precisamos usá-la com determinação para renovar constantemente a nossa mente.

Lembre, renovar a sua mente requer tempo. Talvez você precise terminar de ler esta página e voltar ao início deste livro e percorrê-lo novamente a fim de obter o que precisa dele. Talvez você precise reler determinados capítulos ou passagens ao longo dos dias e semanas que virão a fim de que certos pontos sejam firmados na sua mente. Talvez você precise encontrar um amigo que também entenda sobre o poder dos pensamentos para que vocês leiam este livro juntos, falando sobre ele e encorajando um ao outro a fazer o que ele sugere. Anote esses doze pensamentos poderosos com letras grandes o bastante para que você possa lê-los quando estiver passando. Coloque-os em diversos lugares onde você estará todos os dias. Anote-os na parte da frente da sua Bíblia, leve este livro com você e releia os capítulos enquanto aguarda pelos seus compromissos. Seja o que for que você precise fazer para levar a sua mente para o estado em que Deus quer que ela esteja, faça-o — porque a sua qualidade de vida depende disso.

Se você não leu *Campo de Batalha da Mente*, eu o encorajo firmemente a fazer isso. Ele também está disponível em versões especiais para crianças e adolescentes. Queremos que toda a família pense corretamente! *Campo de Batalha da Mente* também está disponível em formato devocional, em CD e DVD. Como você pode ver, estou levando a sério o fato de ajudar as pessoas a pensarem corretamente!

Não se esqueça: Pegue cada pensamento poderoso e passe uma semana meditando nele. O programa inteiro levará doze semanas. Você pode considerar a hipótese de completar todo o programa quatro vezes em um ano, ou no mínimo voltar àqueles pensamentos que mais se aplicam a você. A repetição é ótima! Isso ajudará a fazer com que os pensamentos criem raízes no seu coração. Assim, você começará a dizer o que está no seu coração, e quando as suas palavras estiverem de acordo com as palavras de Deus, você verá as circunstâncias mudarem.

Sinto-me entusiasmada por todos vocês que, espero, decidirão seguir este programa. Sei o que esses princípios produziram na minha vida, e eles farão o mesmo na sua. Desejo-lhe uma jornada maravilhosa!

# NOTAS

**Capítulo 1: O Poder de Ser Positivo**
1. "Stripped Gears" (*The Rotarian,* Março 1988), 72.

**Capítulo 2: Ensine a Sua Mente a Trabalhar para Você**
1. Carol Ryff, "Power of a Super Attitude" (*USA Today, 12 de* Outubro de 2004), http://www.usatoday.com/news/health/2004-10-12-mind-body x.htm.
2. Robert Roy Britt, LiveScience Web site, "Study: Optimists Live Longer" (1 de novembro de 2004), http://www.livescience.com/health/041101 optimistheart.html
3. BBC World News Web site, "Positive Thinking 'extends life'" (29 de julho de 2002), http://news.bbc.co.uk/2/hi/health/2158336.stm.
4. Mayo Clinic Web site; "Positive Thinking: Reduce Stress, Enjoy Life More"; http://www.mayoclinic.com/health/positive-thinking/SR00009.
5. Lauren Neergaard, "Study Verifies Power of Positive Thinking" (Associated Press, 28 de novembro de 2005).
6. Chris Tucker, "The Way We're Wired" (*American Way,* 15 de março de 2008), 26.
7. Steve May, *The Story File* (Massachusetts: Hendrickson Publishers, 2000), 127.
8. Mayo Clinic Web site; "Positive Thinking: Reduce Stress, Enjoy Life More"; http://www.mayoclinic.com/health/positive-thinking/SR00009.

**Capítulo 3: Mais Poder para Você**
1. Steve May, *The Story File* (Massachusetts: Hendrickson Publishers, 2000), 2-3.
2. Robert R. Jackson, "Portia Spider: Mistress of Deception" (*National Geographic,* November 1996), 114.

**Pensamento Poderoso N.º 2: *Deus me ama incondicionalmente!***
1. William Bausch, *A World of Stories for Preachers and Teachers* (Connecticut: Twenty-Third Publications, Abril de 1998), 472.

**Pensamento Poderoso N.º 3: *Não vou viver com medo.***
1. Steve May, *The Story File* (Massachusetts: Hendrickson Publishers, 2000), 127.
2. Caroline Leaf, *Who Switched off My Brain?* (Nashville: Thomas Nelson, Inc.)
3. "Michigan: Fatal Overreaction" (*Time* magazine, 14 de agosto de 1989), http://www.time.com/time/magazine/article/0,9171,958326,00.html.

**Pensamento Poderoso N.º 4: *Sou uma pessoa que não se ofende facilmente.***
1. John Bevere, *The Bait of Satan: Living Free from the Deadly Trap of Offense* (Lake Mary, Florida: Charisma House, 2004), 2.

Notas

**Pensamento Poderoso N.º 7:** *Sou contente e emocionalmente estável.*
1.	Deborah Norville, "The New Science of Thank You" (Reader's Digest Web site, Outubro de 2007), http://rd.com/content/the-new-science-of-being-thankful.

**Pensamento Poderoso N.º 10:** *Vivo no presente e desfruto cada momento.*
1.	Steve May, *The Story File* (Massachusetts: Hendrickson Publishers, 2000), 150-151.

Sobre a Autora

Joyce Meyer é uma das líderes no ensino prático da Bíblia no mundo. Renomada autora de *best-sellers* pelo *New York Times*, seus livros ajudaram milhões de pessoas a encontrarem esperança e restauração através de Jesus Cristo.

Através dos *Ministérios Joyce Meyer*, ela ensina sobre centenas de assuntos, é autora de mais de 80 livros e realiza aproximadamente quinze conferências por ano. Até hoje, mais de doze milhões de seus livros foram distribuídos mundialmente, e em 2007 mais de três milhões de cópias foram vendidas. Joyce também tem um programa de TV e de rádio, *Desfrutando a Vida Diária®*, o qual é transmitido mundialmente para uma audiência potencial de três bilhões de pessoas. Acesse seus programas a qualquer hora no site www.joycemeyer.com.br

Após ter sofrido abuso sexual quando criança e a dor de um primeiro casamento emocionalmente abusivo, Joyce descobriu a liberdade de

## Sobre a Autora

viver vitoriosamente aplicando a Palavra de Deus à sua vida, e deseja ajudar outras pessoas a fazerem o mesmo. Desde sua batalha contra um câncer no seio até as lutas da vida diária, Joyce Meyer fala de forma aberta e prática sobre sua experiência, para que outros possam aplicar o que ela aprendeu às suas vidas.

Ao longo dos anos, Deus tem dado a Joyce muitas oportunidades de compartilhar seu testemunho e a mensagem de mudança de vida do Evangelho. De fato, a revista *Time* a selecionou como uma das mais influentes líderes evangélicas dos Estados Unidos. Sua vida é um incrível testemunho do dinâmico e restaurador trabalho de Jesus Cristo. Ela crê e ensina que, independente do passado da pessoa ou dos erros cometidos, Deus tem um lugar para ela, e pode ajudá-la em seus caminhos para desfrutar a vida diária.

Joyce tem um merecido PhD em teologia pela Universidade Life Christian em Tampa, Flórida; um honorário doutorado em divindade pela Universidade Oral Roberts em Tulsa, Oklahoma; e um honorário doutorado em teologia sacra pela Universidade Grand Canyon em Phoenix, Arizona. Joyce e seu marido, Dave, são casados há mais de quarenta anos e são pais de quatro filhos adultos. Dave e Joyce Meyer vivem atualmente em St. Louis, Missouri.

∼

Posso fazer tudo que eu precise fazer na
vida por intermédio de Cristo.

Deus me ama incondicionalmente!

Não viverei com medo.

Sou uma pessoa que não se ofende facilmente.

Amo as pessoas e tenho prazer em ajudá-las.

Confio em Deus completamente; não há razão para me preocupar!

Sou contente e emocionalmente estável.

Deus supre todas as minhas necessidades em abundância.

Busco a paz com Deus, comigo mesmo e com os outros.

Vivo no presente e desfruto cada momento.

Sou disciplinado e tenho domínio próprio.

Coloco Deus em primeiro lugar em minha vida.

∼